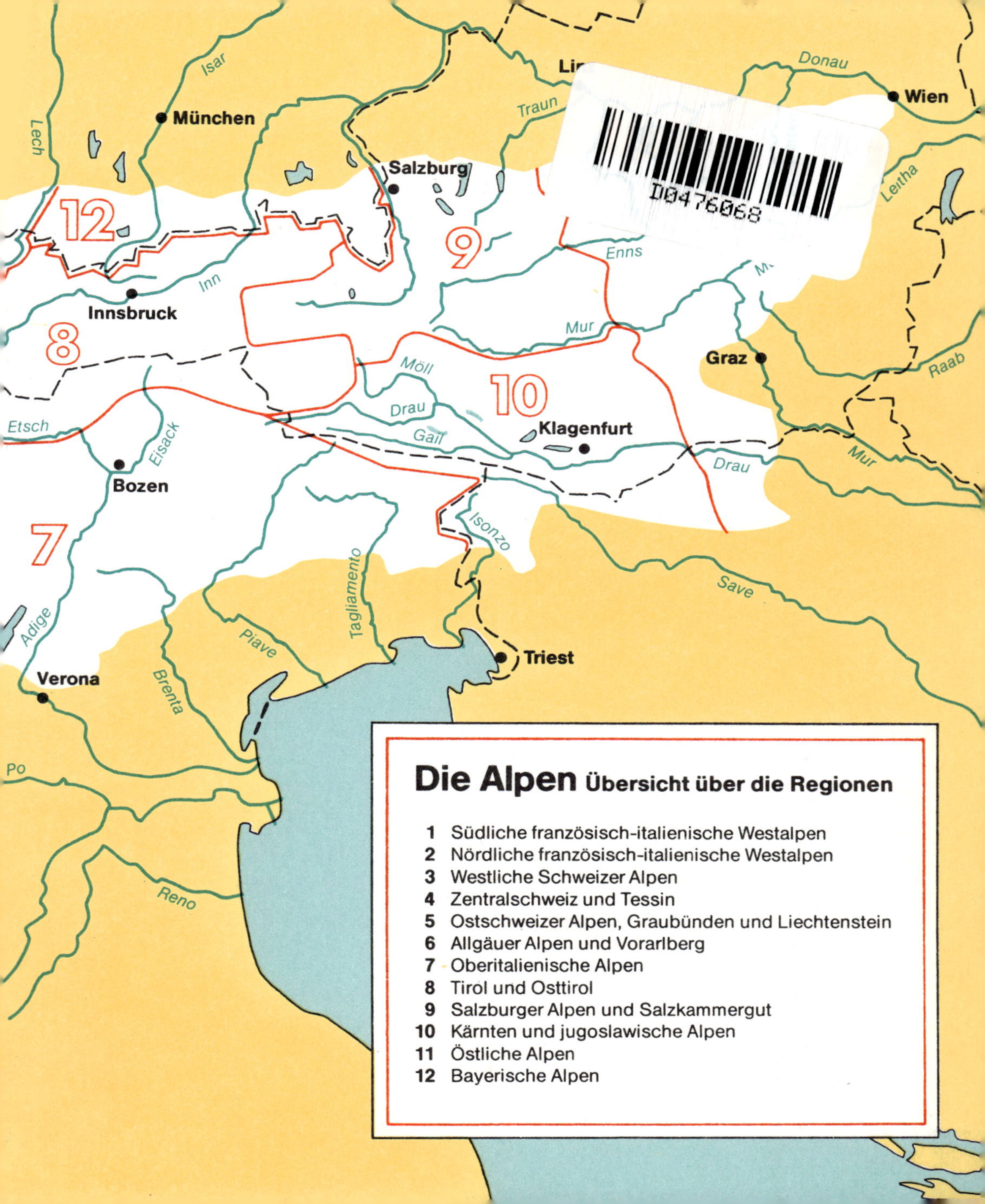

Die Alpen Übersicht über die Regionen

1 Südliche französisch-italienische Westalpen
2 Nördliche französisch-italienische Westalpen
3 Westliche Schweizer Alpen
4 Zentralschweiz und Tessin
5 Ostschweizer Alpen, Graubünden und Liechtenstein
6 Allgäuer Alpen und Vorarlberg
7 Oberitalienische Alpen
8 Tirol und Osttirol
9 Salzburger Alpen und Salzkammergut
10 Kärnten und jugoslawische Alpen
11 Östliche Alpen
12 Bayerische Alpen

Hans Heierli – Der Kosmos-Wanderführer
Die Alpen

Hans Heierli

Der Kosmos-Wanderführer Die Alpen

Mit 481 Farbfotos
Routen – Geologie –
Pflanzen und Tiere

unter Mitarbeit von Patricia Geissler für den botanischen Teil

481 Farbfotos von Aarons (1), Ammon (6), R. Arrighi (2), W. Baer (3), H. Barton (4), Baumann (4), W. Bechtle (10), O. Beer (18), P. Besson (2), J.-L. Carretier (1), Cornaro (2), R. Crespi (4), J. Czimmeck (1), K. Defner (1), Dir. Parc National Vanoise (1), J. Eberle (5), A. Edbauer (2), T. Federer (27), L. Gaggl (3), Geiger (2), P. Geissler (13), W. Gehring (3), L. Gensetter (57), C. M. Grammacioli (10), Handl (3), Häusle (1), H. Heierli (13), T. Hiebeler (3), G. Hirschi (1), E. Höhne (14), E. van Hoorick (50), P. Kohlhaupt (2), Kurverwaltung Schliersee (1), Landesfremdenverkehrsamt Vorarlberg (3), G. Laugero (1), H. E. Laux (1), P. Lavigne (1), K.-H. Löhr (1), H. Maeder (13), Marktgemeinde St. Aegyd am Neuwalde (1), E. Müller (2), Off. du Tour. Leysin (1), Off. du Tour. Signes (1), S. Ortner (3), Pilatus-Bahnen (2), L. Pinter (2), D. Povinelli (2), H. Raab (25), H. Reinhard (4), W. Retter (5), A. Richter (10), R. Riegg (9), K. Roth (17), R. Rykart (15), W. Schacht (1), H. Schrempp (1), Schwaiger (2), H. Schwarz (21), Schweiz. Verkehrszentrale (5), L. Sirman (2), D. Sochor (8), Tappeiner (2), H. Trenkwalder (9), Verkehrsamt Brand (2), Verkehrsverband Rigi-Sonnenseite (1), Verkehrsverband Zentralschweiz (2), Verkehrsbüro Amden (2), Verkehrsverein Saas-Fee (1), I. Vogler (14), Fremdenverkehrsamt V. V. Saalfelden (1), J. Weber (1), Wendelsteinbahn (2), H. Weninger (5), H. Wippel (2), P. Zeininger (5), J. Zurkirchen (3).
3 Farbzeichnungen (Vorsatz und geologische Karten) von K. Meier nach Vorlagen des Verfassers sowie
109 Kartenskizzen von H. Zeiner nach Vorlagen des Verfassers

Umschlaggestaltung von Edgar Dambacher unter Verwendung einer Aufnahme von L. Gensetter

Bild Seiten 2/3. Die Berninagruppe (Graubünden). Eine Wanderung von Pontresina aus zum Morteratschgletscher bringt uns die ganze Schönheit der unberührten Hochgebirgsnatur zu Bewußtsein. In der Kampfzone siedeln Bäume und Blumen zwischen den Blöcken eines Felssturzes. Der Morteratschgletscher zeigt uns alle Phänomene eines sich zurückziehenden Eisstromes mit mächtigen Seitenmoränen und der Schwemmebene hinter der Stirnmoräne. Die Berge im Hintergrund – von rechts nach links Piz Bernina, Piz Zupò, Bellavista und Piz Palü –, aus Gránit aufgebaut, sind bis in die Gipfelpartie verfirnt. Königliche Ruhe herrscht in diesem Talkessel, die man auf einer leichten Wanderung zur Boval-Hütte hinauf genießen kann. Aufnahme Gensetter

Genehmigte Lizenzausgabe
für Bechtermünz Verlag
im Weltbild Verlag GmbH, Augsburg 1996

Gesamtherstellung: Gráficas Estella S. A.
Printed in Czech Republic
ISBN 3-86047-320-4

Der Kosmos-Wanderführer Die Alpen

Verzeichnis der Wanderungen

Einleitung

25 Millionen Menschen wohnen in Städten im unmittelbaren Einzugsgebiet der Alpen (z. B. Lyon, Turin, Mailand, Genf, Zürich, München, Wien). Für diese Menschen wie auch für zahllose weitere Tieflandbewohner sind die Alpen ein bevorzugter Erholungsraum. So wird diese Bergregion zwischen Mittelmeer und Wienerwald, die 1978 von etwa 7,5 Millionen Menschen bewohnt war, alljährlich von einer wahren Lawine von Urlaubern überflutet. 40 Millionen Feriengäste (1938: 10 Millionen) und 60 Millionen Wochenendgäste (1938: 13 Millionen) buchten im Jahr 1978 220 Millionen Übernachtungen (1938: 50 Millionen). Pro Kopf der einheimischen alpinen Bevölkerung, die 1978 zu 50% ganz oder teilweise vom Fremdenverkehr lebte (1938: 10%), stehen drei bis fünf Fremdenbetten zur Verfügung.

Die Alpen wirken also wie ein Magnet auf die erholungssuchende Bevölkerung der näheren und weiteren Umgebung. Und das Alpenvolk hat sich auf diesen gewinnbringenden Verdienstzweig eingerichtet, um die karge Lebensgrundlage zu verbessern, um der drohenden Entvölkerung entgegenzuwirken. So weit, so gut.

Die Nachteile dieser Entwicklung, die fortschreitende und nicht wieder gutzumachende Zerstörung einer einmaligen Naturlandschaft, überwiegen aber die Vorteile. In Fremdenverkehrszentren konzentrieren sich die Feriengäste in der sommerlichen und winterlichen Hochsaison derart, daß beinahe großstädtische Verhältnisse mit bis zu 2000 Menschen pro km² den Erholungswert durch Lärm, Hektik und verpestete Luft in Frage stellen. Der an sich schon knapp bemessene Raum wird zersiedelt; jedes Stücklein Land, auch in lawinengefährdetem Gebiet, wird überbaut mit Hotelkästen, mit Appartementblöcken, mit Ferienhäusern. Straßen bringen den motorisierten Verkehr mit all seinen unangenehmen Begleiterscheinungen bis an die Gletscher heran. Bergbahnen führen die Gäste bis auf die höchsten und schönsten Gipfel, die damit zu Sammelgruben zivilisatorischen Unrats werden: In der Schweiz und in Österreich bestanden 1976 insgesamt 5500 Bergbahnen und Skilifte, gegenüber 450 im Jahre 1938. Für Skipisten pflügt man Alpweiden um, fällt man den lebensnotwendigen, sauerstoffspendenden Wald. So sind im Zeitraum zwischen 1938 und 1977 volle 11% (9000 km²) der alpinen Waldfläche dem Moloch Fremdenverkehr geopfert worden.

Die natürliche Landschaft und Kultur wird so in ihrer Entwicklung entscheidend gestört. Die Alpwirtschaft, einst wichtiger Faktor der Selbstversorgung, geht laufend zurück. Die zunehmende Entwaldung führt zu Murgängen, zu Überschwemmungen und Lawinen – ein einziger Quadratmeter Waldboden vermag bei einem starken Regen bis zu 300 mm Wasser zurückzubehalten! Die Pflanzen- und Tierwelt wird bedroht, wird in unwegsame Refugien zurückgedrängt und schließlich der Vernichtung preisgegeben. Eigenständige, aus der Tradition erwachsene Lebensformen der einheimischen Bevölkerung gehen verloren oder werden zu folkloristischen Darbietungen verfälscht und umgemünzt.

So verfolgt dieses Buch auch den Zweck, dem Wanderer die noch unverdorbene Natur zum Schutze anzuempfehlen, ihn im Anblick der Schönheiten unserer Berglandschaft, ihrer Pflanzen, Tiere und Mineralien zur Ehrfurcht vor der Natur hinzuführen.

Das Schwergewicht dieses Buches liegt bei den Wanderungen. Die Schönheiten der Gebirgswelt kann man nicht aus Büchern erfahren und erlernen, sondern nur durch das eigene direkte Erleben. Eine geruhsame, manchmal auch anspruchsvollere und anstrengendere Bergwanderung stählt nicht nur unsere Gesundheit, die körperliche Leistungsfähigkeit und Widerstandskraft; sie regt auch unseren Geist, unser Beobachtungsvermögen und unsere Phantasie an. Das Zwiegespräch mit der Natur verschafft uns den Zugang zu ihren zahllosen Wundern, sensibilisiert uns aber auch nachhaltig für die so dringenden Anliegen des Natur- und Heimatschutzes.

Die vorgeschlagenen Sommerwanderungen in den verschiedenen Regionen unserer Alpen – begangen,

ausgewählt und nach bestem Wissen beschrieben – können nur eine verschwindend kleine Auswahl darstellen. Sie sollen aber zu weiteren Entdeckungen und Begehungen, zu längerem Aufenthalt in den betreffenden Gebieten anregen. So führen sie uns hin zum Durchstreifen, zum Vertiefen unserer Kenntnisse über die so verschiedenartigen und vielfältigen Landschaften, deren jede ihre besonderen Reize besitzt. Die beschriebenen Wanderungen sind nicht schwierig und auch mit größeren Kindern durchführbar; immerhin empfiehlt es sich, wenn Trittsicherheit und Schwindelfreiheit vorausgesetzt werden, die Kinder an ein Seil oder an eine Reepschnur zu nehmen.

Ein Alpenführer, der einigermaßen erschöpfend über die Natur Auskunft gibt, würde zu einem vielbändigen und unhandlichen Werk anschwellen. Hier aber können die mannigfachen Schönheiten nur gestreift, angedeutet und erwähnt werden. Die Ergänzung durch entsprechende Bestimmungsbücher erst wird dem Alpenwanderer, dem Freund von Steinen, Mineralien, Pflanzen und Tieren, einen vertieften Eindruck der vielfältigen Natur vermitteln können.

Oben: Bei Seefeld (Tirol). Herbstliche Wanderungen in den Alpen haben ihre besonderen Reize. Die Luft ist meist klar und die Wetterlage stabil. Die herbstliche Tönung der Laubbäume und der Lärchen bietet ein einmaliges und stets wechselndes Farbenspiel. Aufnahme Federer

Rechts oben: Die Marmolata (Südtirol). Von der Pordoispitze aus präsentiert sich das vergletscherte Dolomitenmassiv besonders wuchtig. Hier treten uns die ungeheuren Kräfte, die zur Bildung der Alpen geführt haben, eindrücklich ins Bewußtsein. Und im Anblick der Hunderte von Metern messenden Dolomitmassen kann man sich die Zeiträume kaum vorstellen, in denen sich der Gesteinsschlamm im Meer abgesetzt hat oder von Meerestieren und -pflanzen zum Bau ihrer Gerüste dem Wasser entzogen wurde. Aufnahme Schwarz

Rechts unten: Auf der Fuorcla Surlej (Graubünden). Die romantische Paßlandschaft mit Blick auf Piz Bernina (links) und Piz Roseg ist leider heute zur Winterszeit vom Skirummel überflutet. Doch im Sommer bietet dieser Übergang vom Oberengadin ins Val Roseg und nach Pontresina dem Bergwanderer viele Überraschungen. Rundhöcker zeugen von der Wirkung des hier einst überfließenden Eises. Aufnahme van Hoorick

Links oben: Im hintersten Pitztal (Tirol). Vom Rifflsee aus blicken wir auf den Mitterbergferner. Hier stellt sich das Problem der Abwasserreinigung noch nicht; das Wasser dieses malerischen Bergsees ist bis auf den Grund durchsichtig. Zwischen den Blöcken aus Paragneis drängt sich eine reiche Bergflora. Aufnahme Federer

Links unten: Juf im Averstal (Graubünden). Mit 2126 m Höhe ist dies eine der höchstgelegenen, ganzjährig bewohnten Siedlungen in den Alpen. Die Bergbauern fristen hier ein kümmerliches Dasein und mühen sich mit extensiver Landwirtschaft ab. An den steilen Hängen wird im Sommer mühsam das Heu von Hand geschnitten und zu Tal geschleift. Im Hintergrund der Pizzo Turba, nach links der Übergang der Forcellina zum Septimerpaß. Aufnahme Gensetter

Oben links: Am Rinnensee (Tirol). Inmitten der Kristallinberge der Stubaier Alpen – im Hintergrund die Ruderhofspitze – liegt der Rinnensee in einer vom Gletscher ausgeschliffenen und mit Blockschutt erfüllten Mulde. Die leicht verschneiten Berge lassen die Strukturen im Gneis schön erkennen. Aufnahme Federer

Oben rechts: Am Hintersteiner See (Tirol). Der malerische See zu Füßen des Wilden Kaisers, inmitten dichter Wälder, ist ein beliebtes Ausflugsziel. Neben Campingplätzen ist das Ufer noch weitgehend von der Zivilisation verschont geblieben. In den Schilfpartien des langsam verlandenden Sees siedeln zahlreiche Vögel und Lurche. Aufnahme Federer

Einige Hinweise für den Alpenwanderer

Als Naturfreund auf der Suche nach seltenen Mineralien oder Pflanzen und mit der Absicht, einmalige Aufnahmen von Tieren in freier Wildbahn zu schießen, werden Sie gelegentlich versucht sein, von den markierten Wegen abzuweichen. Dies kann erhebliche Risiken in sich schließen, besonders wenn man sich als Einzelgänger im Gebirge bewegt.

Neben den objektiven Gefahren in den Bergen – Steinschlag, glitschige Steilweiden, Lawinen, Gletscherspalten u. a. – besteht stets auch die Möglichkeit von plötzlichen Wetterumschlägen, die uns sogar in einer bestens bekannten Landschaft völlig desorientieren können. Im eigenen Interesse sind daher einige Grundsätze unbedingt zu beachten:

1. *Vor der Wanderung* wird man sich anhand einer guten Karte den vorgesehenen Wanderweg zurechtlegen und die möglichen Risiken beurteilen. Die einzelnen Etappen mit dem Zeitbedarf sind zwecks Einteilung der Kräfte festzulegen. Einer zuständigen Person wird man Route und Zeiten bekanntgeben und sich zurückmelden. Nötigenfalls vertraut man sich einem ortskundigen Führer an.
2. Der *Verpflegung* ist besondere Aufmerksamkeit zu schenken. Neben genügend Trinkbarem ist Traubenzucker als Kräftespender empfehlenswert. Auch wenn unterwegs Raststätten anzutreffen sind, wird man doch ein Minimum an Nahrung mitnehmen. Wie, wenn man diese Raststätte nicht erreicht oder wenn sie geschlossen ist?

Lac de Derborence (Wallis). Ein kleines, aber reizvolles Naturschutzgebiet findet sich im Talkessel zwischen Dents de Morcles und Diablerets – die letzteren im Hintergrund. Der See wurde durch einen postglazialen Bergsturz gestaut. Wir befinden uns in der Grenzzone zwischen den autochthonen Sedimenten der Morcles-Decke und der überschobenen helvetischen Diablerets-Decke. Aufnahme Gensetter

3. Zur *Ausrüstung* gehören hohe Wanderschuhe mit Profilgummisohle, Regenschutz und Rucksack. Gegen plötzliche Kälteeinbrüche sehen wir uns mit warmer Reservekleidung und -wäsche vor. Unbedingt mit zur Ausrüstung gehören – neben einer guten Karte – Kompaß und der stets wieder geeichte Höhenmesser: Mit Hilfe dieser drei Gegenstände weiß man stets, wo man sich befindet.
4. Im Interesse der eigenen Sicherheit ist es schließlich nützlich, die Standorte und Rufnummern der örtlichen *Rettungsstationen* und der Flugwacht zu kennen.

Und als wichtigster Leitsatz: **Nie allein eine Bergwanderung unternehmen!**

Unten: Im Naturpark Ötscherland (Wienerwald). Genußreiche Wanderungen bietet uns der Ötscher-Tormauer-Naturpark. Besonders die reiche Flora der östlichen Alpen ist hier vertreten. Aber auch landschaftlich erfreut uns der Park durch seine Vielfalt, seine weiten Almen und seine Schluchten. Aufnahme Schwarz

Links: Smaragd aus dem Habachtal (Salzburg). Das Habachtal im Pinzgau ist eine berühmte Fundstelle u. a. für Beryll. Gut erkennbar sind an diesem etwa 1,5 cm langen Kristall die hexagonalen Prismenformen. Er liegt hier in einer Pegmatit-Druse vor. Aufnahme Rykart

Rechts: Gipfelstürmer am Arlberg (Österreich). Rund um den Arlbergpaß als Ausgangspunkt lassen sich etliche dankbare und leichte Bergwanderungen ausführen, die uns in die Höhen der „Nördlichen Kalkalpen" führen. Das ganze Alpenpanorama der Allgäuer, Lechtaler und Silvretta-Gebirge breitet sich vor uns aus. Aufnahme Landesfremdenverkehrsamt Vorarlberg.

Unten: Zinnenhütte (Südtirol). Der steil aufragende Doblacher Knoten zeigt die waagrechte Schichtung der Trias-Dolomite. Mächtige Schutthalden umgeben die bizarren Felszähne und Bastionen in den Dolomiten. Die Alpenclub-Hütte steht auf einer Moräne. Aufnahme Schwarz

Oben links: Im Wetterstein-Massiv (Bayerische Alpen). Der Aufstieg zur Alpspitze ist gut gesichert und ausgebaut, und der Blick schweift über das Isartal hinüber zum Estergebirge. Im mächtigsten Bergmassiv der Bayerischen Alpen läßt sich die Trias in Form der hellen Kalke und Dolomite gut studieren. Aufnahme Beer

Oben rechts: Im Val Cluozza (Schweiz. Nationalpark, Graubünden). Eine herrliche Wanderung führt uns quer durch den Nationalpark von Zernez im Engadin zur Blockhütte Cluozza. Neben lohnenden Wildbeobachtungen erfreut uns die reiche Hochgebirgsflora in diesem zum Oberostalpin zählenden Dolomitgebirge. Im Hintergrund der Piz Murtèr. Aufnahme Gensetter

Links: Am Wasserschaupfad Umbalfälle (Hohe Tauern). Der Nationalpark auf der Südflanke der Hohen Tauern greift über drei Bundesländer Österreichs hinweg und ist in stetem Ausbau begriffen. Zahlreiche Wanderwege und Unterkunftsmöglichkeiten bieten dem Wanderer einen Querschnitt durch die Natur dieses Gebietes. Aufnahme Retter

Oben: Am Weg zum Panixerpaß (Graubünden). Der Übergang vom Glarnerland ins Bündner Vorderrheintal wurde während der Wirren von 1789 von der Armee General Suworoffs beim Rückzug unter großen Verlusten benützt. Heute ist der Pfad gut ausgebaut. Über das Vorderrheintal hinweg blicken wir auf die Adula-Gruppe, das Quellgebiet des Hinterrheins. Aufnahme Gensetter

Links: Im Sellraintal (Tirol). Im Anblick des Liesener Ferners wandern wir über blumenreiche Matten. Der Weg führt uns bis an den Fuß des Gletschers, wo wir die besonderen Phänomene der Gletscherwirkung studieren können. Aufnahme Federer

Die Alpen als Landschaft

Die Alpen sind wegen der wohl einmaligen Vielfalt ihres Baues und ihrer Gesteine, wegen ihres Mineralreichtums und ihrer reichen Formenwelt schon früh ins Bewußtsein der Wissenschaftler getreten. So ist es nicht verwunderlich, daß das Gebirge zu den am besten erforschten Regionen der Erde zählt. Aber auch die Techniker haben sich der Alpen bemächtigt, um – den zahlreichen objektiven Gefahren der rauhen Gebirgswelt trotzend – die Übergänge und das Innere zu erschließen; oftmals wohl in euphorischem Überschwang die Natur vergewaltigend. Schließlich ist das Gebirge auch Tummelfeld der Bergwanderer und der Kletterer, die hier extreme Wandrouten bezwingen können.

In einem langgestreckten, 1200 km messenden Bogen erstrecken sich die Alpen vom Golf von Genua, abrupt aus den Fluten des Mittelmeers aufsteigend, bis vor die Tore von Wien, vom italienischen Ligurien bis zum Wienerwald. Im Süden gehen sie fast nahtlos in den Apennin über, während sie sich im Osten auffiedern in die Dinarischen Gebirge und die Karpaten. Ihre mittlere Breite beträgt 120–150 km; im Querschnitt zwischen Zugspitze und Gardasee mißt sie 250 km. 7,5 Millionen Menschen besiedeln nur etwa 11% ihrer gesamten Oberfläche von 220000 km², was einer Bevölkerungsdichte von lediglich einem Sechstel derjenigen der Bundesrepublik Deutschland entspricht. Die Besiedlung konzentriert sich denn auch auf die großen Täler, die verkehrsmäßig erschlossen sind, während die höheren Regionen häufig nur zur Sommerzeit bewohnt werden (Alphirten, Maiensässen). An der Gesamtfläche besitzen Österreich (35%), Italien (23%), Frankreich (20%) sowie die Schweiz und Liechtenstein (zusammen 13%) den Hauptteil; Deutschland ist mit 5%, Jugoslawien mit 2% beteiligt.

Beidseitig ist der Alpenbogen durch weite Schwemmlandebenen begrenzt: Im Süden dehnt sich die Po-Ebene bis zur oberen Adria und an den Fuß des Apennins; gegen Westen schließt das weite Tal der Rhone an und im Norden erstreckt sich das ausgedehnte Vorland des schweizerischen Mittellandes und der schwäbisch-bayerischen Hochebene. Diese Ebenen sammeln nicht nur die wasserreichen Alpenflüsse, sondern nahmen bereits zur Bildungszeit des Gebirges im Tertiär den Abtragungsschutt auf.

Die markante Querfurche vom Bodensee über das Rheintal und den Splügenpaß bis an die Gestade des Comersees teilt die Alpen in zwei Hälften, in die Westalpen und die Ostalpen. Diese Gliederung beruht einerseits auf geologischen Verschiedenheiten, anderseits aber auch auf Unterschieden in der Entwicklung der Oberflächengestalt. Gelegentlich wird auch zwischen Westalpen (vom Mittelmeer bis an die Schweizer Grenze), Zentralalpen (Schweizer Alpen) und Ostalpen unterschieden.

Im Mont Blanc in Savoien gipfeln die Alpen mit einer Höhe von 4807 m, doch finden wir auch andernorts mächtige Massive, so etwa die Punta Argentera (3297 m) in den Meeralpen, den Monte Viso (3841 m) in den Cottischen Alpen, die Ecrins (4103 m) im Dauphiné, den Gran Paradiso (4061 m) in den Grajischen Alpen, den Monte Rosa (4634 m) in den Walliser Hochalpen, das Finsteraarhorn (4274 m) im Berner Oberland, den Piz Bernina (4049 m) in Graubünden, den Ortler (3899 m), die Wildspitze (3774 m) in den Ötztaler Alpen und den Großglockner (3797 m) in den Hohen Tauern.

Zentrale Drehscheibe – sowohl morphologisch als auch verkehrsmäßig – ist die Region um den Gotthardpaß in der Zentralschweiz, wo wir auch die höchste Gipfelflur der Alpen finden. Bei einer mittleren Höhe von 1400 m fallen die Alpen gegen Sü-

Am Zirein-See (Sonnwendgebirge, Tirol). Der reizende See liegt an einem Europäischen Höhenwanderweg, der uns über die Berggruppe des Rofan (im Hintergrund die Rofanspitze) führt. Dickbankige Malmkalke bauen das Massiv auf. Aufnahme Federer

den wesentlich steiler zum Vorland ab als gegen Norden; das Gebirge ist im Querschnitt asymmetrisch, einseitig gebaut. Die mehr oder minder parallelen Gebirgsketten sind im Bereich der höchsten Massive zu engen Bündeln gerafft; anderseits weichen sie ostwärts etwa vom Querschnitt München–Udine weg auseinander und verlieren entsprechend an Höhe.

Die Alpen haben einmal eine große Bedeutung als Hauptwasserscheide zwischen Mittelmeer (Rhone), Adria (Po), Schwarzem Meer (Donau/Inn) und Atlantik. Im Gotthardraum streben Reuß, Aare, Rhone, Ticino und Vorderrhein strahlenförmig auseinander, hin zu den verschiedenen Weltmeeren. Ein ähnliches Zentrum befindet sich am Malojapaß im Oberengadin, wo der Inn (zur Donau), die Maira (zum Po) und die Julia (zum Rhein) ihr Quellgebiet besitzen. Zum andern sind die Alpen eine scharfe Klimascheide zwischen dem feucht-gemäßigten Mitteleuropa und dem subtropischen Südeuropa. Das Wetter ist demnach auch oft von Ort zu Ort verschieden, und die offiziellen Wettervorhersagen sind lokal nur bedingt gültig. Besonders bei Föhnlagen unterscheidet sich das Wetter beidseits des Alpenkammes grundlegend. Der rasche, oft abrupte Wetterumschlag kann dem Bergwanderer unvorhersehbare Gefahren bescheren. Schließlich bildeten die Alpen seit alters her eine hemmende Völkerscheide, die lange Zeit unübersteigbar blieb, zumindest in ihrem zentralen und westlichen Teil. HANNIBAL mußte die Überquerung der Westalpen mit teuren Opfern erkaufen, aber auch SUWOROFF verlor während der Französischen Revolution bei der Traversierung des Panixerpasses in den Glarner Alpen die Elite seiner Streitmacht. Bereits die Römer unterschieden zwischen den cisalpinen romanischen und den transalpinen germanisch-gallischen Provinzen ihres riesigen Reiches. Die Völkerschaften beidseits des Gebirges unterscheiden sich auch heute noch in vielen Belangen voneinander; ihr Kontakt, ihre Vermischung sind weitgehend erschwert. Stets auch waren die Alpen Zufluchtstätte, waren ein Refugium für vertriebene Völker, die sich eigenständig entwickelten, eine besondere Kultur und ein traditionelles Brauchtum schufen und konservierten – heute leider oftmals für den Geschmack des Tourismus folkloristisch verfälscht. Kriegführende Parteien mieden meist geflissentlich das unwirtliche Gebirge, oder sie bezahlten den Gebirgskampf mit großen Blutopfern – man denke etwa an die italienisch-österreichischen Kämpfe in den Südtiroler Bergen während des Ersten Weltkrieges.

Entsprechend der inneren Struktur sind die großen Täler und Talfluchten angelegt. Längstäler von oft ansehnlicher Weite durchziehen das Gebirge, so etwa das Val d'Isère, das Wallis, das Vorderrheintal, das Veltlin, das Vintschgau, das Inntal, das Pinzgau und das obere Ennstal. Hier auch ist in tieferen Lagen, dank der klimatisch geschützten Lage, ein intensiver Ackerbau möglich. Anders die meisten Quertäler: Sie sind oft eng und schluchtartig eingetieft: Das Tal der Durance, das Reußtal, das Tal der Salzach u. a.

Der Querverkehr wird durch einige tief eingeschnittene Pässe erleichtert, so etwa der Mont Cenis (2084 m), der Simplonpaß (2005 m), der Malojapaß (1809 m) oder der Brenner (1370 m). Straßen- und Bahntunnels sowie kühne Kunstbauten bis in unwegsamste Hochregionen fördern den wirtschaftlichen und touristischen Austausch weiterhin.

Oben: Die Berninagruppe (Graubünden). Von der mit der Seilbahn vom Berninapaß aus erreichbaren Diavolezza bietet sich ein umfassender Blick auf Piz Bernina – den höchsten Berg Bündens, links – und Piz Morteratsch, an dessen Fuß sich die Boval-Hütte befindet. Von der Diavolezza aus führt ein markierter Gletscherweg (Vorsicht: Spalten; Führer beiziehen) über den Persgletscher und den Morteratschgletscher bis nach Pontresina. Aufnahme Schwarz

Unten: Die Pala-Gruppe (Belluneser Dolomiten). Auch in den östlichen italienischen Alpen finden sich die typischen Strukturen der Dolomiten mit ihren mächtigen Kalkriffen. Die Umgebung der Rosetta-Hütte im Vordergrund ist glazial überprägt; auf den Rundhöckern kann man die Schichtlage der Kalke gut erkennen. Aufnahme Beer.

Links: Die Aiguilles Vertes (Hochsavoien). Bizarr ragen die aus dem Gneis der Zentralmassive herausmodellierten Felsnadeln empor. Für passionierte Kletterer ist das Montblanc-Gebiet ein Paradies; in den griffigen Kristallingesteinen kann aber auch der Wanderer etliche ausgebaute Wege finden. Aufnahme van Hoorick

Unten: Am Großen Lafatscher (Karwendel, Tirol). Dolomite und Kalke der mittleren und oberen Trias bauen das zentrale Massiv des Karwendelgebirges auf. Fast senkrecht stehende Schichtstrukturen weisen auf die gewaltigen Kräfte hin, die bei der Überschiebung dieser oberostalpinen Gesteine aus Süden gewirkt haben. Unverwechselbar ist die Wirkung der eiszeitlichen Gletscher im Talgrund. Aufnahme Federer

Der Naturfreund wird auf seinen Wanderungen in den Alpen wohl sein Hauptaugenmerk in erster Linie auf die Gesteine und deren Strukturen, auf Mineralien, Pflanzen und Tiere richten. Doch wird er nicht versäumen, auch den sprachlichen und kulturellen Eigenheiten der alpinen Menschen nachzuspüren, ihren Wohnstätten, ihren Lebensgewohnheiten, ihren Bräuchen und Sitten, die in langer Tradition geworden, überliefert und erhalten geblieben sind.

Naturparks und Nationalparks in den Alpen

Dem Alpenwanderer seien vor allem die Naturreservate empfohlen, denn hier findet er noch die unverfälschte Landschaft mit den naturgegebenen Lebensgemeinschaften. Neben den unten angeführten Parks sind noch zahlreiche Jagdbanngebiete und Pflanzenschutzregionen ausgeschieden, die jeweils an Ort und Stelle markiert oder auf Karten ersichtlich sind. So besitzt die Schweiz (1966) etwa 500 Natur- und Landschaftsschutzgebiete mit einer Gesamtfläche von über 800 km².
Hier seien einige Parks, ohne Anspruch auf Vollständigkeit, genannt:

Valdieri-Nationalpark (Meeralpen) 400 km²
Mercantour-Nationalpark (Meeralpen) 280 km²
Ecrins-Naturpark (Dauphineer Alpen) 1000 km²
Gran Paradiso-Nationalpark (Grajische Alpen) 560 km²
Vanoise-Nationalpark (Grajische Alpen) 570 km²
Tournette-Naturpark (Savoyen) 17 km²
Bauges-Naturpark (Savoyen) 50 km²
Frettes-Naturpark (Savoyen) 32 km²
Aletschwald-Naturpark (Wallis) 2,5 km²
Schweizer Nationalpark (Rhätische Alpen) 170 km²
Alpen-Nationalpark-Königsee (Bayerische Alpen) 270 km²
Ammergebirge-Naturpark (Bayerische Alpen) 205 km²
Karwendel-Naturpark (Bayerische Alpen) 270 km²
Chiemgauer Alpenpark (Bayerische Alpen) 150 km²
Stilfserjoch-Nationalpark (Ortler) 960 km²
Paneveggio-Naturpark (Dolomiten) 160 km²
Schlern-Naturpark (Dolomiten) 30 km²
Sarntaler Alpenpark (Sarntaler Alpen) geplant
Adamello-Brenta-Naturpark (Trentino) 460 km²
Hohe-Tauern – Naturpark (Tauern) 380 km²
Lainzer Tiergarten (Wienerwald) 26 km²
Ötscher-Tormauer-Naturpark (Wienerwald) 90 km²

Die Alpen aus geologischer Sicht

Im Zeitmaß des Geologen betrachtet, sind unsere Alpen ein *junges Hochgebirge,* aufgetürmt im *Tertiär,* dem älteren Abschnitt der Erdneuzeit (des Känozoikums), in der Zeitspanne der letzten 60–100 Millionen Jahre vor der Jetztzeit. Die Gesteinsmassen der Alpen wurden zur überwiegenden Hauptmasse durch *Zusammenschub,* durch Pressung, aus denTiefen eines Meeres – der Tethys, einem gewaltigen Ur-Mittelmeer – emporgehoben, verfaltet, zerbrochen und überschoben. Die Alpen sind aber nur ein Glied, ein Ausschnitt der weltumspannenden tertiären Hochgebirge – von Gibraltar bis nach Ostasien, von Alaska bis nach Feuerland und in die Antarktis.

In einem weiten, gegen Westen und Norden vorbrandenden *Bogen* spannen sich die Alpen von der Côte d'Azur bis nach Wien und setzen sich einerseits im Apennin und in den Pyrenäen, anderseits – sich auffächernd – in den Karpaten und in den Dinariden fort. Weite Schwemmlandebenen mit mächtiger Füllung durch den Abtragungsschutt aus dem Gebirge begrenzen beidseits den Gebirgskörper: Die Po-Ebene im Süden (auf der Innenseite des Alpenbogens), das Rhonetal im Westen und das schweizerisch-schwäbisch-bayerische Mittelland im Norden, der Außenseite des Alpenbogens vorgelagert.

Winterabend auf dem Säntisgipfel (Ostschweizer Alpen). Beim Blick gegen Westen offenbart sich uns von diesem einzigartigen Aussichtsberg in der Ostschweiz die Struktur der Nordfront unserer Alpen besonders eindrücklich. Steil steigen die Kalkschichten der helvetischen Säntisdecke auf die Molasseplatten des Mittellandes auf, dessen höchste Gipfel im Mittelgrund rechts gerade noch aus dem Nebelmeer über der mittelländischen Ebene auftauchen. Aufnahme Gensetter

Während die *westlichen Alpen,* infolge der stärkeren Heraushebung, bei geringerer Breite ansehnliche Höhen mit etlichen Viertausendern aufweisen, sind die *Ostalpen* durch größere Breitenentwicklung, aber im allgemeinen geringerer mittlerer Höhe, zum Teil eher als Mittelgebirge, charakterisiert.

In der Längsachse – im Streichen – können wir die Alpen entlang der ostschweizerischen Fuge Bodensee – Rheintal – Lenzerheide – Oberhalbstein – Septimerpaß geologisch in zwei baulich verschiedenartige Teile gliedern: Die Westalpen und die Ostalpen. Während sich die *Westalpen* ihrerseits in zwei deutlich unterscheidbare, nebeneinander liegende und vorwiegend penninische Zonen (Extern- und Internzone) aufteilen lassen, legt sich in den *Ostalpen* ein höheres Element, das Ostalpin, darüber, das im Westen weitgehend durch Erosion entfernt wurde. Diesen beiden tektonischen Alpenregionen stehen – getrennt durch eine markante Verwerfung – die durchgehend einheitlichen *Südalpen* gegenüber, wobei auch hier der kristalline Sockel, das Basement, im Westen mehr entblößt ist als im Osten.

Mannigfaltig und oft kontrovers sind die *Hypothesen,* die den Mechanismus der Auftürmung unserer Alpen und die wirkenden ungeheuren Kräfte zu erklären versuchen. Von einem Wandern des afrikanischen Kontinentalblocks gegen Norden infolge der Zentrifugalkraft auf der rotierenden Erde über die Annahme von sich gegeneinander verschiebenden Erdkrustenplatten bis hin zur Vorstellung von wirbelartigen Drehungen der Platten reicht die Palette der Ansichten. Fest steht, daß ein mächtiger Schub aus dem Raum der heutigen Po-Ebene und der Adria den einstigen weiten Meerestrog der Tethys radial gegen das Vorland im Westen und Norden zusammengestaucht und zum Gebirge aufgetürmt hat, so die ursprüngliche Breite auf etwa ein Fünftel reduzierend.

Im Gefolge der neuesten Erkenntnisse der *Plattentektonik,* deren Grundlagen von Alfred Wegener bereits zu Beginn unseres Jahrhunderts gelegt wur-

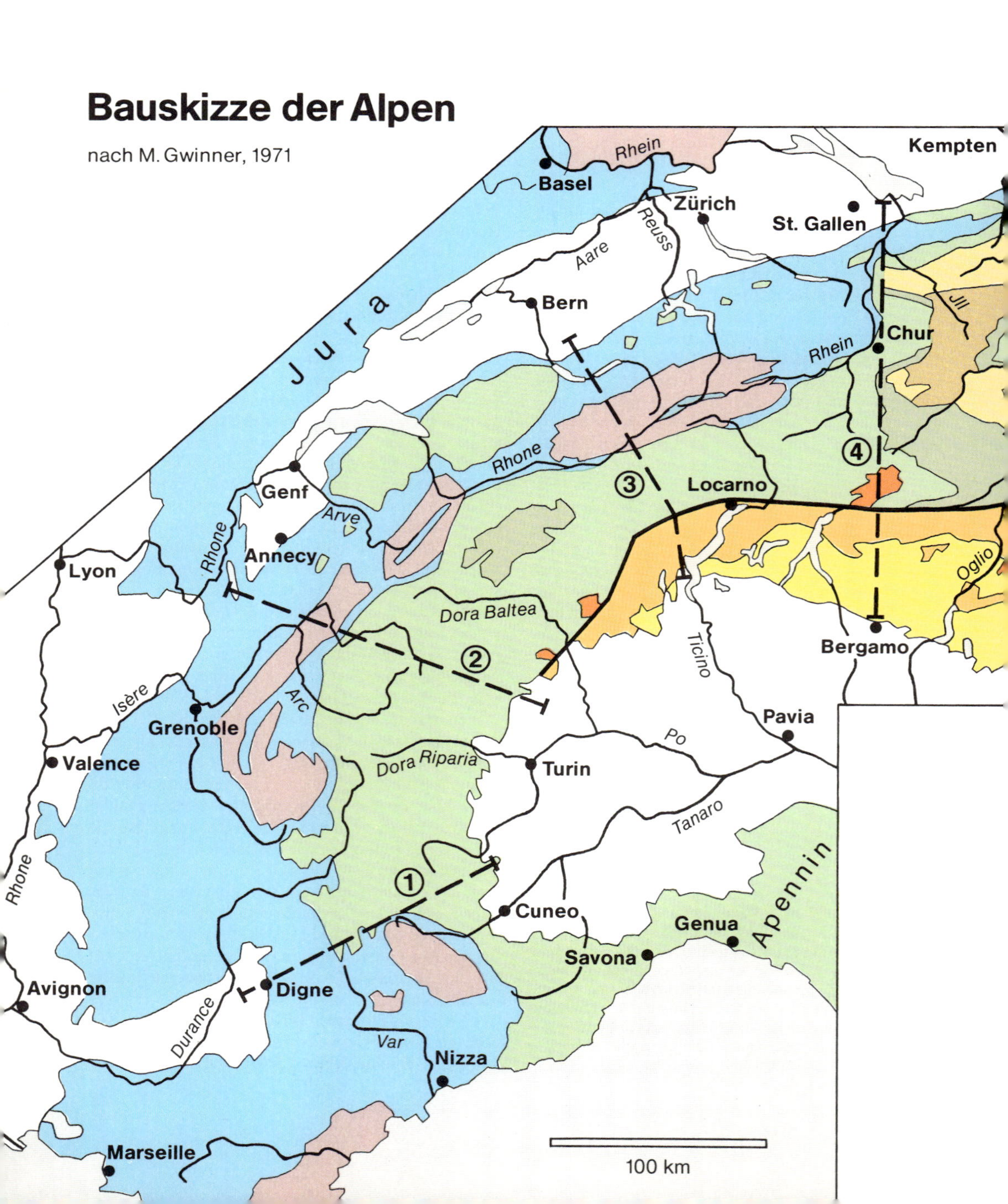

Bauskizze der Alpen

nach M. Gwinner, 1971

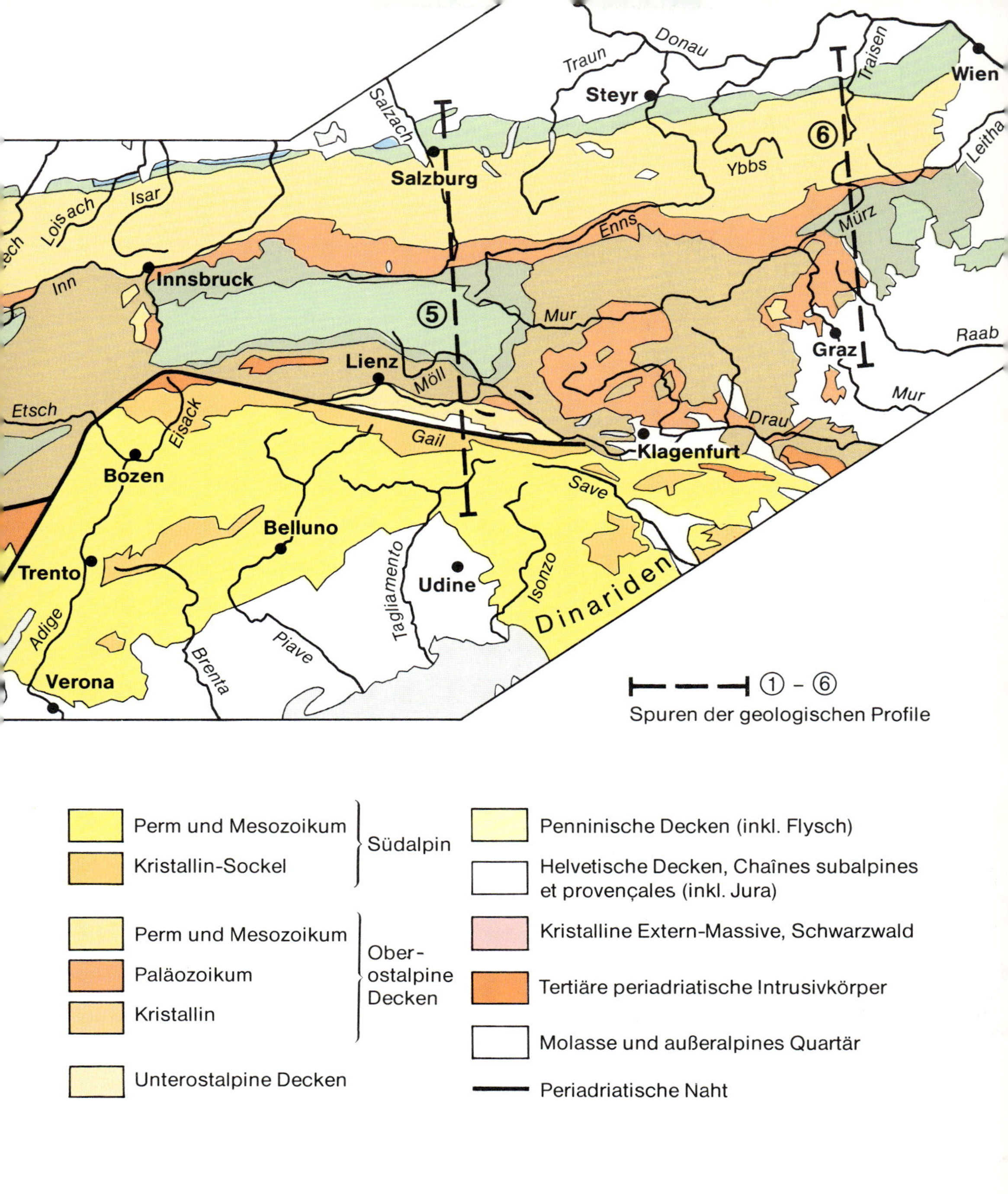
Donau
Traun
Salzach
Steyr
Traisen
Wien
Salzburg
Ybbs
Leitha
Loisach
Isar
Lech
Enns
Mürz
Inn
Innsbruck
Mur
Raab
Lienz
Graz
Möll
Mur
Etsch
Eisack
Gail
Drau
Klagenfurt
Bozen
Save
Belluno
Trento
Tagliamento
Udine
Isonzo
Dinariden
Adige
Piave
Brenta
Verona
5
6
① - ⑥
Spuren der geologischen Profile
Perm und Mesozoikum
Kristallin-Sockel
Südalpin
Perm und Mesozoikum
Paläozoikum
Kristallin
Ober-ostalpine Decken
Unterostalpine Decken
Penninische Decken (inkl. Flysch)
Helvetische Decken, Chaînes subalpines et provençales (inkl. Jura)
Kristalline Extern-Massive, Schwarzwald
Tertiäre periadriatische Intrusivkörper
Molasse und außeralpines Quartär
Periadriatische Naht

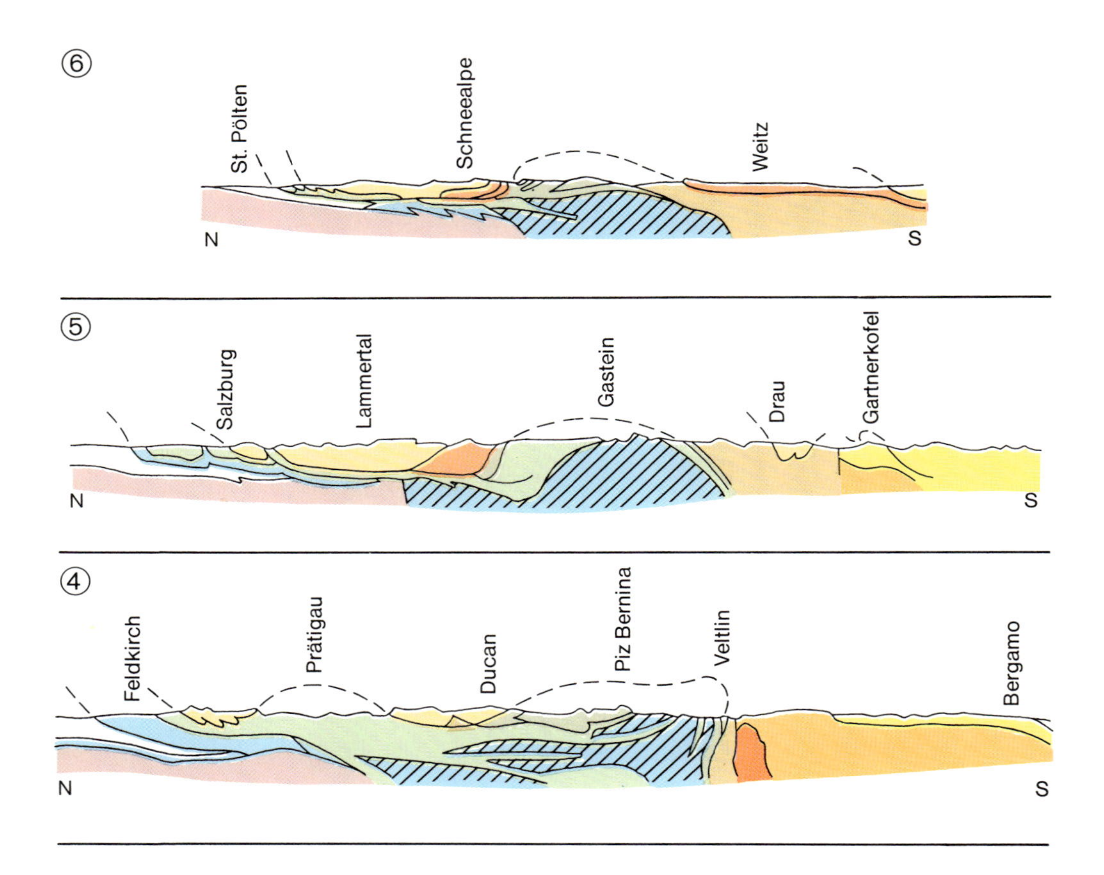

Geologische Profile durch die Alpen

nach M. Gwinner, 1971

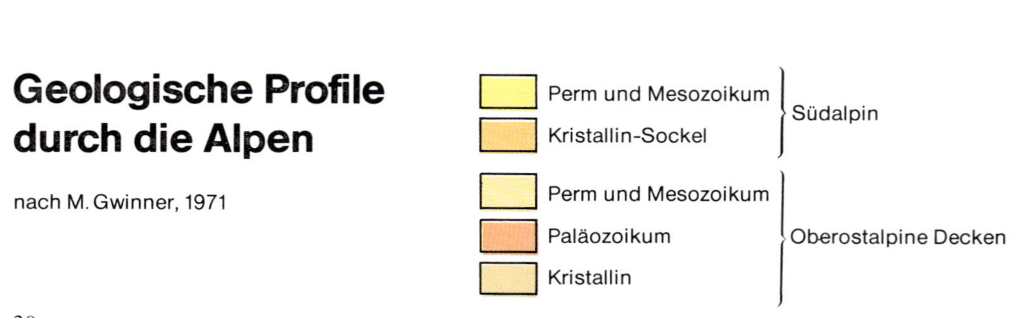

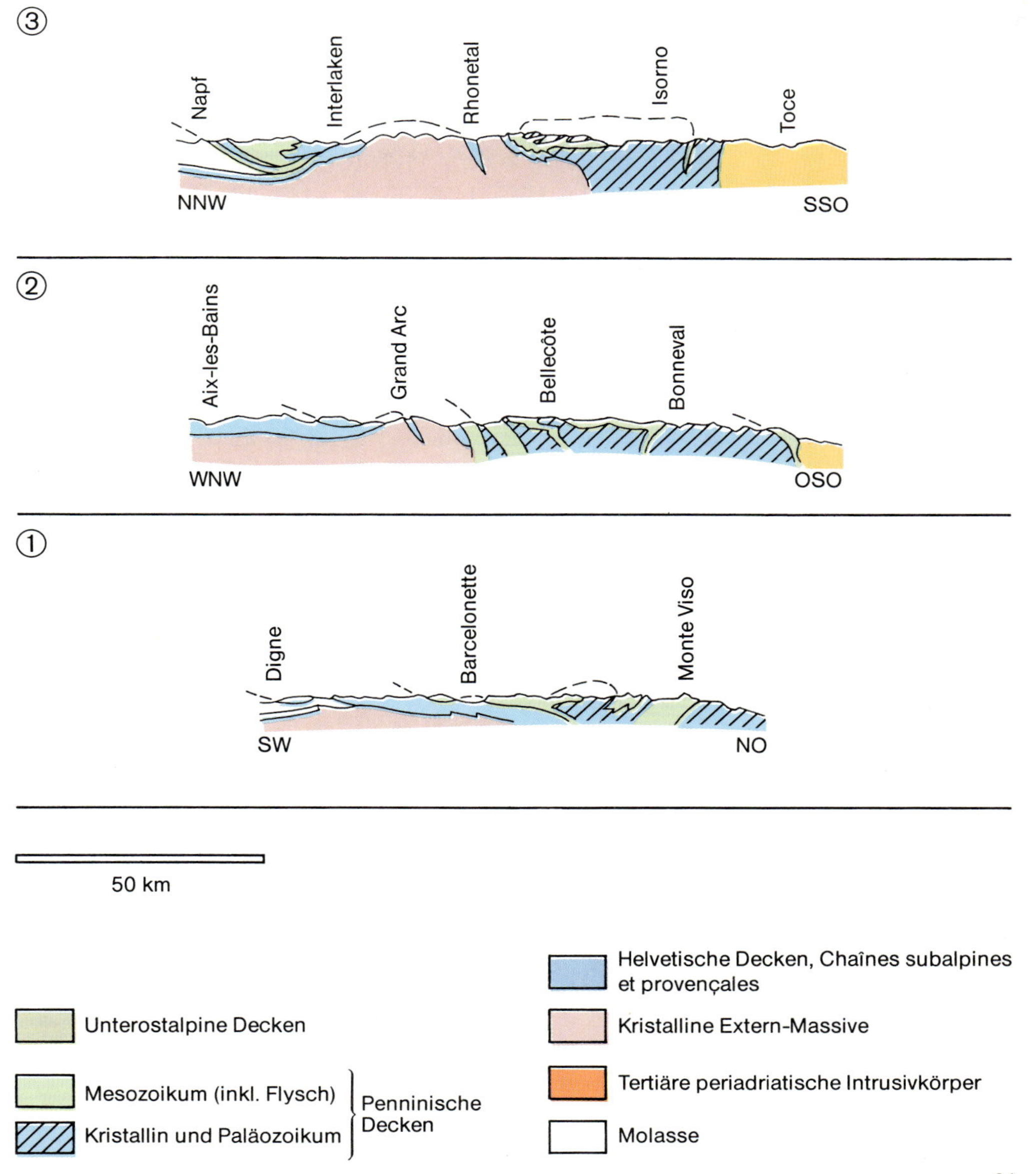
③
Napf
Interlaken
Rhonetal
Isorno
Toce
NNW
SSO
②
Aix-les-Bains
Grand Arc
Bellecôte
Bonneval
WNW
OSO
①
Digne
Barcelonette
Monte Viso
SW
NO
50 km
Unterostalpine Decken
Mesozoikum (inkl. Flysch)
Kristallin und Paläozoikum
Penninische Decken
Helvetische Decken, Chaînes subalpines et provençales
Kristalline Extern-Massive
Tertiäre periadriatische Intrusivkörper
Molasse

Die baulichen Einheiten der Alpen und ihre Zusammenhänge

▭ Periadriatische Intrusiva

	Westalpen		Ostalpen		
Südalpin		Südalpin		Südalpin	
		Seengebirge	Bergamasker Alp.	Trentino Dolomiten	Karnische/Julische Alp.
	Traversella	Biella	Bergell	Adamello	Bacher Gebirge
	. . . . . ?	Insubrische	Tonale -	Judikarien -	Pustertal-Linie
Ostalpin				Oberostalpin	
			Silvretta, Oetztal	Grauwacken-Zone Nördliche Kalkalpen	Drau-Zug
		Unterostalpin		Unterostalpin	
	= ?	Piz Toissa, Roggenstock	Albula-Bernina	Tauern-Rahmen	Semmering
Penninikum		Suprapennique			
		Dent Blanche, Sesia			
	Piemontese	Südpenninikum		Südpenninikum	
	Dora Maira, Gran Paradiso	Mte. Rosa, Simme	Unterengadiner -	Tauern-Fenster	Wechsel-Rechnitz
	Intern-Zone: Briançonnais	Mittelpenninikum		Mittelpenninikum	
	mit Zone houillère	Préalpes, Klippen		Tauern-Fenster	
			Flysch	Flysch	„Ostalpiner" Flysch
	Subbriançonnais				
	Pas du Roc	Nordpenninikum		Nordpenninikum	
	Valaisan	Walliser und	Prätigau, Vorarlberg	Nordalpen	
	Colle di Tenda, Tarentaise	Tessiner Hochalp.			
Helvetikum	Ultradauphinois	Ultrahelvetikum		Ultrahelvetikum	
		Zone des Cols	Flysch		Grestener Klippen
	MASSIVE				
	Extern-Zone: Dauphinois				
	Chaînes subalp.	Helvetikum		Helvetikum	
	Subalpin p. p.	Nordalpen, Autochthon, Parautochthon	Allgäu	Bayern	
	Chaînes subalp.				

Côte d'Azur – Bodensee – Chur – Septimerpass – Wien

den, versuchte man auch das Werden der Alpen in dieser Sicht zu deuten. Gezielte geophysikalische Untersuchungen (Geotraversen) sowie die Auswertung der jüngsten Erdbeben im alpinen Raum (z.B. Friaul) führten zu neuen Ansichten. Zwei Kontinente wären – nach einer Dehnungsphase in Jura und Unterkreide – miteinander kollidiert, wobei der gegen Norden bewegte südlichere adriatische Mikrokontinent (als Sporn der afrikanischen Platte) den eurasischen Block überfuhr und in die Tiefe drückte (Subduktion). Zwischen den beiden Kontinenten – dem südlicheren „ost-/südalpinen" und dem nördlichen „helvetischen" – wäre der penninische Tiefseetrog als ozeanische Kruste mit Ophiolithen überfahren worden. Zwei einander zeitlich folgende Kollisionen hätten zwei weitgespannte, nordgerichtete Überschiebungen an der Basis und im Dach der penninischen Massen bewirkt, verbunden mit intensiver, druckbedingter Metamorphose im zentralalpinen Raum und gefolgt von einer allgemeinen Hebung des Alpenkörpers. Besonders in den metamorphen Gesteinen des Penninikums zeichnen sich mehrere Deformationsphasen ab.

In der *Entwicklungsgeschichte der Alpen* können zwei sich zeitlich folgende, teils auch überschneidende Phasen auseinandergehalten werden:

1. Phase: Absenkung des Meeresbodens mit gleichzeitiger mächtiger Ablagerung (Sedimentation) von Kalken, Mergeln und Sandsteinen. Dies ist die *Geosynklinal-Phase* (Geosynklinale = Großtrog). Sie dauerte von der Trias bis in die obere (jüngere) Kreide, manchenorts bis ins mittlere Tertiär.

2. Phase: Einseitiger Zusammenschub des Meerestroges vom adriatischen Raum her, Verdickung und Verkürzung durch gleichzeitige Hochtürmung und Hinabbau in die Tiefe. Wir nennen diese Phase die *orogenetische Phase* (Orogen = Gebirge). Wie eine Welle pflanzte sich die Hebung gegen die Außenseite des Gebirgsbogens fort. Sie setzte in der jüngeren Kreide ein, erreichte im Tertiär ihren Höhepunkt und setzt sich abgeschwächt bis in die heutigen Tage fort.

Kleinfältelung bei Muot am Albulapaß (Graubünden). Die dünnbankigen Rätkalke (oberste Trias) sind bei der Überschiebung des Hauptdolomits der Ela-Ortler-Decke in enge Falten gelegt worden. Diese einmalige Erscheinung kann sowohl von der Straße als auch von der Rhätischen Bahn aus zwischen Bergün und Preda beobachtet werden. Aufnahme Heierli

Links oben: Die Mythen bei Schwyz (Zentralschweiz). Die beiden Mythen und die Rothenfluh (rechts) sind Klippen, die über große Distanz von Süden her auf die weiche Flysch-Unterlage aufgeschoben wurden. Sie zählen zu den hochpenninischen Decken und enthalten eine Schichtreihe, die von der Trias bis zur Kreide reicht. Gut erkennbar sind die rötlichen Mergelkalke am Gipfel des Großen Mythen, die „Couches rouges" der Kreidezeit. Aufnahme Gensetter

Links unten: Im Rofangebirge (Tirol). Die stark zerklüfteten Jurakalke im Tiroler Sonnwendgebirge geben der Verwitterung reiche Nahrung. Bergstürze und kleinere Abbrüche kommen häufig vor. Im Vordergrund sind die tieferen Partien von den eiszeitlichen Gletschern überprägt worden. Aufnahme Federer

Rechts oben: Die Kreuzberge im Alpstein (Ostschweizer Alpen). Diese Kletterberge stellen das Relikt des Nordschenkels einer einst mächtigen Falte dar, deren Hauptteil ins St. Galler Rheintal (im Hintergrund) abgestürzt ist. Zahlreiche Querbrüche durchziehen die senkrecht stehenden Schrattenkalkplatten und gaben der Verwitterung Anlaß zur Modellierung einzelner Felstürme. Aufnahme Maeder

Ein wesentliches Bauelement der Alpen sind die *kristallinen Massive,* die bereits im Karbon, im Zuge der weltweiten herzynisch-variskischen Gebirgsbildung (Orogenese) aufgefaltet, später in Perm und Trias wieder weitgehend durch die Erosion eingeebnet wurden. Deren granitische Kerne wurden dabei freigelegt. Die Doppelmassive von Argentera-Mercantour, Pelvoux-Belledonne, Mont Blanc-Aiguilles Rouges und Gotthard-Aare durchziehen, getrennt durch eine mehr oder minder ausgeprägte Mittelfuge, die französischen und schweizerischen Alpen. Sie verhielten sich während der tertiären Alpenbildung weitgehend passiv, reagierten auf den Schub aus Süden mit Hebung und fächerartigem Aufbrechen der Strukturen. Die gewaltigen Drücke und hohen Temperaturen in der Tiefe während der Orogenese führten zu Aufschmelzungen und Umwandlungen *(Metamorphosen)* der ursprünglichen Gesteine. Granitische Intrusionen der herzynischen Zeit wechseln zonenartig mit älteren Gneisen und Glimmerschiefern der Schieferhülle ab.

Oben links: Der Hochvogel von Westen (Allgäuer Alpen). Der Hauptdolomit der oberostalpinen Lechtaldecke der Nördlichen Kalkalpen, hier gut gebankt, ist zu einer mächtigen Falte verbogen. Diese Strukturen im an sich spröden Gestein sind nur möglich bei mächtiger Überdeckung und sehr langsamer Bewegung (einige Millimeter bis Zentimeter pro Jahr). Aufnahme Vogler

Oben rechts: Sägishörner im Berner Oberland. Auf der Wanderung von der Schynigen Platte zum Faulhorn bietet sich uns an den Sägishörnern ein imposantes Faltenbild in den Kalken und Mergeln des Jura der helvetischen Wildhorndecke. Der Gebirgskamm liegt in der Frontalzone der tieferen Elemente dieser Decke und wurde beim Vorschub arg gestaucht. Aufnahme Heierli

Unten: Die Breitachklamm (Allgäuer Alpen). Tiefe und enge Schluchten sind in den Alpen besonders in Nebentälern, kurz vor der Mündung ins Haupttal, charakteristisch. Sie sind in ihrer Anlage meist auf bereits bestehende Brüche und Verwerfungen zurückzuführen und wurden während des Eiszeitalters weiter durch Gletscherflüsse ausgehobelt. Aufnahme Vogler

Die *ältesten bestimmbaren Gesteine* – mächtige Riffkalke aus Ordovizium, Silur und Devon – finden sich in den Karnischen Alpen. In den Westalpen dagegen ist Karbon die älteste durch Fossilien belegte Formation. Mit Beginn des Perm setzte in weiten Teilen der nachmaligen Alpen, wohl als Folge der herzynischen Orogenese, eine heftige vulkanische Tätigkeit ein: Bis tausend Meter mächtige Quarzporphyr-Massen um Bozen, aber auch bis an den San Salvatore bei Lugano erstarrten auf der erodierten Landoberfläche.
Mit Beginn des *Mesozoikums* bildete sich im Süden Europas ein stetig absenkender *Meerestrog* aus: Die alpine Geosynklinale. Während der Triaszeit herrschten noch weitgehend flachmeerische Verhältnisse mit der Ablagerung von Kalken und Dolomiten, mit Lagunen, in denen sich mächtige Verdunstungssedimente ausschieden (Steinsalz, Gips, Rauhwacke; „Haselgebirge"). In den Randgebieten der Tethys unterbrachen kurze festländische Zwischenphasen diese beginnende Absenkung. Doch mit Einsetzen der Jurazeit überflutete das Meer den gesamten, durch mehrere parallele Längsschwellen gegliederten Ablagerungsraum der nachmaligen Alpen. Besonders in den beidseitigen Schelfgebieten vermochte aber der Absatz von Kalken, Mergeln und Sandsteinen mit der Absenkung Schritt zu halten, so daß sich Tausende von Metern mächtige Schichtreihen im Erdmittelalter aufhäuften.
Für die Betrachtung der Geschichte des Alpenraumes im Mesozoikum und im älteren Tertiär wollen wir *drei Querschnitte* zugrunde legen: in den französisch-italienischen Westalpen; in den Schweizer Alpen – diese beiden zählen im geologischen Sinne zu den „Westalpen" –, sowie in den bayerisch-österreichisch-italienischen und Bündner „Ostalpen".
In den *französisch-italienischen Alpen* zwischen dem Rhonetal und der westlichen Po-Ebene scheiden wir vorerst die *Basse-Provence* als „fremdes" Element aus. Sie ist, obwohl dem Alpenkörper angegliedert, von ihrer geologischen Geschichte und ihrer Struktur her – ihre Faltenachsen verlaufen in Ost-West-Richtung – eher den Pyrenäen vergleichbar. Immerhin besteht in der Zusammensetzung der Gesteine ein Zusammenhang mit den subalpinen Ketten (Chaînes subalpines). Gegen die Rhone-Ebene zu baut sich die *Extern-Zone* (das *Dauphinois*) aus Kalken, Mergeln und Tongesteinen auf, mit mehr oder minder starken Einschwemmungen von einem nahen Festland her. Gegen Osten, gegen die Massive von Belledonne und Pelvoux zu, vertiefte sich der Schelfbereich; helle Riffkalke und tiefmeerische Kalkschiefer überwiegen und bauen auch Teile der *Chaînes subalpines* auf. Auf einem nur wenig deformierten Kristallinsockel blieben die zu aufrechten oder nur leicht überliegenden Falten verbogenen Gesteine weitgehend autochthon (am Ort ihrer Ablagerung, auf der ursprünglichen Basis); die Verschiebungsweiten sind gering. Die schmächtigen flyschartigen Mergel aus dem Tertiär liegen diskordant auf den bereits früher gestörten älteren Gesteinen; eigentlich verschobener und verschuppter Tiefmeer-Flysch findet sich dagegen im östlich anschließenden *Ultradauphinois*. Im Osten der *Massive* (Mercantour-Argentera, Belledonne-Pelvoux, Aiguilles Rouges-Mont Blanc) erstreckte sich im Mesozoikum der weite penninische Trog, von West

nach Ost gegliedert in den *Subbriançonnais-Teiltrog*, die *Briançonnais-Schwelle* und das ausgedehnte Tiefmeer des *Piémontais (Piemontese)*. In der Trias herrschten auch hier überall flachmeerisch-lagunäre Bedingungen mit Ablagerungen von Gips und Rauhwacken und von mächtigen Kalken. In Jura und Kreide akzentuierte sich die Briançonnais-Schwelle, auf deren mächtiger paläozoischer Basis (Zone houillère) mit Trias-Bedeckung nur sehr schmächtige Sedimente mit zahlreichen Schichtlükken zur Sedimentation kamen (z.B. Val d'Isère). In den beidseitigen Tiefseetrögen, besonders im östlichen Piemontese, lagerten sich auf dem Kristallin des Gran Paradiso bis 2000 Meter dicke „*Bündner Schiefer*" *(Schistes lustrés)* ab, monotone, metamorph gewordene Kalkschiefer (Phyllite) mit eingelagerten untermeerischen Vulkanergüssen *(Ophiolithe = Grüngesteine)*. Diese Bündner Schiefer werden in der Oberkreide abgelöst von Flysch-Gesteinen. Die Flysch-Gesteine wurden im Eozän von ihrer Unterlage gegen Westen, über das Briançonnais hinweg abgeschoben und legten sich als verschuppte Embrunais-Decke auf die Dauphiné-Zone. Die Bündner Schiefer ihrerseits erfuhren in dieser Zeit eine Rückfaltung zur Po-Ebene hin.

Die Externzone im *zentralschweizerischen Querschnitt – Helvetikum* und *Ultrahelvetikum* – entspricht im Aussehen der Gesteine (in der Fazies) der mesozoisch-tertiären Schichtreihe weitgehend der französischen Externzone, während sich die Hauptmasse des *Penninikums* südlich der tektonisch wie morphologisch bedeutsamen Längsfuge Wallis-Urseren-Vorderrheintal ausdehnt. Dabei ist auffällig, daß die weit transportierten Sedimentgesteine nördlich dieser Linie kaum metamorph sind, die Gesteine des südlichen Wallis und des Piemontese dagegen anläßlich der Alpenbildung stark umgewandelt wurden. Im Perm und in der älteren Trias dominieren weithin festländische Trümmerablagerungen (Verrucano, Buntsandstein) mit vulkanischen Einlagerungen. In der mittleren Trias akzentuieren sich Schwellen sowohl über den *Massiven* (Aar-Gotthard) wie in der mittel-penninischen Fortsetzung des Briançonnais, im Ablagerungsraum der Klippen- und der Brekzien-Decke. Diese *Schwellen* bestehen während des gesamten Mesozoikums und weisen nur schmächtige Flachmeer-Ablagerungen auf. Weiter südlich (Hochpenninikum) wie auch nördlich der Schwellenzone (Tiefpenninikum) hält die Absenkung an und führt zum Absatz mächtiger *Bündnerschiefer*-Serien, in die sich wiederum *Ophiolithe* einlagern. Von der mittleren Kreide hinweg setzt hier der Zusammenschub ein; gewaltige Lockermassen gleiten von den versteilten Flanken der noch untermeerischen Rücken in die Vortiefen ab: Der *Flysch* wird abgelagert. Über dem Rücken der Zentralmassive bleibt die helvetische Gesteinsausbildung stets flachmeerisch mit Kalken, Mergeln und Sandsteinen. Der kräftige Nordschub im älteren Tertiär läßt die mittelpenninischen Massen gleitbrettartig in die Einwalmung (Depression) zwischen den Massiven des Mont Blanc und von Aare-Gotthard bis weit in das westschweizerische Molassebecken vorgleiten. Die *helvetischen* Gesteine ihrerseits rutschen auf dem versteilten Nordhang der Massive in die Vorlandsenke, branden dort auf die inzwischen mächtig gehäufte *Molasse* auf und werden zum frontalen Aufstieg gezwungen. Dabei löst sich der Schichtverband entlang von tonigen Gleithorizonten in mehrere Teildecken auf und wickelt den überliegenden ultrahelvetisch-penninischen Flysch teils unter sich ein. Die hochpenninischen Decken, wie auch die Kristallinkerne der mittel- und tiefpenninischen Decken mit schmalen trennenden Sedimentkeilen bleiben dagegen, intensivem Druck und entsprechend starker Metamorphose unterworfen, südlich der Massive stecken. Schließlich bleibt im schweizerischen Querschnitt auch das *Ost- und Südalpin* zu erwähnen. Obwohl sich die ostalpinen Decken – südlicheren Ursprungs als das Penninikum und dieses überfahrend – erst in den eigentlichen „Ostalpen" entwickeln, sind verschiedene Relikte in Form von Klippen auch westlich der Rhein-Septimer-Linie von der Erosion verschont geblieben. Deren ausgedehntestes ist die kristalline Dent Blanche-Decke in den Walliser Hochalpen. Die aufliegenden Sedimente sind über weite Strecken gegen Norden abgeschoben worden. Wir treffen sie in wenigen Überresten, zusammen mit mittel- und hochpenninischen Gesteinen, in den zentralschweizerischen Klippen (z.B. Roggenstock bei Iberg). Jenseits der markanten Vertikalverstellung der *insubri-*

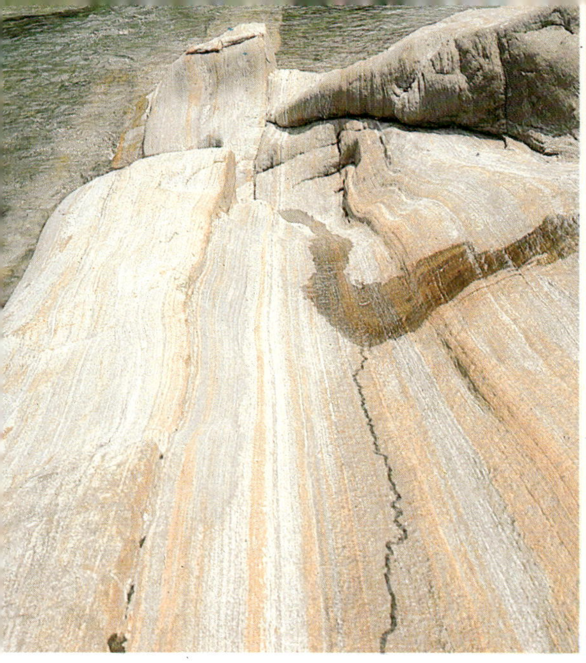

Oben links: Im Val Verzasca (Tessin). Der Fluß hat die senkrecht aufgerichteten Paragneise der penninischen Maggia-Zone ausgekolkt, so daß die Bänderung – als Relikt der ursprünglichen Schichtung der Ablagerungsgesteine – klar hervortritt. Aufnahme van Hoorick

Oben rechts: Gefaltete Kreidekalke bei Castellane (Savoie). Gut sichtbar ist die Funktion der zwischengelagerten dunklen weichen Mergel, die die bei einer Faltung entstehenden Hohlräume ausfüllen. Aus der Nähe betrachtet zeigt sich, daß der Kalkstein in eine Vielzahl einzelner Blöcke zerklüftet ist. Die Klüftung verläuft stets senkrecht zur Schichtung. Aufnahme Richter

Unten: Baveno-Granit. In diesem spätherzynischen Granit der Südalpen (Intrusion Karbon-Perm) sind die einzelnen Komponenten gut unterscheidbar: Der weiße bis rötliche Orthoklas (Feldspat), die hellgrauen Quarzkörner und die dunklen Biotit-Glimmer neben wenig Hornblende. Aufnahme Crespi

Oben: Am Prodchamm (Ostschweizer Alpen). Eine prachtvolle Falte in der Trias-Lias-Serie der tiefhelvetischen Axendecke zeigt das plastische Verhalten auch spröder Gesteinsschichten. Die Wechsellagerung von Kalkstein und Mergel führt bei den zur Zeit der Alpenbildung herrschenden Druckkräften zu mannigfaltigen Strukturen, so hier eine Einwicklung. Aufnahme Riegg

Links: Sella-Gruppe in den Dolomiten (Südtirol). Die mächtigen Trias-Dolomite sind weitgehend aus pflanzlichen und tierischen Skeletten aufgebaut. Dank der Klüftung konnte die Verwitterung ihr Werk vehement fortsetzen. Riesige Schutthalden säumen die bizarren Felsbastionen, deren Schichtung nahezu waagrecht liegt. Aufnahme Raab

schen Linie bildet das südalpine Kristallin die interne Begrenzung der Alpen mit mehreren parallelen Zonen von Gneisen, Amphiboliten und Dioriten, bedeckt von permischen Quarzporphyren. Beidseits der insubrischen Linie sind granitische, syenitische und quarzdioritische Stöcke aufgeschlossen (Baveno, Biella, Traversella). Die südalpinen Sedimente wurden gegen Ende der Alpenbildung in Form einer Rückfaltung noch um etliche Kilometer gegen Süden hin bewegt.

Die eigentlichen *Ostalpen* im bayerisch-österreichischen Querschnitt sind dominiert von den tektonisch höchsten ostalpinen Decken, in denen im Unterengadin, in den Hohen Tauern und in der Gegend von Rechnitz das Penninikum fensterartig freigelegt wurde, sowie südlich der Tonale-Judikarien-Pustertal-Linie – der Fortsetzung der insubrischen Linie – vom Südalpin, das sich in den Dolomiten breit ent-

wickelt. Parallel mit der größeren Breite des Gebirges geht ein einfacherer Decken- und Faltenbau einher. Bereits in der Trias ergriff das Meer vom Ablagerungsgebiet der nachmaligen Ostalpen (einschließlich der Südalpen) Besitz. Auch hier läßt sich eine Gliederung in parallele Schwellen und Senken feststellen. Bis über 1000 Meter mächtige Karbonatgesteine (oft Riffkalke) lagerten sich im südlichen Schelfgebiet (Ost- und Südalpin) ab: Wettersteindolomit, Hauptdolomit, Dachsteinkalk u.a. in den „Nördlichen Kalkalpen"; Esinodolomit, Meridekalk, Schlerndolomit, Hauptdolomit u.a. in den Südalpen. Viel schmächtiger ist die dolomitische Trias in der penninisch-unterostalpinen Umrahmung des *Tauernfensters* ausgebildet. Im Jura und in der älteren Kreide sind die Ablagerungsverhältnisse umgekehrt: Gewaltige Bündnerschiefermassen mit

Links: Rotgundspitze (Allgäuer Alpen). Von der Rappenseehütte aus kann die interessante Struktur an der Rotgundspitze gut beobachtet werden: Auf die eng gefältelten Mergel legt sich, getrennt durch eine Diskordanz, der brüchige Jurakalk, in dem sich unschwer Biegungen erkennen lassen. Aufnahme Vogler

Rechts oben: Das Martinsloch am Segnespaß (Graubünden). Hoch über Flims im Vorderrheintal erheben sich die Felszähne der Tschingelhörner. Die markante Linie ist eine einmalige geologische Schlüsselstelle in den Alpen: die Hauptüberschiebung der helvetischen Decken von Süden her auf den Flysch. Auf dem letzteren als dem jüngsten in den Alpen gefalteten Gestein (älteres Tertiär) liegt das Älteste der helvetischen Schichtreihe, der rötliche Verrucano aus dem jüngeren Perm. Der Flysch ist an der Diskordanz eng verfältelt. Die Verwitterung hat sich an einer Kluft ein Loch herausgefressen, durch das an einem bestimmten Tag des Jahres die Sonne auf den Kirchturm von Elm im Glarnerland scheint. Aufnahme Gensetter

Rechts unten: Hohe Leier im Reißeckgebirge (Hohe Tauern). Wir befinden uns in den Orthogneisen der zentralen Tauern, dem gewaltigen Fenster penninischer Gesteine im Ostalpenraum. Eindrucksvoll ist der Unterschied zwischen den rundlichen Formen der glazial überformten näheren Umgebung einerseits, den kantigen Felsspitzen der Gipfel im Hintergrund, die während der Eiszeit aus dem Eis herausragten, andererseits. Aufnahme Raab

vulkanischen Grüngesteinslagen im penninischen Haupttrog stehen geringmächtigen Kalk-Mergel-Serien in Ost- und Südalpin gegenüber. Rote Radiolarite weisen allerdings auch hier auf teils tiefmeerische Verhältnisse hin. In der Oberkreide machen sich im Süden bereits tektonische Bewegungen bemerkbar: Submarine Rutschungen geben zur Bildung der oberostalpinen Gosau-Trümmersedimente Anlaß; auf der ganzen Trogbreite bis in den ultrahelvetischen Bereich im Norden setzt nun allmählich die charakteristische Flysch-Ablagerung ein, die sich ins ältere Tertiär hinein fortsetzt.

In dieser Zeit akzentuierte sich die Nordbewegung kräftig: Die oberostalpine Sedimenthaut wurde als gegliederter Komplex der *„Nördlichen Kalkalpen“* bis über das wenig ausgedehnte *Helvetikum* vorgeschoben; entlang der Pustertal-Linie türmten sich ihre südlichen Vettern in Lienzer Dolomiten und Karawanken empor. Im *Südalpin* kommt es zu einfachen Verfaltungen und Überschiebungen (Rückfaltungen) von Sedimentschollen auf dem unterliegenden Kristallin, dem „Basement“.

In den Schlußphasen des Werdens unserer Alpen, im mittleren und jüngeren Tertiär, wurde einerseits die *„Wurzelzone“* der nordalpinen Decken versteilt; anderseits sank der südalpine Komplex um viele Tausend Meter in die Tiefe ab: Es bildete sich die ausgeprägte Verwerfung der *alpin-dinarischen Linie,* der „periadriatischen Naht“ aus, die sich auch morphologisch längs dem ganzen Alpenkörper verfolgen läßt: die insubrische Linie im Westen, die Tonale-Judikarien-Pustertal-Linie im Osten. Entlang dieser Schwächezone drangen in dieser Zeit *granitische Massen,* die periadriatischen Intrusiva, auf, die zu mächtigen Plutonen erstarrten (Bergell, Adamello/Presanella, Bacher Gebirge bei Maribor).

Schließlich legte die *Erosion* die unterostalpin-penninische Basis an etlichen Stellen frei: Unterengadiner Fenster, Tauern-Fenster, Wechsel-Rechnitz-Fenster.

Chronologische Entwicklungsgeschichte der zentralalpinen Gesteine (nach V. Köppel, 1980)

vor Mio. Jahren	
1600–1700	Bildung von Zirkonen in Gebieten, die das sedimentäre Ausgangsmaterial der Paragneise der Massive, der penninischen und ostalpinen Decken und der Südalpen lieferten.
500–700	Ablagerung des Ausgangsmaterials obiger Paragneis-Serien.
480–430	Metamorphose, Aufschmelzung, granitische Intrusionen (heutige Orthogneise der Massive, der Südalpen und z. T. der kristallinen Deckenkerne), Ablagerung von Sedimenten zwischen Ordovizium und Unterkarbon (Konglomeratgneise im Lepontin).
350–230	Metamorphose und Magmatismus; postmetamorphe Granite in den Massiven, in den Südalpen und den ostalpinen Decken sowie im Penninikum, wo sie heute als Orthogneise vorliegen.
180–115	Ablagerung der penninischen Sedimente (z. B. Bündnerschiefer) und Bildung ozeanischer Kruste (Ophiolithe) im Tethys-Becken.
ca. 120	Hochdruckmetamorphose (Sesia-Zone). Deformation und Rekristallisation kristalliner Stirnpartien penninischer Decken.
75–60	Hochdruckmetamorphose (Piemontesischer Trog, nördlich und östlich des Bergells).
30–25	Intrusion von Graniten (Bergell, Novate, Adamello) und Bildung von Pegmatiten in der Wurzelzone. Ende der temperaturbetonten Metamorphose zwischen Bergell und Mera und in der Wurzelzone.
25–19	Ende der thermischen Metamorphose im Penninikum.
16–15	Ende der Metamorphose im Gotthardmassiv.

Erdgeschichtliche Tabelle

Erdzeitalter	Formation	Abteilung	Jahrmillionen vor heute	Gebirgs-bildung	Ablag.-gesteine	Intru-siva*
Erdneuzeit = Känozoikum = Neozoikum	Quartär	Holozän	0,01			
		Pleistozän	1,5			
	Tertiär	Pliozän			Molasse	
		Miozän		Alpen	Molasse	4
		Oligozän		Alpen	Molasse	
		Eozän		Alpen	Flysch	
		Paleozän	65	Alpen	Flysch	
Erdmittelalter = Mesozoikum	Kreide	Obere Kreide			Alpine Schichtreihen	
		Mittlere Kreide			Alpine Schichtreihen	3
		Untere Kreide	135		Alpine Schichtreihen	3
	Jura	Malm			Alpine Schichtreihen	
		Dogger			Alpine Schichtreihen	
		Lias	190		Alpine Schichtreihen	
	Trias	Keuper = Obere Trias			Alpine Schichtreihen	
		Muschelkalk = Mittlere Trias			Alpine Schichtreihen	
		Buntsandstein = Untere Trias	225	Massive	Alpine Schichtreihen	
Erdaltertum = Paläozoikum	Perm		280	Massive		2
	Karbon		345	Massive		1
	Devon		395			
	Silur		435			
	Ordovizium		500			
	Kambrium		570			
Erdurzeit = Präkambrium	Proterozoikum		1100			
	Azoikum		4500			

*
1 Granit
2 Porphyr
3 Ophiolith
4 Periadriatische Intrusiva

Mineralien in den Alpen

So mannigfaltig wie die Gesteinswelt sind auch die Mineralien in den Alpen, die entweder gleichzeitig mit den Gesteinen – diese als Gemengteile aufbauend – oder später als Kluftfüllungen aus Lösungen und Schmelzen, durch Übersättigung oder durch Umwandlung (Metamorphose) entstanden sind. Wir können verschiedene Gesteinsgruppen unterscheiden, deren jede ihre charakteristische Mineralgesellschaft (Paragenese) führt. Die reichsten Funde lassen sich in Gesteinen machen, die zu irgendeiner Zeit ihrer Bildungsgeschichte aufgeschmolzen wurden und in der Folge langsam erstarrten (kristalline Gesteine wie Granit oder Gneis). Dazu zählen die magmatischen Erstarrungsgesteine und die metamorphen kristallinen Schiefer. Demgegenüber treffen wir in den Ablagerungsgesteinen wieder andersartige, im allgemeinen spärlichere und artenärmere Mineral-Paragenesen.
Entsprechend der Vielfalt und der weiten, phasenweisen zeitlichen Erstreckung der tektonischen Vorgänge in den Alpen können wir auch ein reiches Spektrum an Mineralien finden. Diese sind heute zumeist durch die örtlichen Behörden geschützt, und ein Aufsammeln bedarf der vorherigen Bewilligung – man erkundige sich vor Beginn der Suche, um unliebsame Bußen zu vermeiden!

Im Val d'Hérens (Wallis). Die Gipfelpartie in der Dent Blanche stellt eine ostalpine Klippe dar, die auf die penninischen Kristallinkerne aufgeschoben wurde. In diesem Gebiet findet man eine Vielzahl von seltenen Mineralien, besonders aus der meso- und katametamorphen Abfolge. Unter ungeheuren Drücken und hohen Temperaturen bildeten sich aus den ursprünglichen präherzynischen Sedimentgesteinen bestimmte neue Mineralien. Schön ist auch die Schliffgrenze der eiszeitlichen Gletscher zu sehen. Aufnahme Gensetter

Links oben: Vesuvian vom Feegletscher im Wallis. Die hier etwa 5 mm messenden Säulen gehören dem tetragonalen Kristallsystem an. Mit Granat und Epidot findet er sich in der Kontaktzone von Batholithen. Aufnahme Rykart

Links unten: Bergkristall. Der kristallisierte Quarz (SiO_2) liegt hier als sogenannter Friedländer-Quarz vor, gefunden im Maderanertal in der Zentralschweiz. Er ist der Hauptvertreter der alpinen Zerrkluftlagerstätten. Kantenlänge ca. 6 cm. Aufnahme Rykart

Rechts oben: Realgar. Das Arsensulfid (As_4S_4) von intensiv roter Farbe kommt auf der berühmten Fundstelle des Lengenbachs im Binntal (Wallis) in zuckerkörnigem, weißem Dolomit vor und ist eine Neubildung der Epimetamorphose bei relativ niedriger Temperatur. Das kurzsäulige monokline Mineral zerfällt mit der Zeit zu gelbem Auripigment As_2S_2. Aufnahme Grammacioli

Rechts unten: Zerrkluft im Gotthardmassiv. Das schmale Quarzband links führte den Strahler zur eigentlichen Kluft, in der er reiche Beute machte. Zerrkluft-Lagerstätten sind charakteristisch für die alpine Gebirgsbildung des Tertiärs: In den durch die ungeheuren Kräfte aufgerissenen Klüften zirkulierte mineralreiches Wasser, aus dem sich von den Rändern her die Mineral-Paragenese abschied. Aufnahme Rykart

Zum *magmatischen Zyklus* zählen alle Mineralbildungen aus dem erstarrten Magma, sei es durch langsame Abkühlung im Erdinnern (Gesteine wie Granit, Syenit, Diorit, Gabbro und Amphibolit), wie sie uns einerseits in den nicht metamorphen Teilen der paläozoischen Kristallin-Massive, anderseits in den tertiären Intrusiva und Ergüssen entlang der periadriatischen Naht wie auch im Vor- und Rückland der Alpen begegnen. Das Magma, Ursprung aller Erstarrungs-(magmatischen) Gesteine, ist eine heiße und zähflüssige, gasreiche Silikatschmelze, die neben den im Gestein auskristallisierten Hauptgemengteilen (Quarz, Feldspäte, Glimmer, Hornblende, Augit usw.) eine Vielzahl weiterer chemischer Bestandteile enthält. Beim Aufstieg in Gebirgen und bei der parallel dazu verlaufenden Abkühlung entmischt sich das Magma, differenziert sich durch die Kristallisation bestimmter Mineralien (Erst-Kristallisation). Diese sogenannte liquid-magmatische Phase, bei Temperaturen über etwa 700°C, läßt die oben erwähnten Hauptgemengteile erstarren. Dabei bleiben Restlösungen mit leichter flüchtigen, tiefer schmelzenden Substanzen zurück, die in den sich bildenden Klüften und Gängen des erstarrten Haupt-Magmas zirkulieren. Die derart angereicherten Spurenelemente kristallisieren als pegmatitische Gangfolgen zwischen 700°C und 550°C aus. Wir finden sie als große Kristall-Aggregate lokal als Ganggesteine, z.B. Muskovit-Glimmer, Turmalin, Zirkon und Uran-Mineralien. Bei weiterer Abkühlung bis etwa 450°C verbleiben noch heiße Gase und Minerallösungen (pneumatolytische Phase), aus denen sich u.a. Topas, Apatit, Turmalin, Lithiumglimmer, aber auch Erze mit Wolfram, Zinn und Molybdän ausscheiden. Schließlich zirkulieren noch heiße hydrothermale Lösungen in den verbleibenden Klüften, teils auch gespeist von Oberflächenwässern, die Anlaß zu Vererzungen geben. Calcit, Fluorit, Baryt und Dolomit sind Mineralien dieser tiefenmagmatischen Schlußphase.

Ähnlich den zuletzt genannten Mineralbildungen, aber anderer Entstehung sind die berühmten alpinen *Zerrkluft-Lagerstätten,* wie sie in den Kristallin-Massiven häufig zu finden sind. In den letzten Phasen der Alpenbildung, vom Oligozän bis zum Pliozän, ja bis ins Quartär hinein, wirkten in den zentralen Alpen ungeheure Druck- und Zugkräfte, die zur Öffnung von linsenförmigen Hohlräumen führten. Aus den zirkulierenden hydrothermalen Lösungen schieden sich zahlreiche Mineralien ab, die vom Boden und von den Wänden her die Kluft mehr oder minder erfüllten. Die hohe Temperatur solcher Lösungen wie auch der Mineralgehalt hängt aber nicht mit benachbarter magmatischer Tätigkeit zusammen, sondern ist eine direkte Folge der Gebirgsbildung. Die Mineralstoffe – vornehmlich Kieselsäure, aber auch zahlreiche weitere wie auch Komponenten nachmaliger Erze – löste das aggressive Wasser aus den umgebenden Gesteinen heraus. Aus der Fülle der weit über hundert aus Zerrklüften bekannten Mineralien seien nur einige wenige erwähnt, ohne auf die spezifischen Paragenesen in den verschiedenen kristallinen Gesteinsarten einzugehen. Neben den meist vorkommenden Hauptmineralien („Durchläufer“ wie Quarz, Adular, Albit, Chlorit, Calcit usw.) führt eine Zerrkluft jeweils auch „Leitmineralien“, die für das Nebengestein typisch sind: z.B. Fluorit, Apatit und Hämatit in Granit und Gneis; Titanit und Epidot in Amphiboliten; Granat, Vesuvian und Epidot in Kalksilikatgesteinen.

Oben: Apatit. Die hexagonale Kristallform dieses Calciumphosphates ist schön erkennbar, ebenso der dicktafelige Viellings-Habitus. Das Mineral ist ein typischer Vertreter der pegmatitischen Abfolge bei der Kristallisation aus dem Magma. Das gezeigte Stück stammt aus der Gegend des Rhonegletschers (Wallis). Aufnahme Rykart

Unten: Steinsalz. Während der Muschelkalkzeit (mittlere Trias) herrschte in Mitteleuropa ein heißtrockenes Klima. In den flachen Lagunen verdunstete das Meerwasser und hinterließ mächtige Salzschichten, die später von undurchlässigen Mergeln des Keupers eingedeckt wurden. So bildeten sich große Steinsalzlager (hier bei Hall in Tirol). Salz ist ein typisches Verdunstungssediment. Aufnahme Rykart

Eisenrose. Der Hämatit (Roteisenstein, Bluteisenstein, Fe_2O_3) aus Gemengteilen metamorpher Schiefer bildet bei schwachem Gehalt an Titanoxid blauschwarze rosettenförmige Aggregate, die hexagonal kristallisieren. Aufnahme Rykart

Eine eigentliche *jungvulkanische* Tätigkeit im Tertiär mit Ergüssen von Lava an die Erdoberfläche ist besonders im Vor- und Rückland der Alpen anzutreffen (Hegau, Euganeen). Neben Zeolithen (Natrolith u. a.) sind besonders die Hohlräume der Mandelsteine (Melaphyr) reiche Fundgruben von Kleinmineralien.

Die *metamorphe Abfolge,* mit hohen Drücken und Temperaturen, treffen wir besonders in den zentralen und südlichen, im Luv des Gebirgsschubes gelegenen alpinen Bauzonen an: die Zone interne der französisch-italienischen Westalpen, die penninischen Deckenkerne südlich der schweizerischen Zentralmassive und in den Hohen Tauern sowie die Wurzelzone entlang der alpin-dinarischen Linie. Bereits bestehende Mineralien in Erstarrungs- oder Ablagerungsgesteinen werden umgewandelt, oder aber es bilden sich völlig neue, von der Art des Ausgangsgesteins abhängige Mineralien. Neben Druck und Hitze – oftmals bis zur Aufschmelzung – können Stoffe in Lösung zu- oder abgeführt werden. In den Alpen spielte vor allem die *Regional-Metamorphose,* bedingt durch einseitigen Druck bei der Gebirgsbildung, eine vorherrschende Rolle. Ihr Abbild, oft mehrfach überprägt (polymetamorph), ist die Schieferung, die Einregelung der Mineralien in eine Ebene. Granat, Staurolith, Disthen, Sericit und Paragonit treten im zentralmassivisch-penninischen Raum in schöner Ausbildung auf. Die seltenere *Kontaktmetamorphose* in der unmittelbaren Umgebung von

Amiant. Dieser äußerst feinfaserige Strahlstein stammt aus dem Lötschental im Wallis. Er gehört zur Gruppe der Hornblenden und tritt in metamorphen Kalken und Dolomiten (Paragneisen) auf. Aufnahme Rykart

eingedrungenen Magmakörpern (z.B. Granite und Granodiorite von Adamello und Bergell) läßt Beryll, Diopsid und Vesuvian entstehen. Sowohl das Ausgangsgestein als auch die Tiefenstufe der Metamorphose haben einen Einfluß auf die Bildungsweise und Art der Mineralien.

In der *sedimentären Abfolge,* also durch exogene Faktoren in Ablagerungsgesteinen bedingt, dominiert der Absatz von Mineralien durch Übersättigung aus wäßrigen Lösungen. Ihre Grundstoffe sind durch Verwitterung und Abtrag eingeschwemmt worden. Neben lokalen Vererzungen (Hämatit, Manganerze) finden sich in den Chaînes subalpines und provençales, in den helvetischen und ostalpinen Sedimentgesteinen vor allem Calcit und Aragonit, Fluorit und Quarz. Die Trias ist gekennzeichnet durch die Verdunstungsmineralien Steinsalz und Gips, wie sie im „Haselgebirge" der Ostalpen (Salzkammergut, Hall in Tirol), aber auch bei Bex im Waadtländer Rhonetal und bei Modane in der Maurienne ausgebeutet werden.

Die Erzlagerstätten in den Alpen sind nur in wenigen Fällen abbauwürdig (z.B. Siderit am Erzberg in der Steiermark und bei Hüttenberg in Kärnten, Quecksilbererze bei Idrija in Slowenien, Blei- und Zinkerze am Bleiberg bei Villach, Eisenerze bei Brossa und Traversella in den italienischen Westalpen u.a.). Als Imprägnationen in kristallinen und in Ablagerungsgesteinen treffen wir aber häufig Vererzungen an, so etwa Hämatit als Eisenglanz im Verrucano.

Links oben: Rauchquarz. Ein typischer Vertreter der zentralalpinen Zerrkluftlagerstätten, hier aus dem Zillertal (Österreich). Die rauchgraue bis braune Farbe des durchsichtigen Quarzes rührt von geringen Beimengungen von Mangandioxid (MnO_2) her. Aufnahme Rykart

Unten: Albit aus dem Ahrntal (Österreich). Er zählt zu den Feldspäten (Plagioklas, Natrium-Aluminium-Silikat). Das weißliche Mineral kristallisiert im triklinen System und tritt in Alkaligraniten und Gneisen auf. Aufnahme Grammacioli

Links unten: Turmalin. Das prächtige Aggregat stammt aus dem Goms im Wallis. Die tiefschwarze Varietät, Schörl genannt, tritt in langen verwachsenen Säulen mit charakteristischer Längsriefung und mit pyramidalem Abschluß auf. Turmalin ist ein Kontaktmineral im Einflußbereich aufsteigender heißer Magmen. Aufnahme Rykart

Gesellschaften (Paragenesen) wichtiger alpiner Zerrkluftmineralien
(nach MAX WEIBEL)

Nebengestein	Durchläufer	Leitmineralien
Granit,	Quarz	Fluorit
Gneis	Adular	Hämatit
	Albit	Apatit
	Chlorit	Desmin, Chabasit
	Calcit	Eisendolomit
		Milarit
		Phenakit
Glimmerschiefer,	Quarz	Anatas, Rutil, Brookit
Sericitgneis	Adular	Hämatit
	Albit	Eisendolomit, Siderit
	Chlorit	Monazit
	Calcit	Xenotim
Granodiorit,	Quarz	Titanit
Syenit,	Adular	Epidot
Amphibolit	Albit	Amiant
	Chlorit	Prehnit
	Calcit	Desmin, Chabasit, Heulandit
		Skolecit
		Apatit
		Milarit
		Axinit, Datolith, Danburit
Serpentin		Talk
		Dolomit, Magnesit
		Apatit
		Ilmenit
Kalksilikatgesteine,	Quarz	Granat
Grünschiefer,	Albit	Diopsid
Gabbro	Chlorit	Vesuvian
	Calcit	Epidot
		Prehnit
		Amiant
Kalkschiefer,	Quarz	Dolomit
Kalk,	Albit	Fluorit
Dolomit	Calcit	Skapolith

Gesteins-Umwandlung (nach P. NIGGLI)

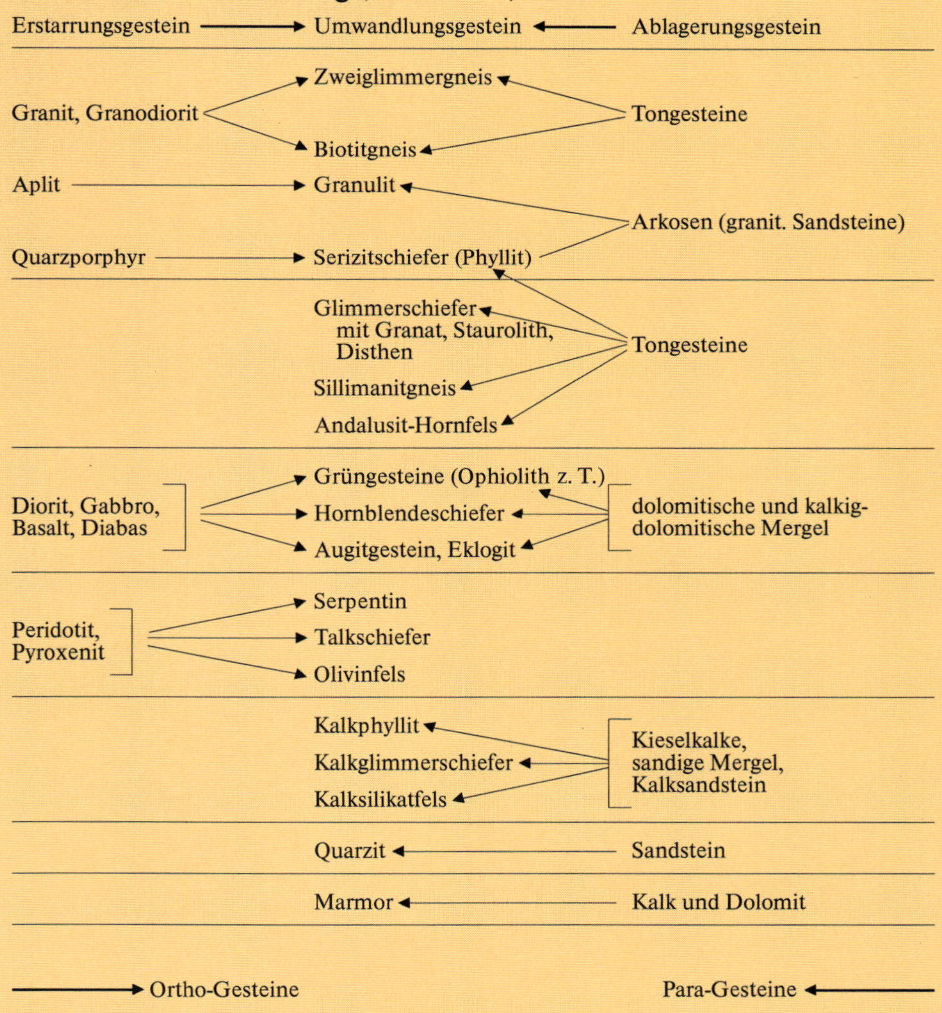

Erstarrungsgestein
Umwandlungsgestein
Ablagerungsgestein
Zweiglimmergneis
Granit, Granodiorit
Tongesteine
Biotitgneis
Aplit
Granulit
Arkosen (granit. Sandsteine)
Quarzporphyr
Serizitschiefer (Phyllit)
Glimmerschiefer
mit Granat, Staurolith,
Disthen
Tongesteine
Sillimanitgneis
Andalusit-Hornfels
Grüngesteine (Ophiolith z. T.)
Diorit, Gabbro,
Basalt, Diabas
Hornblendeschiefer
dolomitische und kalkig-
dolomitische Mergel
Augitgestein, Eklogit
Serpentin
Peridotit,
Pyroxenit
Talkschiefer
Olivinfels
Kalkphyllit
Kalkglimmerschiefer
Kieselkalke,
sandige Mergel,
Kalksandstein
Kalksilikatfels
Quarzit
Sandstein
Marmor
Kalk und Dolomit
Ortho-Gesteine
Para-Gesteine

Die Gestaltung der alpinen Oberfläche

Unsere Alpen, in der Tertiärzeit aus den Tiefen des Tethys-Ozeans emporgetürmt, sind ein geologisch junges Gebirge. Auch heute noch – gewissermaßen als Nachwehen – hebt sich der Gebirgskörper als Ganzes gegenüber seinem südlichen und nördlichen Vorland, besonders in seinem westlichen Abschnitt. Diese relative Hebung ist aber nicht nur verspäteter Ausdruck der Gebirgsbildung, sondern ebensosehr das Bestreben nach isostatischem Massengleichgewicht im Gefolge der Entlastung durch Abtragung. So mißt man für die Längsachse Wallis–Gotthard–Vorderrheintal und für das obere Tessin jährliche Hebungsbeträge von über 2 Millimetern gegenüber dem schweizerischen Mittelland. Auch wenn diese Hebung in früheren geologischen Zeiten geringer gewesen sein mag, so kann doch geschlossen werden, daß die Alpen gegenüber den Vorlandebenen in den vergangenen 20 Millionen Jahren in ihren südlichen und westlichen Teilen insgesamt um mehr als 10 000 Meter aufgestiegen sind. Das Gebirge war also im Verlauf seiner Bildung nie wesentlich höher als heute – ja, die Hauptphasen der Gebirgsbildung dürften sich zumeist unter Meeresbedeckung abgespielt haben.

Die heutige Oberflächengestalt der Alpen ist aber das Produkt der konkurrierenden Wirkung verschiedener Kräfte: Einerseits der aus dem Erdinnern stammenden Hochtürmung (endogen), der Art und Lagerung der Gesteine, anderseits der von außen einwirkenden (exogenen) Kräfte – Verwitterung, Erosion durch Flüsse und Gletscher, Massenbewegungen. Dank des „jugendlichen“ Charakters spiegeln die Alpen die baulichen Strukturen auf augenfällige Weise wider. Den exogenen (abtragenden) Kräften kommt angesichts der hohen Reliefenergie und der zumindest in den Westalpen und auf der Südabdachung beträchtlichen Niederschlagsmengen eine große Bedeutung für die Gestaltung der Oberfläche zu. Man berechnet einen derzeit mittleren Abtrag von 0,5 Millimeter pro Jahr, der während der Eiszeiten vermutlich ein Mehrfaches betrug.

Im Überblick der großen Linien des alpinen Reliefs stellt man fest, daß der Gebirgskörper im *Querschnitt* asymmetrisch gebaut ist: Die Hauptwasserscheide ist zur norditalienischen Seite hin verschoben; die mittlere Neigung der Südflanke ist also wesentlich steiler als die außenseitige Abdachung des Alpenbogens. So stehen etwa im Querprofil Valence–Turin in den französisch-italienischen Westalpen 150 km Westabdachung nur 40 km Breite zur Po-Ebene hin gegenüber. In den Ostalpen verwischen sich diese Gegensätze; die Gebirgsketten streben in Annäherung an die ungarische Tiefebene mehr und mehr auseinander. Diese Asymmetrie im Querschnitt hängt eng mit der Bildungsgeschichte der Alpen zusammen, die durch einseitigen Schub aus dem Adria-Raum aufgetürmt wurden. Ein letzter Anprall der adriatischen Front wie auch deren nachträgliches kräftiges Absinken schuf die steile Südflanke. Anderseits bricht die Alpenfront an der westlichen und nördlichen Außenseite des Bogens ebenfalls abrupt, mit abweisenden hohen Wänden, ins schweizerisch-bayerische Vorland ab – an den Dents du Midi, am Pilatus, im Alpstein, an der Zugspitze und im Gebiet um Salzburg. Hier brandeten die frontalen Gesteinswellen des Helvetikums bzw. der nördlichen Kalkalpen auf ihr Vorland, auf die Molasse auf.

Erdpyramiden im Schanfigg (Graubünden). Ein prächtiges Beispiel der Ablagerung und Verwitterung sind die Erdpyramiden. Mächtige Moränen lagerten sich beim Rückzug der Gletscher im Talgrund und an den Hängen ab, durchsetzt mit größeren und kleineren kantigen Blökken. Die Verwitterung und die Flußabtragung fanden in diesem lockeren Material reichlich Nahrung. Einzelne große Blöcke schützten das Unterliegende vor weiterer Abspülung, so daß sich solche bizarren, vergänglichen Formen bilden konnten. Aufnahme Gensetter

Oben links: Auf dem Allalingletscher (Wallis). Eine gewaltige Spalte durchreißt den Allalingletscher oberhalb Saas-Fee. In der sommerlichen Nachmittagshitze stürzen die Oberflächengewässer gurgelnd und brausend in die Tiefe und fressen mit den mitgeführten Gesteinsblöcken Gletschermühlen in den Felsgrund ein. Aufnahme Gensetter

Oben rechts: Die Vajolettürme (Südtirol). Sie zeigen die typische Form der Trias-Gesteine in den Dolomiten. Die täglichen und jährlichen Temperaturunterschiede, der Frost und das Regenwasser fressen sich entlang der Klüfte ein und ziselieren bizarre Felsformen aus dem einstmals kompakten Gesteinskomplex. Aufnahme Schwarz

Unten: Großvenediger (Hohe Tauern). Hoch über das nebelbedeckte Gschlößtal erhebt sich das Venedigermassiv, eingehüllt in einen Eispanzer. Gut erkennbar sind die steilstehenden Strukturen im präherzynischen Gneis der zentralen penninischen Tauern. Aufnahme Retter

Oben: Bei Foroglio (Tessin). Diese Stufenmündung mit dem imposanten Wasserfall geht auf eiszeitliche Gletscherwirkung zurück, indem sich der Haupttalgletscher mehr eintiefte als der Eisstrom aus dem Seitental. Die harte Gneisbank der penninischen Decken setzt dem Rückwärtseinschneiden des Flusses Widerstand entgegen. Aufnahme Gensetter

Unten: Bei Derborence (Wallis). Im Naturschutzpark am Lac de Derborence können die Voraussetzungen, die zu einem Felssturz führen, gut studiert werden. Die wechsellagernden Kalke und Mergel verlaufen parallel der Böschung; in die weichen Mergel dringt von den Schichtköpfen her Regenwasser ein und macht sie gleitfähig; die klüftigen Kalke werden durch Frost und Pflanzenwurzeln in ihrem Zusammenhalt gelockert. Schließlich stürzt der Schichtkomplex in die Tiefe. Aufnahme van Hoorick

Die Almbachklamm (Bayerische Alpen). In ihrer Anlage gehen die meisten Klammen oder Schluchten auf Verwerfungen der Gesteine zurück, entlang deren Verwitterung und fließendes Wasser sich eintieften. So werden harte Querriegel in der Talflucht durchsägt. Das unausgeglichene Profil mit Wasserfällen und Stromschnellen weist auf das geringe Alter der Klamm hin. Aufnahme Ammon

In der *Längsachse* des Alpenkammes stellen wir ein Schwanken der mittleren Höhenlage, einen steten Wechsel von Kulminationen und Depressionen fest. Hochzonen, an denen tiefere Gesteins-Stockwerke freigelegt wurden, sind etwa der Pelvoux, Gran Paradiso, Mont Blanc, die Walliser und Berner Hochalpen und das Gotthardgebiet, Bernina und Ötztaler Gebirge sowie die Hohen Tauern. Zwischen diese Dome schalten sich niedrigere Einwalmungen, die die Querung des Gebirges erleichtern, aber auch den Hauptflüssen den Weg ins Vorland hinaus weisen. Wo im nördlichen und westlichen Vorland geologisch ältere Massive (Massif central, Vogesen/Schwarzwald) den Vorschub der alpinen Dekken aus dem adriatisch-lombardischen Raum hemmten, kam es im Alpeninneren zur Stauung und Hochtürmung (Zentralmassive, Hohe Tauern). In den Zwischenzonen dagegen konnten die Gesteinsmassen weit vordringen, fanden mehr Raum vor und fiederten sich in niedrigere Ketten mit weiten Zwischenflächen auf (Chablais/Freiburger Alpen, Allgäuer Alpen, ostösterreichische Alpen).

Ein wesentliches exogenes Element in der Gestaltung und Veränderung der Oberflächenformen ist die *Verwitterung,* die vorbereitend den Abtrag durch Lockerung des Gesteinszusammenhaltes fördert. Verwitterung wirkt statisch und ist im wesentlichen vom herrschenden Klima (Name!) abhängig. In den Hochalpen spielt insbesondere die mechanische Verwitterung durch Frostsprengung in nivalem Klima eine wichtige Rolle. Aber auch die intensive Sonneneinstrahlung auf nackte Felsflächen mit starken täglichen Wärmeschwankungen lockert das Gestein. In den weitverbreiteten Kalk- und Dolomitregionen (französische Kalkalpen, Helvetikum, nördliche Kalkalpen, Sedimente der Ost- und Südalpen) gesellt sich die chemische Verwitterung durch das an Kohlendioxid-Gas reiche Regenwasser hinzu: Auf Kalkflächen und in Klüften löst sich der Kalkstein äußerst langsam auf; er wird in leicht lösliches Calciumbicarbonat umgewandelt, das als sog. Härte mit dem Wasser abgeführt wird, nach der Gleichung:

$CaCO_3$	+ H_2O	+ CO_2	–▷ $Ca(HCO_3)_2$
Calciumcarbonat Kalkstein schwer löslich	Regenwasser	Kohlendioxid, im Regen gelöst	Calciumbicarbonat leicht löslich

In Kalkgebirgen entstehen so die typischen Formen einer Karstlandschaft. Nackte Kalkflächen sind durch scharfe Grate und tiefe Rillen in ein feines Netzwerk ziseliert: Karren oder Schratten, deren Durchquerung für den Bergwanderer mühsam und oft gefährlich ist. Größere Karrenfelder finden sich etwa in den Alpilles in Südfrankreich, an der Silberen in der Zentralschweiz, im ostschweizerischen Alpstein, am Gottesacker in den Allgäuer Bergen, am Untersberg bei Salzburg und auf der Raxalpe in der Steiermark. Kreisrunde Versickerungstrichter und weitgespannte Dolinen-Vertiefungen leiten das Oberflächenwasser in die Tiefe ab. Ein weiteres charakteristisches Merkmal der Kalkgebirge sind die oft ausgedehnten und weitverzweigten Höhlensysteme, in denen das oberflächlich versickernde Wasser zirkuliert und in wasserreichen Stromquellen („Vaucluses") am Fuß der Gebirge zutage tritt. Bekannte alpine Höhlen sind das Hölloch im Muotatal (Zentralschweiz), die Eisriesenwelt im Tennengebirge und die Dachsteinhöhlen in den Salzburger Alpen. Etliche dieser Höhlen sind zugänglich gemacht worden (siehe Regionalbeschreibungen), und in allen alpinen Ländern bestehen Vereinigungen für Höhlenforschung. Unbekannte Höhlen sollten aber nur unter kundiger Führung und mit der entsprechenden Ausrüstung begangen werden. Allein im relativ

kleinräumigen Säntismassiv in der Ostschweiz sind heute über 100 Höhlen bekannt, von denen etwa 40 vermessen sind. Seen mit teilweise oder gänzlichem unterirdischen Abfluß treten ebenfalls besonders in Kalkgebieten auf.

Die *Abtragung durch Flüsse* schuf in den Alpen ein kompliziertes Netzwerk von Entwässerungsrinnen, die es gestatten, die Geschichte der Alpenwerdung nachzuzeichnen. Es lassen sich Längstäler und Quertäler unterscheiden, wobei die Quertäler in ihrer Anlage im allgemeinen älter sind und der ursprünglichen Abdachung des aufsteigenden Alpenkörpers oder alten Tiefenstrukturen folgen. Häufig sind die Quertäler, besonders auf der Alpennordseite, schluchtartig eingeschnittene Durchbruchstäler, durch grabenartige Dehnungsrisse bedingt: Durance, Rhone, Reuß, Rhein, Salzach. Auf der Alpensüdseite dagegen verdanken sie ihren Charakter dem hier steileren Gefälle: Leventina, Bergell. Erstaunlich ist auf den ersten Blick die Diskrepanz des Gefälles beidseits des Alpenkammes, etwa am Gotthard (Zentralschweiz), am Maloja im Engadin oder am Berninapaß. Die Hauptwasserscheide der Alpen wird im zentralen Bereich durch den Angriff der ungestümen südalpinen Flüsse fortwährend weiter gegen Norden verlegt. Anders die Längstäler: Sie folgen baulichen Leitlinien wie etwa Deckengrenzen, Längsmulden oder weichen Gesteinszonen. Man findet sie im westlichen und zentralen Abschnitt besonders auf der Nordflanke des Gebirges als recht

Oben: Karren auf Tierwees (Säntis, Ostschweiz). In Kalkgebirgen tritt die sogenannte Karstverwitterung auf, eine chemische Zersetzung der Kalkoberfläche durch CO_2-beladenes Regenwasser. Es bilden sich scharfe Grate und tiefe Rillen, durch die das Wasser unterirdisch in Höhlensystemen abfließt. Aufnahme Maeder

Unten: Schnee-Verwitterung am Grand Combin (Wallis). Durch die Sonneneinstrahlung werden die einzelnen Schnee- und Firnschichten verschieden stark zurückgeschmolzen – je nach Staub- und Geröllgehalt – und bilden schließlich ein den Karren vergleichbares Oberflächenbild. Aufnahme Maeder

weite Talauen: Tal der Isère, Aostatal, Wallis, Vorderrheintal, Engadin, Vintschgau, Inntal um Innsbruck, Pinzgau, oberes Ennstal. In den niedrigeren ostösterreichischen und jugoslawischen Alpen greifen sie auch vermehrt auf die Südseite über: Pustertal, Drau- und Gailtal, Murtal.
Wie schon erwähnt, läßt sich aus dem Mosaik der Längs- und Quertäler auf die Bildungsgeschichte unserer Alpen im Tertiär schließen. In einer ersten Phase tauchten die werdenden Alpen als langgestreckte Inselrücken aus dem Tethys-Meer auf: Die Entwässerung erfolgte damals vorwiegend quer zur Alpenachse (erste Quertalphase); die Wasserscheide lag auch wesentlich südlicher als heute. Mit dem Aufsteigen weiterer Längsrücken aus dem Ozean verlagerte sich der Abfluß vermehrt in die Längsrichtung, wobei verschiedenen älteren Querflüssen ihr Oberlauf abgeschnitten wurde (Längstalphase). Schließlich griffen die nach Süden entwässernden Flüsse dank der Versteilung ihres Gefälles vehement an und verlegten die Hauptwasserscheide fortlaufend nach Norden (zweite Quertalphase), während die nordalpinen Gewässer wegen des Aufstiegs der Randketten (Helvetische Alpen, Nördliche Kalkalpen) viel von ihrer Erosionskraft einbüßten.
Ein weiteres, morphologisch bedeutsames Element in den Alpen sind die *Massenbewegungen*. Im Winter bringen die Lawinen, im Frühjahr und jeweils am Morgen bringt der Steinschlag große Mengen gelokkerten Materials zu Tal. Die verheerendsten Folgen haben aber die *Bergstürze,* deren meiste am Ende der letzten (Würm-)Eiszeit niedergingen, vor etwa 12 000–8 000 Jahren. „Ideale" Voraussetzungen für die Entstehung eines Felssturzes sind einmal die Klüftung der Gesteine (Kalksteine, Granit), die hangparallele Neigung der Schichten, die Wechselfolge von klüftigen Kalkschichten und weichen, wassergesättigten Tonen, wobei die Tone als Gleithorizont wirken, schließlich auch die weitere Lockerung des Zusammenhaltes durch Frostsprengung, besonders während der Eiszeit. Als der Gegendruck der Gletscher wegen des Zurückschmelzens nachließ, glitten die Schichten in die Tiefe. Aber auch in historischer Zeit sind etliche vernichtende Bergstürze zu verzeichnen. Einige Beispiele zeigt die Tabelle.

Oben: Gletschertisch auf dem Gornergletscher (Wallis). Große Blöcke, die von den Felsflanken auf den Eisstrom stürzten, schützen den unterliegenden Firn vor der Abschmelzung. Im Hintergrund das Matterhorn mit der charakteristischen Wolkenfahne. Aufnahme Riegg

Links: Am Moirygletscher (Wallis). Auf der Gletscherzunge sind die Fließ-Strukturen – in der Mittellinie rascheres Fließen – wie auch die Schichtung der verschiedenen Firnlagen schön zu erkennen. Der zurückweichende Eisstrom hat eine massige Seitenmoräne aufgebaut. Aufnahme van Hoorick

Rechts: Bei den Jöriseen (Graubünden). Oberhalb von Klosters im Prätigau liegt dieses reizende Hochplateau mit reichem Moränen- und Felssturzschutt. Im Hintergrund der Piz Linard, der höchste Berg des Unterengadins. Das ganze Gebiet liegt in der oberostalpinen Silvretta-Decke. Aufnahme Gensetter

Am Schlattenkees (Hohe Tauern). Bei der Wanderung auf dem „Gletscherweg Innergschlöß" können wir den kalbenden Schlattengletscher beobachten. Im Hintergrund die Schwarze Wand. Aufnahme Retter

Während der pleistozänen *Eiszeit* im älteren Quartär, also während der vergangenen 1–2 Millionen Jahre, haben die Gletscher das Antlitz der Alpen und ihrer Vorländer tiefgreifend verändert. Wie bei der Flußerosion wirkt nicht das Eis als Schleifmittel, sondern das mitgeführte Geschiebe, das von den seitlichen Felsflanken auf die Gletscheroberfläche fiel oder am Eisgrund mitgerissen wurde. Der Mechanismus der Abtragung ist aber wesentlich verschieden von der Flußerosion, indem der Gletscher langsam durch bereits bestehende Talfluchten gleitet und mit großem Gewicht auf die Unterlage und die seitlichen Flanken drückt. Die 1200 größeren und kleineren heutigen Gletscher, mit einer Gesamtfläche von etwa 3600 km², bilden nur mehr einen winzigen Rest der einstmals vereisten Fläche im Pleistozän von ca. 150 000 km². Auch der längste Alpengletscher, der 25 km lange und bis 800 m mächtige Aletschgletscher in den Berner Alpen, oder die 9,5 km lange Pasterze am Großglockner sind nur noch ein matter Abglanz der eiszeitlichen Alpengletscher, die sich weit ins französische, schweizerische und süddeutsche Vorland hinausschoben, ja auch gegen Süden weit in die nördliche Po-Ebene vordrangen. Ihre größte Ausdehnung erlangte die alpine Vereisung vor etwa 200 000 Jahren, in der Riß-Eiszeit. Die Gletschererosion verschonte nur die aus dem Eis aufragenden Bergrücken (Nunatakr), die durch die Frostwirkung zu bizarren Graten ziseliert wurden (Matterhorn, Großglockner u. a.). Die jeweilige Eisoberfläche ist markiert durch die Schliffgrenze, eine meist ausgeprägte Verflachung, unterhalb der die überfahrenen Felsen zu rundlichen Buckeln (Rundhöckern) geschliffen wurden, oftmals parallele Schrammen in der Fließrichtung des Eises

Links: In der Langkofelgruppe (Südtirol). Charakteristisch für die Verwitterung dieser waagrecht liegenden Triasdolomite sind die mächtigen Schutthalden, in denen die Bergspitzen nahezu versinken. Am Vormittag stürzt ein steter Regen von größeren und kleineren losgelösten Blöcken in die Tiefe. Aufnahme Raab

Rechts: Bei Flims am Vorderrhein (Graubünden). Gegen Ende der Eiszeit, vor etwa 11 000 Jahren, löste sich oberhalb von Flims eine gewaltige Felsmasse – der größte Bergsturz aller Zeiten – und blockierte während längerer Zeit den Vorderrhein. Heute hat der Vorderrhein sich durch die Trümmer ein schluchtiges Bett gegraben. Das Lockermaterial, durchsetzt mit großen Blöcken, wird von der Erosion in ein Netzwerk von Graten und Rillen zerlegt. Aufnahme van Hoorick

aufweisend (Gletscherschliffe). Die für die glaziale Morphologie typische Talform ist das Trogtal (U-Tal) mit breiter Talebene und steilen Flanken (Lauterbrunnental in den Berner Alpen und viele weitere). Der Tallauf ist recht häufig in eine Folge von Steilstufen und zeitweise von Seen erfüllte Becken gegliedert: Das fließende Eis akzentuiert harte Querriegel und schürft dahinter (bergwärts) eine tiefe Wanne aus: Zentralschweiz, Leventina, Engadin, Salzkammergut, Kärnten. Viele malerische Seen verdanken ihre Entstehung dieser Gletschererosion, aber auch Randseen im Vorgelände. Wo Seitentäler in ein Haupttal einmünden, bildete sich eine Steilstufe (Stufenmündung mit Wasserfall) aus. Auf harten Felsrücken, die der Gletscher überqueren mußte, wurden durch die in Spalten herabwirbelnden Sturzbäche und mitgeführte Blöcke Gletschermühlen (Gletschertöpfe) eingetieft (Gletschermühlen bei Luzern, am Malojapaß u. a.). Anderseits hinterließ der am Ende der Würm-Eiszeit zurückschmelzende Eisstrom eine Decke von Lokkermaterial, von Grundmoränen und Seitenmoränen – wasserundurchlässiges Feinmaterial, durchsetzt mit einem ungeschichteten Wirrwarr von eckigen Blöcken. Die kräftigen Gletscherflüsse ihrerseits schütteten weite Schotterebenen auf, ideale Grundwasserträger. Bei zeitweiligem Rückzugsstillstand eines Gletschers bildeten sich das Tal querende Endmoränenwälle, die oftmals Seebecken absperren. Verschiedene Endmoränen im gleichen Tal lassen die zeitliche Abfolge des Rückzugs eines Gletschers erkennen (Südende des Gardasees, Ivrea, Ausgang des Aostatales u. a.). Eine weitere häufige Erscheinung in den Alpentälern sind die Schotterterrassen, Verebnungen auf verschiedenen Niveaus, die über oft weite Strecken die beidseitigen Talflanken begleiten: Sie sind Zeugen der Abfolge von eiszeitlicher Ablagerung (Aufschüttung) und Erosion (Eintiefung). Die heutige („nacheiszeitliche") Oberflächengestalt im nivalen Hochgebirgsklima ist weiterhin geprägt durch Blockströme mit schuttbedecktem wanderndem Eis, sowie durch Strukturböden (Polygonböden) auf schuttbedeckten Hochflächen.

Einige spät- bis nacheiszeitliche Bergstürze in den Alpen (nach ABELE)

Lokalität	Region	Volumen des Abrißgebietes	Fahrbahnlänge
Col de la Madeleine	Maurienne	150 Mio. m³	4 km
Abîmes de Myans (bei Chambéry)	Dauphiné	150	7
Kandertal	Berner Alpen	900	12
Sierre	Wallis	über 2000	17
Engelberg	Zentralschweiz	über 2500	7
Klöntal	Ostschweiz	2000	7
Flims-Kunkels	Graubünden	15000	16
Lenzerheide	Graubünden	400	5
Fernpaß	Tirol	1000	15
Köfels	Ötztaler Alpen	2200	6
Monte Spinale	Trentino	600	7
Bormio	Ortler	500	5

Einige alpine Bergstürze in historischer Zeit (nach ABELE)

Lokalität	Region	Zeit	Schäden
Lago di Molveno	Trentino	ca. 1000 v. Chr.	?
Dents du Midi	Wallis	563	einige Dörfer bei St. Maurice zerstört
Meran	Südtirol	830	Meran zerstört
Lavini di Marco	Trentino	833	Umgebung von Rovereto zerstört
Granier	Wallis	1248	ca. 500 Tote
Dobratsch	Kärnten	1348	17 Dörfer zerstört
Gspellerberg	Südtirol	1401	Stausee gebildet
Piuro (Plurs)	Bergamasker Alpen	1618	ca. 2500 Tote
Mönchsberg bei Salzburg	Salzburger Alpen	1669	Salzburg z. T. zerstört, 300 Tote
Diablerets	Wallis	1714	mehrere Seen gebildet
Civetta	Dolomiten	1772	3 Dörfer zerstört
Rossberg	Zentralschweiz	1806	Goldau zerstört, 500 Tote
Elm	Glarner Alpen	1881	Elm zerstört, 120 Tote
Monte Toc (Vajont)	Dolomiten	1963	Longarone zerstört, 2500 Tote

Im Pitztal (Tirol). Das hinterste Pitztal mit dem Taschachferner ist ein Paradebeispiel für die Gletschermorphologie. Aus den Karmulden im Hintergrund sammeln sich die Eisströme, bauen bei ihrem Zusammenfluß mächtige Mittelmoränen auf und lassen beim Rückzug weite Schwemmlandebenen hinter den Stirnmoränen zurück, über die der Gletscherfluß mäandriert. Das Tal ist zu einem weitgespannten Trog ausgehobelt worden. Aufnahme Federer

Vom Klima der Alpen

Das höchste europäische Gebirge bildet in seinem Ost-West-Verlauf eine markante Klimascheide. Die kühlen Nordwinde und die feuchten Westwinde werden vom Alpenwall aufgefangen, so daß wir zwei grundlegend *verschiedene Klimabereiche* beidseits der Hauptwasserscheide auseinanderhalten können:

– *Im Westen und Norden,* auf der Luvseite, branden die vom Atlantik und von der Nordsee her ankommenden Winde an und entledigen sich ihrer Feuchtigkeit in der Form von Steigungsregen – dies vor allem bei ozeanischem Westwindwetter mit sich folgenden Tiefdruckwirbeln – oder sie hüllen die Landschaften bei Bisenlagen in Nebel, der in den Tälern als „Kaltluftsee" liegenbleibt. Dabei nimmt die Niederschlagsmenge gegen Osten hin stetig ab; das Klima wird zusehends kontinentaler; die Temperaturschwankungen im Laufe des Jahres nehmen zu. Der Niederschlag fällt aber auf der Alpennordflanke während des ganzen Jahres, wobei sich ein Maximum im Sommer zeigt.

– Die *südliche Abdachung* der Alpen, auf der den feuchtkühlen Nordwinden abgewandten Leeseite, ist demgegenüber klimatisch begünstigt. Hier macht sich – besonders im oberitalienischen Seengebiet – der Einfluß des Mittelmeerklimas, der Subtropen, mit milden und regenreichen Wintern, aber heißen und trockenen Sommern und mit zum Teil beträchtlichen Regenmengen bemerkbar.

So verteilen sich die *Niederschläge* recht ungleich auf die verschiedenen Regionen der Alpen. Während die Walliser Alpen jährlich bis 4 m Niederschlag empfangen, nimmt die Menge zu den östlichen Österreicher Alpen hin auf weniger als 2 m ab. Anderseits werden die Gebirge der Südalpen mit bis über 3 m pro Jahr beregnet, mit Spitzen im Frühjahr und im Herbst. Im Inneren des Gebirges liegen ausgesprochene Trockentäler im Regenschatten der Bergketten, so das Aostatal, das Wallis, das Engadin, der Vintschgau, das obere Ennstal und das Bekken von Klagenfurt.

Diesem Großklima – charakterisiert durch die von Westen heranziehenden und regenbringenden Tiefdruckwirbel, durch den wechselnden Einfluß der trockenen subtropischen Warmluft und der kalten Polarluft – prägen die Alpen als bedeutende Massenerhebung ihren eigenen Stempel auf.

Da ist einmal der Einfluß der *Höhenlage* zu nennen, der in unseren Breiten viel ausgeprägter zur Geltung kommt als in tropischen oder in polaren Gebieten. Mit zunehmender Höhe nimmt die jährliche Mitteltemperatur um 0,5–0,6 °C pro 100 m ab. Die winterliche *Temperaturumkehr (Inversion)* in einer Höhenlage um 1000 m als Folge der spezifisch schweren Kaltluftmassen in den Niederungen mildert die Abkühlung mit der Höhe, die durch die dünnere und mit weniger Wasserdampf belastete Luft bedingt ist. Aus dem gleichen Grunde ist bei der intensiven nächtlichen Ausstrahlung auch im Sommer häufig mit Frost zu rechnen. Andererseits nimmt die Regenmenge mit steigender Höhe zu. Sie fällt ab 3600–3800 m ganzjährig als Schnee; aber auch in tieferen Lagen bleibt der Schnee lange liegen – in der Ostschweiz zum Beispiel in 2000 m Höhe während vollen 200 Tagen – und bedingt eine erhebliche Verkürzung der Vegetationsdauer. Die *klimatische Schneegrenze* steigt von den Randgebieten (in den Schweizer Alpen um 2500–2600 m Höhe) gegen die geschützteren Zentralalpen zu bis auf 3100 m an. Die *Vergletscherung* der Alpen erreicht besonders im westlichen und zentralen Abschnitt bedeutenden Umfang (etwa 3200 km², davon 60% in den Westalpen).

Föhnstimmung über dem Wetterhorn (Berner Oberland). Ein heißer und trockener Sommertag mit außerordentlich weiter Sicht und mit den charakteristischen langgestreckten Wolken-„Fischen": Das ist Kennzeichen des Föhns, eines typischen Alpenwindes von Süden nach Norden. Aufnahme Gensetter

Links oben: Abendstimmung am Mont Ventoux (Vaucluse). Bei tiefstehender Abendsonne gelangen nur noch die langwelligen roten Strahlen des weißen Sonnenspektrums zu uns und tauchen Landschaft und Wolken in ein unwirkliches leuchtendes Rot. Ein gutes Wetterzeichen. Aufnahme Lavigne

Links unten: Schönwetterwolken im Allgäu. Während Zeiten mit hohem Luftdruck sind die horizontalen Luftströmungen weitgehend unterbunden. Die erwärmte Luft steigt am Nachmittag in die Höhe, und deren Wasserdampf kondensiert in bestimmter Höhe, so die balligen Haufen-(Cumulus-)Wolken bildend. Wir haben die Hammerspitze bestiegen und blicken gegen (von links) Trettachspitzen, Mädelegabel, Hochfrottspitze und Bockkarkopf. Aufnahme Vogler

Oben: Am Falzarego-Paß (Dolomiten). Über dem mächtigen Felsmassiv erwärmt sich die sommerliche feuchte Luft und steigt an dessen Flanken in die Höhe. Der Wasserdampf kondensiert und hüllt die Gipfelpartie in dichte Wolken. Aufnahme Raab

Rechts außen: Föhn im Bergell (Graubünden). Auch auf der Alpensüdseite kennt man den Föhn. Von Norden her branden die feuchten Luftmassen ans Gebirge, steigen auf und entladen ihren Wassergehalt. Nach dem Überqueren des Alpenkammes zeugen nur noch langgestreckte Wolkenfetzen am tiefblauen Himmel vom Landregen jenseits der Alpen. Aufnahme Maeder

Die Bodengestalt, das *Relief,* hat auf die Temperatur großen Einfluß. Der Einfallswinkel der Sonnenstrahlen auf das Gelände bewirkt zwischen süd- und nordexponierten Hängen beträchtliche Wärmeunterschiede. Im Schnitt erhält ein Südhang 8–10 mal mehr Wärme als ein Nordhang. Im Oberengadin spiegelt sich dieser Unterschied besonders deutlich in der Baumvegetation: die Nordhänge sind von anspruchslosen Föhren und Arven besiedelt, während lichte Lärchenwälder die besonnten Südhänge zieren. Aber auch West- und Ostflanken von meridional verlaufenden Tälern zeigen Vegetationsunterschiede, die klimatisch bedingt sind: So gedeihen an den bevorzugten Talseiten mit westlicher Exposition im Wallis und im Bündner Rheintal die Reben.

Auch auf die Luftfeuchtigkeit und den Niederschlag wirkt sich das Relief der Alpen entscheidend aus. Die Randketten veranlassen die ankommenden feuchten Winde zum Aufstieg, zur Abkühlung und zum Ausregnen. Wolken und Regen drücken auf die Temperatur, so daß hier die Kulturgrenzen wesentlich tiefer liegen als in den zentralen Alpen. Auch die ganzjährige Besiedelung steigt im Kern der Alpen wesentlich höher: Juf in Graubünden ist mit 2140 m der höchstgelegene ganzjährig bewohnte Ort Europas.

Schließlich werden auch die *Winde* durch das Relief in ihrer Richtung und Stärke beeinflußt. Die Täler kanalisieren den Wind in die Talachse: Engadin, Simplonpaß, Ostschweizer Rheintal. Das Relief bremst die Winde ab; ruhige Luft charakterisiert viele Alpentäler. Doch auf exponierten Höhen und Kämmen können heftige Stürme auftreten, die im Verein mit der trockenen Luft die Vegetation hemmen. Im Wallis, in der Ostschweiz und in Tirol tritt auf der Nordabdachung als typisch alpiner Wind der Föhn auf, ein warmer und sehr trockener Fallwind, der von einem Hochdruckgebiet südlich der Alpen aus mit großer Heftigkeit über den Alpenkamm streicht, in die Täler hinunterstürzt und den betroffenen Regionen – vorab den großen Quertälern – eine verlängerte Wachstumsperiode der Pflanzen beschert („Traubenkocher"), anderseits aber die Gefahr von Großbränden mit sich bringt und empfindliche Menschen in ihrem Befinden beeinflußt. Schließlich muß noch der oft kräftigen lokalen Berg- und Talwinde gedacht werden: An heißen Sommertagen wehen die Winde talaufwärts, den Gebirgen zu, wo sie turbulent aufsteigen und sich bei genügender Feuchtigkeit zu heftigen Gewittern mit oft vernichtenden Hagelschlägen entwickeln.

In den Alpen können verschiedene Klimatypen unterschieden werden:

1. Das *inneralpine Klima* mit wenig Niederschlägen und warmen Sommern und mit winterlicher Temperaturumkehr (Kälteseen und Hochnebel) in den Tälern: das bevorzugte und geschützte Höhenklima.
2. Das *mediterrane Klima* der südlichen französischen Alpen mit hoher Mitteltemperatur, mit sommerlicher Trockenzeit und kurzen, aber heftigen Regengüssen im Frühjahr und im Herbst.
3. Das *insubrische Klima* der italienischen Südalpen, gekennzeichnet durch hohe Temperaturen und große Regenmengen, auch im Sommer, bedingt durch die aufsteigenden, hier noch feuchten Föhnwinde.
4. Das *atlantische Klima* der westlichen Randzonen in Frankreich und in der Schweiz, die die feuchten Westwinde abfangen und bei beträchtlichen Niederschlagsmengen eher kühl sind.
5. Das *Übergangsklima* der nördlichen Alpen in Deutschland und Österreich, wo sich der Kontinent und der Einfluß der Polarwinde in geringeren Regenmengen und tieferen Temperaturen auswirken.

Oben: Nebelmeer über dem Urnerboden (Glarner Alpen). Im tiefen Talkessel hat sich während der Nacht die kalte und schwere Luft gesammelt. Nach Sonnenaufgang werden die höheren Luftschichten erwärmt, so daß sich an der Obergrenze des „Kältesees" der Wasserdampf ausscheidet und eine dichte Nebeldecke bildet. Aufnahme van Hoorick

Unten: Föhnmauer im Valle San Giacomo (Oberitalien). Mächtig überqueren die feuchten Luftmassen den Gebirgskamm, auf ihrem Anstieg den Wasserdampf kondensierend. Sobald sie auf der anderen Seite wieder herunterstürzen, lösen sich die Wolken wieder auf, weil sich die Luft erwärmt. Bei längerem Betrachten mutet diese Föhn-„Mauer" wie ein Wasserfall an. Aufnahme van Hoorick

Die Pflanzenwelt der Alpen

Vor allem wegen der klimatischen Bedingungen in großen Höhen unterscheiden sich die Pflanzengesellschaften der Alpen von denen im Flachland unserer Breiten. Die *kurze Vegetationszeit,* also die Zeit vom Ausapern bis zum Einschneien, beschränkt die Entwicklungsmöglichkeiten gewaltig. Die Vegetationsdauer nimmt pro 100 Meter Höhenzunahme um rund 12 Tage ab und kann auch nur wenige Wochen betragen. *Frost* und gelegentlicher Schneefall unterbrechen sie zusätzlich. Niedrigere Temperaturen und größere Wärmeschwankungen lassen empfindliche Pflanzen nicht mehr gedeihen. So kann etwa auf der Diavolezza am Berninapaß, auf 2980 m Höhe, der *Temperaturunterschied* der Luft zwischen besonnten und schattigen Partien bis zu 54 °C betragen! Die Intensität der *Einstrahlung,* aber auch der nächtlichen Ausstrahlung, wird noch gefördert durch die dünne Luft, und der höhere Anteil an energiereichem ultraviolettem Licht setzt die Pflanze vermehrter Beanspruchung aus, beschleunigt aber anderseits auch den Wachstumsprozeß. Lange dauernde *Schneebedeckung* ist ein ausgezeichneter Schutz vor der Einwirkung des Frostes, da unter ihr die Temperatur kaum unter den Gefrierpunkt des Wassers sinkt. Eisbildung in den Geweben wird nur von wenigen Pflanzen ertragen. Wo der Wind den Schnee von den Felsgräten fegt, können nur sehr widerstandsfähige Arten überdauern, so etwa Alpenazaleen, Flechten und Moose.

Die *Niederschläge* steigen im allgemeinen mit zunehmender Höhenlage. Westhänge sind mehr beregnet als gegen Osten gerichtete Flanken. Selten aber ist das Wasser in den Alpen ein Minimumfaktor. Trotzdem finden wir ausgeprägte Trockentäler, wie etwa die Dauphiné, das Aostatal, das Wallis, das Engadin, den Vintschgau u. a.

Das augenfälligste Vegetationsmerkmal in den Alpen ist die *Waldgrenze,* die in erster Linie klimatisch bedingt ist und oberhalb derer ein geschlossener Baumwuchs nicht mehr möglich ist. Sie steigt alpeneinwärts von 1500–1700 Meter bis auf 2200 Meter an, im Wallis und in der französischen Maurienne gar bis gegen 2500 Meter. Einzelne Bäume – besonders Arve, Lärche und Föhre – vermögen wohl noch höher in die *Krüppelzone* hinaufzusteigen. Doch auch die Sennen trugen dazu bei, die Waldgrenze herunterzudrücken, um mehr Weideland zu gewinnen; und der Viehfraß ist den Bäumen an der Kampfzone ebenfalls nicht zuträglich. Die Vegetationszeit ist zu kurz, als daß diesjährige Triebe für das Überleben der Bäume bis zum Wintereinbruch genügend Kälteresistenz entwickeln könnten.

Oberhalb der Waldgrenze schließt die *alpine Stufe* an. Sie reicht nach oben bis zur Schneegrenze, zur nivalen Stufe. In der alpinen Stufe herrscht der Rasen, die „Urwiese“ als Klimax-Vegetation; ein Vegetationstypus, der den klimatischen Bedingungen am besten entspricht und sich als Endstadium einer langen Folge von Pflanzengesellschaften auf Böden mit mittleren Eigenschaften entwickelt. Sie kann allerdings in ihrem Pflanzenbestand wesentlich verändert sein, wenn sie als Alpweide, als Alm, genutzt wird. Die Bildung des *Bodens,* unabdingbarer Nährgrund der höheren Pflanzen, erfolgt nur äußerst langsam, weil bei den vorherrschenden tiefen Temperaturen die chemische Verwitterung der physikalischen weit untergeordnet ist. Dabei wirkt sich auch das unterliegende *Gestein* auf die chemische Zusammensetzung der Bodenkrume aus: Saure oder Silikatböden, Kalk- oder Karbonatböden. Der häufige Frostwechsel im Frühjahr und im Herbst, das stetige Gefrieren und Wiederauftauen, führt an geneigten Hängen zum Bodenfließen (Solifluktion) und stört seinerseits die Bodenbildung. So sind alpine Standorte im

Auf der Öschinenalp. Oberhalb Kandersteg im Berner Oberland, mit Blick auf die Gruppe der Blüemlisalp, rekken die ersten Krokusse ihre reinweißen Kelche auf, kaum ist der Schnee geschmolzen. Aufnahme Gensetter

Links oben: Hochmoor auf Kaltenbrunnen (Berner Oberland). Hoch über Meiringen erstreckt sich die mergelige Zone der Wildhorn-Decke, in die das Hochmoor eingebettet ist. Im langsam verlandenden Tümpel tummelt sich eine Vielzahl von Kleintieren. Im Hintergrund die Engelhörner. Aufnahme Gensetter

Links: Karren im Alpstein (Ostschweiz). Nicht nur die chemische Verwitterung zerlegt den Kalkstein, sondern auch die Säfte, die durch Pflanzenwurzeln ausgeschieden werden. So siedeln sich in kleinsten Ritzen und Klüften rasch Blütenpflanzen an, hier ein Lauch. Aufnahme Maeder

Rechts oben: Alpenblumen im Binntal (Wallis). Übersät mit Alpenrosen und Erika sowie zahlreichen Gräserarten ist die karge Weide im Hintergrund des Binntals. Im Hintergrund leuchtet uns das Ofenhorn entgegen. Das Binntal ist auch wegen seiner Mineralien berühmt. Aufnahme Gensetter

allgemeinen nährstoffarm, da die Stoffproduktion durch die Verwitterung und durch die Pflanzen dürftig ist. Nur Wildläger, Balmen, Viehläger oder Orte mit großen Schneeansammlungen im Winter weisen höhere Nährstoffgehalte auf.

Die Grenzen der Vegetationsstufen sind oft lokal bedingt. So finden wir unterhalb von etwa 1100–1300 Meter den Laubwald, der gegen oben in den montanen Mischwald übergeht, in dem sich in ozeanisch beeinflußten Gebieten die Weißtanne, in kontinentaleren Regionen die Föhre zugesellt. Der subalpine Nadelwald ist in randalpinen Gebieten beherrscht von der Fichte mit moos- und zwergstrauchreichem Unterwuchs (Heidelbeere, Preiselbeere), während in den Zentralalpen der Lärchen-Arvenwald überwiegt, der oft zur Lärchenwiese mit Doppelbewirtschaftung ausgelichtet ist. Über der Waldgrenze folgt ein Zwergstrauchgürtel mit Alpenrosen. An wasserzügigen Hängen und in Bachrunsen können Grünerlen bis weit hinauf reichen. Schließlich bildet die alpine Rasenstufe den Übergang zur nivalen Region mit ewigem Schnee.

Die alpine Stufe, die dem Alpenwanderer wohl am häufigsten begegnet, weist eine Reihe von Vegetationstypen auf. Die Abfolge beginnt am nackten Fels, der während des ganzen Jahres aper ist. Hier siedeln sich blütenlose Pflanzen (Moose und Flechten), aber auch Felsspaltenpflanzen mit langen Pfahlwurzeln an. Diese Tiefwurzler finden wir aber auch in steilen Schuttfluren; sie vermögen die Halden zu stabilisieren. An den senkrechten Felsflühen fallen uns die „Tintenstriche“ der Blaualgen auf.

Die tonreichen Silikatgesteine des Kristallins verwittern zu feinem Humus und tragen geschlossenen Krummseggenrasen. Über Kalkgestein findet sich grober Humus mit Treppenrasen (Blaugras-Horstseggenhalde). Diese Rasenfluren werden häufig genutzt durch Bestoßung mit Vieh sowie durch Wildheuer. Wenn sie gedüngt werden, entwickeln sie sich zur blumenreichen Milchkrautweide. Bei Überdüngung nimmt das Borstgras überhand. Bäche und Quellfluren sind reich an vielen Moosarten. In der unteren alpinen Stufe, wo noch Torfbildung möglich ist, treten Flachmoore auf: über Silikatgesteinen mit der Braunsegge, über Kalken mit der Davallsegge. Im Verlandungsbereich treffen wir Scheuchzers Wollgras an. Wo der Wasserabfluß in der oberen alpinen Stufe gehemmt ist und an Stellen mit extrem langer Schneebedeckung finden wir moosreiche Schneeböden und Schneetälchen mit nur wenigen Blütenpflanzen, wie etwa die Soldanelle.

Gewisse *bodenstete Pflanzen* sind an Böden ganz bestimmter chemischer Zusammensetzung gebunden. So gibt es Pflanzenarten, die nur auf basischem, kalkhaltigem Boden gedeihen – andere die kalkarmen, sauren Boden bevorzugen. Wieder andere sind an Stellen gebunden, die reichlich von tierischem Dünger durchtränkt sind, mit Vorherrschen von stickstoffreichem Ammoniak (Salpeter). Nachstehend seien einige Beispiele von bodensteten Pflanzen genannt:

Kalkliebende Arten:

Starrer Wurmfarn, Blaugras, Augenwurz, Schneeheide, Edelweiß, Alpen-Pestwurz, Behaarte Alpenrose, Kriechendes Gipskraut, Clusius-Enzian, Aurikel, Berg-Löwenzahn, Polstersegge, Schwarze Schafgarbe und Netzweide.

Kalkfliehende Arten:

Rippenfarn, Rollfarn, Heidelbeere, Alpenklee, Arnika, Behaarte Primel, Rauschbeere, Kochscher Enzian, Echtes Katzenpfötchen, Wald-Schmiele, Alpen-Wucherblume, Himmelsherold.

Oftmals gelangen Pflanzen durch Verschwemmung in Lawinenzügen, in Gletscher- und Flußtälern oder durch Rutschungen in tiefergelegene Standorte, müssen dann aber in Konkurrenz mit wärmeliebenden Pflanzen treten. Hier sind sie ebensosehr benachteiligt wie im Alpinum unseres Hausgartens. Belassen wir also die Alpenpflanzen an ihren natürlichen Standorten, an denen sie sich wohlfühlen!

Wie paßt sich die Flora der Alpen an die rauhen klimatischen Verhältnisse an? Die *kurze Vegetationsdauer* fördert das Überleben von perennierenden (ausdauernden, mehrjährigen) Pflanzen, die rascher bereit sind, die Vegetationsperiode auszunutzen als einjährige. Eine frühe Blütezeit und entsprechend rasche Versamung vermag die kurze Vegetationszeit ebenfalls besser zu nützen. Bei Holzpflanzen ist das geringe Dickenwachstum (enge Jahrringe) die Folge. Die *intensive Besonnung* mit hohem Gehalt an ultraviolettem Licht führt zu geringerem Chlorophyllgehalt. Die Assimilation erfolgt bereits bei recht tiefen Temperaturen. Der hohe Zuckergehalt der Alpenpflanzen dient nicht nur dem Kälteschutz, sondern erhöht dank dem Zellsaftdruck auch die Saugkraft. Schutzvorrichtungen verhindern eine Schädigung der Assimilation bei starker Lichteinwirkung. Pflanzen, für die das intensive Alpenlicht schädlich ist, entwickeln den Schattenblatt-Typus. Die Kutikula, das Oberflächenhäutchen an der Oberhaut der Blätter, ist kräftig entwickelt und läßt das Wasser weniger durch, wie auch allgemein die Sonnenblättchen eine größere Dicke aufweisen. Da starkes Sonnenlicht das Wachstum hemmt, finden wir häufig gedrungenen Wuchs. Rote Farbstoffe und Haare schützen vor allzu starker Bestrahlung und damit vor Zerstörung des Blattgrüns. Die höheren Bodentemperaturen bei intensiver Besonnung nutzt die Pflanze durch starke unterirdische Wurzelentwicklung. Der *Frostgefahr* begegnet sie durch hohen Zuckergehalt, der die Gefriertemperatur herabsetzt. Niedere Pflanzen, wie z.B. Kieselalgen, Flechten, Moose usw. sind weniger empfindlich gegen Frost und deshalb in alpinen Regionen weiter verbreitet als im milderen Tiefland. Wir finden aber auch Blütenpflanzen, die ohne Schaden zu nehmen gefrieren und wieder auftauen können. Gegen das *Austrocknen* in der feuchtigkeitsarmen Gebirgsluft schützt sich die Pflanze mit einer Reihe von Maßnahmen. Ledrige, schmale Blätter, oft mit einem wassersaugenden filzigen Überzug (Pelzanemone) halten das Wasser zurück. Wasserspeichernde Gewebe in Sukkulenten (Saftpflanzen) dienen dem gleichen Zweck. Der niedrige Wuchs verkürzt die Transportwege in den wasserleitenden Kanälen. Durch Einrollen der Blätter werden die Spaltöffnungen geschützt.

Am Watzmann (Bayerische Alpen). Farbenprächtig präsentieren sich die Lärchen im Herbst. Die Natur bereitet sich langsam auf den Winterschlaf vor. Nur in Mulden mit genügendem Wasserzufluß kann sich die Vegetation noch länger halten. Aufnahme Ammon

Oben: Im Oberengadin. Die malerische Seengruppe – hier der Silsersee gegen den Malojapaß – ist nicht nur landschaftlich ein Kleinod; auch der Pflanzenfreund kommt hier, in diesem Hochtal mit 1800 m Höhe, voll auf seine Kosten. Aufnahme van Hoorick

Auch die *Blütenpracht* alpiner Pflanzen hängt mit den speziellen Gebirgsbedingungen zusammen. Die farbigen Blüten erreichen das Optimum ihrer Ausbildung bei niedrigeren Temperaturen als die grünen Teile. Das ultraviolette Licht begünstigt die Ausbildung intensiv gefärbter Blüten – man beachte die kräftigen Farben etwa der Enziane! Auch als Gegenmittel gegen die Armut an bestäubenden Insekten locken die satten Farben stärker an. Auch Samen und Früchte sind den speziellen Verhältnissen angepaßt. Nur wenige Tiere verbreiten sie, dafür vermag der meist starke Wind die leichten Samen weithin zu tragen. Schließlich sind auch sie frostbeständig und keimen bereits bei niedrigen Temperaturen.

Oben: Herbstwald am Seealpsee (Ostschweiz). Herrlich ist die Färbung dieses Laubmischwaldes in den nördlichen Alpen, der sich in dem felsigen Gelände im Alpstein angesiedelt hat. Herbstwanderungen sind auch wegen des klaren und meist sicheren Wetters empfehlenswert. Aufnahme Riegg

Links: Flechtengesellschaft. Kaum ist eine Kalksteinfläche freigelegt, beginnt das Werk der lebenden Natur. Flechten siedeln sich an, zersetzen das Gestein und schaffen die Humusgrundlage für höhere Pflanzen. Aufnahme Maeder

Die Tierwelt der Alpen

Wie die Pflanzen, so versuchen auch die Tiere, den ihnen zusagenden Lebensraum auszuwählen. Im Gegensatz zu den Pflanzen stehen den Tieren aber dank ihrer Beweglichkeit wesentlich mehr Möglichkeiten zum Erreichen optimaler Umweltbedingungen offen. Allerdings gestaltet ihre Beweglichkeit, gepaart mit einer natürlichen Scheu vor dem Menschen, die Tierbeobachtung für den Naturfreund oft zu einer Geduldsprobe, gleichzeitig aber auch zu geruhsamen und erholenden Stunden weitab von der Hetze der heutigen Zivilisation. Das Beobachten von Alpentieren in ihren Refugien, in freier Wildbahn, zählt zu den eindrücklichsten Erlebnissen des Bergwanderns.

Der unwirtliche alpine Lebensraum beschert oft *extreme klimatische Verhältnisse* – starke Wärmeschwankungen zwischen Tag und Nacht, zwischen Sommer und Winter, heftige Winde und plötzliche Regengüsse – besonders auf der den kühlen und feuchten Luftmassen ausgesetzten Nordabdachung der Alpen. Oberhalb der Waldgrenze finden größere Tiere kaum mehr Schutz vor dem Unbill der Witterung und vor Feinden. Die lange Kälteperiode schränkt die Fortpflanzungszeit beträchtlich ein; die Zahl der Vogelbruten, der Schmetterlingsgenerationen in einem bestimmten Zeitraum geht zurück. Die langdauernde und mächtige Schneedecke hemmt die Bewegungsfreiheit und verringert das Nahrungsangebot drastisch. Murgänge, Steinschlag und Lawinen dezimieren den Tierbestand; heftige Winde können für flugfähige Kleininsekten tödlich sein. Der *Lebensraum* der Alpentiere, an sich schon begrenzt, wird durch den Menschen in seinem Bestreben nach Vermarktung der Natur immer mehr eingeengt, und gewisse Arten können sich nur mehr in unzugänglichen Rückzugsgebieten, in letzten Zufluchtsstätten (Refugien) halten, wie etwa der Steinadler oder der Braunbär. Aber auch das *natürliche Gleichgewicht* wird durch den Menschen nachhaltig gestört: Raubtiere als Gesundheitspolizisten des Ökosystems werden ausgerottet (Wolf, Luchs, Wildkatze u. a.); dadurch nehmen andere Tierarten überhand wie Hirsche und Steinböcke. Das Fehlen von natürlichen Feinden führt zur Überhege mit all ihren Nachteilen für die gesunde Entwicklung, mit der Gefahr von Krankheiten, von Seuchen, für die Bäume von oft tödlichem Wildverbiß.

Anderseits darf aber doch auch festgestellt werden, daß die Tierwelt in alpinen Regionen ungestörter und natürlicher ist als im Tiefland mit der Hektik menschlicher Zivilisation. Es ist zu begrüßen, daß der Naturschutzgedanke immer mehr Beachtung findet und die Sünden vergangener Jahrzehnte wenigstens in lokalen und regionalen Parks und Wildbanngebieten rückgängig zu machen versucht.

Die Tiere der Alpen haben sich an die rauhen Umweltverhältnisse hervorragend angepaßt. So wird in mannigfaltiger Weise der Kälte begegnet. Gemse, Steinbock und Murmeltier, aber auch Hummeln und Fliegen schaffen sich ein isolierendes Haarkleid; das Fett der herbstlichen Murmeltiere dient nicht nur als Energiespender, sondern ebensosehr als Wärmepolster für die lange kalte Winterzeit. Größerer, aber auch kompakterer Wuchs führt zu proportional kleinerer Oberfläche; Ohren und Schwanz sind oft verkürzt, um das Abfrieren zu verhindern. Der Winterschlaf der Murmeltiere wie auch die Winterstarre von Lurchen und Reptilien setzen die Körperfunktionen herab und erlauben ein Überleben während der nahrungsarmen kalten Jahreszeit. Die Färbung des Fells paßt sich bei Schneehühnern und Schneehasen mit ihrem Sommer- und Winterkleid der Um-

Murmeltier *(Marmota marmota).* Verwandt mit den Eichhörnchen, sind sie von gedrungenerem Bau. Schon der römische Forscher Plinius beschrieb das Alpenmurmeltier und nannte es „Alpenmaus“. Sie sammeln im Sommer durch Einlagerung von (heilkräftigem) Fett ihre Reserve für den langen Winterschlaf. Aufnahme Zeininger

gebung an und dient als Tarnung ebenso zum Selbstschutz gegenüber Feinden wie die ausgeprägte Witterung, das Gehör und das Gesicht zum frühzeitigen Erkennen der Bedrohung, oder wie die schlanken Extremitäten des Stein- und Rotwildes zur raschen Flucht auch in Fels und Schnee. Mäuse und Spinnen suchen winters Schutz unter der Schneedecke. Dunkle Färbung bei Bergeidechse und Alpensalamander nützt die karge Wärmestrahlung aus. Dank der langen Tragzeit der Säugetiere ist das Jungtier bei der Geburt schon so weit entwickelt, daß es den Unbilden der Umgebung weitgehend gewachsen ist. Dem gleichen Zweck dient das Lebendgebären bei Bergeidechse, Alpensalamander und Kreuzotter. Viele Tiere schließlich begeben sich während der kalten Jahreszeit Schutz suchend in die Nähe menschlicher Siedlungen, sich so bis zu einem gewissen Grade domestizierend. Andere weichen in klimatisch günstigere Regionen aus, wie die Zugvögel in den Süden, die Gemsen in die Waldregion.
Die heutige Tierwelt hat erst nach dem Rückzug der letzten eiszeitlichen Gletscher, vor etwa 10 000 Jah-

Unten links: Damhirsch *(Dama dama).* Charakteristisch ist das schaufelartige, vielendige Geweih, das die Damhirsche von den übrigen Hirschen unterscheidet. Die Körperlänge kann 2 m übersteigen. Ein rauhes Kleid mit reichlicher Unterwolle schützt sie im Winter vor Kälte. Aufnahme Reinhard

Unten rechts: Schneehase *(Lepus timidus).* Der Schneehase lebt, als Relikt der Eiszeit, zwischen Stauden und Steinen nahe der Schneegrenze. Seine behaarten Pfoten gestatten ihm, sich auf der Schneedecke zu bewegen; seine Trittspuren sind also größer als beim Feldhasen. Seine Nahrung besteht im Sommer aus Gräsern und Kräutern, im Winter aus Rinden, Trieben und dürren Zweiglein. Aufnahme Löhr

Rechts: Gemse *(Rupicapra rupicapra).* Die Gemse ist das verbreitetste Alpentier. Leider werden die Bestände periodisch durch die Gamsblindheit dezimiert, doch erholt sich die Population im allgemeinen rasch wieder. Behend springt das grazile Tier von Fels zu Fels, oftmals dem Touristen gefährlichen Steinschlag und Schneerutsch auslösend. Aufnahme Zeininger

ren, von den Alpen Besitz ergriffen. Von Osten und von Süden wanderte sie ein, sich nach und nach den alpinen Verhältnissen anpassend. Zur gleichen Zeit wurde auch der eisfrei gewordene Norden Europas besiedelt. So finden wir zahlreiche Analogien zwischen alpiner und nordeuropäischer Fauna, aber auch viele endemische Formen. Schneehase und Schneehuhn sind eiszeitliche Relikte. Der große, teils verheerende Einfluß der diluvialen Eiszeiten auf die Entwicklung der mitteleuropäischen Tierwelt zeigt sich in der Tatsache, daß durch den letzten mächtigen Gletschervorstoß der Würm-Eiszeit die Höhlenbären, Höhlenlöwen und Höhlenpanther – bis vor 30000 Jahren bevorzugte Jagdbeute des paläolithischen Menschen – völlig verschwunden sind.
Von den zahllosen Alpentieren seien in der Folge nur einige wenige spezifische Vertreter angeführt. Da das Verbreitungsgebiet sich zumeist über weite Teile der Alpen erstreckt, werden Tiere bei den einzelnen Regionen nicht erwähnt. Es sei, wie bei den Pflanzen, auf die ausgezeichnete Spezialliteratur verwiesen.

Der unumschränkte „König der Alpen“ ist der Steinadler *(Aquila chrysaëtus)* mit Flügelspannweiten bis zu 2 Metern, der meist paarweise in majestätischem Schwebeflug, kaum je von langsamen Flügelschlägen unterbrochen, in großen Höhen kreist. Mit seinem kräftigen Körperbau ist er in der Lage, in überraschendem Stech- oder Tiefflug kleinere Säuger und Vögel zu greifen und wegzutragen, um sie in der Nähe seines Horstes hoch oben in unzugänglichen Felsnischen zu verzehren. Nur langsam vermehrt sich der vor Jahrzehnten fast ausgerottete braune Herrscher der Lüfte, der als „Gesundheitspolizist“ eine wichtige Funktion im Gleichgewicht der Tierwelt spielt.
Die weit verbreitete, gesellige und oft zutrauliche blauschwarze Alpendohle *(Pyrrhocorax graculus)* erfreut uns durch ihren eleganten Segelflug, der jede Windströmung zu nutzen weiß. Im Sommer die Alpen oberhalb der Waldgrenze bevölkernd, zieht sich der Vogel mit seinem gelben Schnabel und den roten Füßen bei schlechtem Wetter und im Winter in die Talniederungen zurück.

Das Alpenschneehuhn *(Lagopus mutus)* lebt in großen Höhen, auf steinigen Matten und in Felsen. Es paßt sein Federkleid im Winter der weißen Umgebung an. Im Sommer dagegen ist das Männchen grau, das Weibchen gelbbraun und gefleckt. Die Flügel und die befiederten Beine bleiben stets weiß. Zum Schutz vor dem Wind gräbt sich das Schneehuhn im Winter in den Schnee ein.
Nur im Gran Paradiso in den Westalpen konnte sich der Steinbock *(Capra ibex)* nach dem Raubbau durch den Menschen in den vergangenen Jahrhunderten noch halten. Von dort aus hat er seit etwa 1900 durch Aufzucht und Aussetzung in zahlreichen Kolonien eine weite Verbreitung in den Alpen gefunden – allein im schweizerischen Kanton Graubünden wird die Zahl auf ungefähr 5000 Stück geschätzt. Der ausgezeichnete Kletterer mit dem rotbraunen, im Winter gelbgrauen Haarkleid und dem mächtigen gebogenen Gehörn lebt gesellig während des ganzen Jahres in den hochalpinen Felsregionen. Obwohl nicht zutraulich, läßt er den Menschen doch recht nahe herankommen, ehe er sich majestätisch langsam zurückzieht. In einzelnen Beständen mußte bereits eine periodische kontrollierte Bejagung verfügt werden, um die Gesundheit der Art und das ökologische Gleichgewicht zu erhalten.
Die grazile und scheue Gemse *(Rupicapra rupicapra)* mit dem schwarzen Rückenstrich auf dunkel rotbraunem Fell lebt sommers in Rudeln in den Felsen und zieht sich im Winter in die tieferen Wälder zurück. Diese Tiere mit den nach hinten gebogenen Krickeln bevölkern vor allem die schweizerischen und österreichischen Alpen.
Oftmals erschrickt uns der schrille Warnpfiff eines auf den Hinterläufen hoch aufgerichteten Murmeltiers *(Marmota marmota)*, das seine sich in der Sonne tummelnde Familie warnt, wenn wir uns auf Alpmatten nähern. Die drolligen Tierchen graben sich bis 10 Meter lange und 3 Meter tief hinabreichende Erdlöcher, in denen sie vom Oktober bis in den Mai hinein den Winterschlaf verbringen, wobei die Körpertemperatur bis auf 5–10 °C, die Herztätigkeit auf 4–6 Schläge pro Minute herabgesetzt werden. Bei diesem energiesparenden Winterschlaf verlieren sie etwa ein Fünftel ihres Gewichtes.
Das an sich scheue Reh *(Capreolus capreolus)*, ein gewandter Springer und Läufer, bevölkert in Familien bis zu 40 Tieren den Laub- und Mischwald. Seine Färbung wechselt von rotgelb im Sommer zu graubraun im Winter. Oft kommen die Rehe äsend bis nahe an Siedlungen heran, wobei wir ihren weißen Spiegel und das männliche, bis 8-endige Gehörn beobachten können.
Das aus Korsika und Sardinien eingeführte braune Mufflon-Wildschaf *(Ovis musimon)* mit seinem hellen Sattelfleck lebt in Rudeln im Hochwald und auf Bergwiesen. Das männliche Tier trägt zwei mächtige, schneckenartig gewundene Hörner. Das Mufflon verbreitet sich zusehends über die Alpen.
Vom Förster gar nicht geschätzt, hat sich der besonders in der Dämmerung und nachts in geschlechtsgetrennten Rudeln umherziehende Rothirsch *(Cervus elaphus)* wegen der Überhege stark vermehrt. Das mächtige braune Tier mit seinem imposanten vielsprossigen Geweih, das jährlich wächst, hinterläßt in den Bergwäldern, seinem Lebensraum, schwere Schäden durch Wildverbiß. Gezielte Abschüsse versuchen das Gleichgewicht wieder herzustellen.
Der äußerst scheue Braunbär *(Ursus arctos)* findet sich nur noch mit wenigen Vertretern im Brenta-Naturschutzgebiet. Mit seinem braunen Fell versteckt sich das schwerfällige Tier tagsüber in den dichten Wäldern, um nachts auf Nahrungssuche umherzustreifen. Es gehört zu den seltenen Glücksfällen, eines dieser geschützten Relikttiere zu Gesicht zu bekommen.

Oben: Admiral *(Vanessa atalanta)*. Der zu den Distelfaltern zählende, herrlich gefärbte Admiral fliegt jährlich aus Nordafrika ein und erreicht sogar Nordeuropa. Dank seinem Trieb zum Wandern ist er weit verbreitet. Aufnahme Riegg

Unten: Schwarzer Apollo *(Parnassius mnemosyne)*. Der prächtig gezeichnete Apollofalter ist ungeschwänzt. Besonders augenfällig sind die beiden roten, schwarz umsäumten Flecken auf den Hinterflügeln. Aufnahme Riegg

Oben links: Wolf *(Canis lupus).* Früher weit verbreitet, ist der Wolf heute auf wenige einzelne Vorkommen in den Alpen beschränkt. Im Nationalpark Bayerischer Wald wird ein größeres Rudel gehalten. Aufnahme Zeininger

Oben rechts: Luchs *(Felis lynx).* Nachdem das katzenartige Raubtier nahezu völlig ausgerottet war, versucht man in letzter Zeit in verschiedenen Regionen der Alpen, den Luchs wieder anzusiedeln, um ein natürliches Gleichgewicht herzustellen. Aufnahme Schrempp

Rechts: Alpenschneehuhn *(Lagopus mutus).* Ihr Winterkleid ist schneeweiß, nur die Schwanzfedern bleiben schwarz. Im Sommer dagegen tragen sie ein geflecktes Kleid. Das dichte Gefieder schützt sie vor Kälte. In langen Gängen unter der Schneedecke suchen sie winters ihre karge Nahrung. Sie sind typische eiszeitliche Relikte, die sich in die höchsten Alpenregionen zurückgezogen haben. Aufnahme Zeininger

Oben: Steinadler *(Aquila chrysaëtos).* Einer der prächtigsten Greifvögel, ist der Steinadler recht ortstreu. Die Tiere leben meist paarweise zusammen und erfreuen den Alpenwanderer durch ihr stundenlanges majestätisches Kreisen in großen Höhen. Das mächtige Tier kann bis über 2 m Spannweite erreichen und ernährt sich von Gemskitzen, Schneehasen, Füchsen und Hühnern sowie anderen Kleintieren, die es im Sturzflug überrascht. Aufnahme Reinhard

Rechts: Auerhahn *(Tetrao urogallus).* In lichten Mischwäldern mit Mooren und Sümpfen kommen die Auerhühner nur noch selten vor. Sie ernähren sich nicht nur von frischen Trieben und Knospen, sondern auch von der roten Waldameise. Das Bild zeigt einen Auerhahn während der Balz. Aufnahme Weber

Links: Kreuzotter *(Vipera berus).* Ihr Auge besitzt eine senkrechte Pupille. Das dunkle Zickzackband auf dem graubraunen Rumpf hat der Schlange ihren Namen gegeben. Das Tier kann bis 80 cm lang werden und ist gegen Kälte relativ wenig empfindlich. Ihre Beute lähmt sie durch ihren Giftbiß. Aufnahme Reinhard

Rechts: Alpensalamander *(Salamandra atra).* Der Alpensalamander wird bis 15 cm lang und kann bis in Höhen von 3000 m leben. Im Gegensatz zum Feuersalamander zeigt der Alpensalamander, der flink zwischen den Blöcken und in Bächlein vorbeihuscht, keine farbigen Flecken. Aufnahme Reinhard

Regionen der Alpen

Südliche französisch-italienische Westalpen

Dieser südwestliche Abschnitt der Alpen, der bis an die Gestade des Mittelmeers vom Golfe du Lion bis nach Savona reicht und beidseits, gegen Westen wie gegen Osten, in die weiten Schwemmebenen von Rhone und Po ausläuft, ist gegen Norden begrenzt durch das Tal des Aygues, den Lac de Serre-Ponçon und die Màira, also etwa entlang einer Linie von Orange bis Cuneo. Die Region umfaßt mehrere geologisch und morphologisch unterschiedliche Teilgebiete: Die Var und die Meeralpen (Alpes maritimes) entlang der Mittelmeerküste, die Vaucluse im Nordwesten und die Haute Provence im Norden. Jenseits der französisch-italienischen Grenze schließen sich die ligurischen Alpen an, überleitend in den Apennin.

Geologisch nehmen die Chaînes provençales und der südliche Teil der Chaînes subalpines das Hauptareal ein. Im Aufbau und in den Gesteinen sind sie dem Juragebirge und den helvetischen Decken verwandt. Falten und Mulden mesozoischer Gesteinsserien – Kalke und Mergel, in der Trias auch Dolomite und Rauhwacken – mit auflagerndem älterem Tertiär (Nummulitenkalke, Mergel und Sandsteine in flyschartiger Ausbildung) sind aneinandergereiht und überschieben sich auf geneigten, aber meist kurzen Schubbahnen gegen Süden und Südwesten. In der Aufwölbung an der Cime de Barrot tritt auch Perm in Form von Konglomeraten und sandigen Tonen zutage. Im südlichen Abschnitt unseres Gebietes, in der Provence, den Meeralpen, verläuft die Faltenrichtung in Ost-West; diese Region wird nicht mehr zu den eigentlichen Alpen gezählt, sondern gemäß dem Streichen eher dem Pyrenäen-System zugeordnet. Die Faltenachsen schwenken im Bereich von Verdon und Var gegen Norden allmählich in die westalpine Hauptrichtung ein. Von Westen her greift entlang der unteren Durance die mittel- bis spättertiäre Molasse tief in den Alpenkörper hinein; sie ist hier als überfahrene Basis der Chaînes provençales und Chaînes subalpines durch die Erosion freigelegt worden. Bis nach Digne bildet sie ein breites Band von nur wenig verbogenen Sandsteinen, Mergeln und Kalken. Der kristalline Untergrund der provenzalischen Sedimentserien tritt in den Massiven von Maures-Esterel und von Mercantour-Argentera an die Oberfläche. Gneise, Granite und Glimmerschiefer, teils mit zahlreichen Mineralien, bilden die herzynisch gefaltete Basis, die randlich und in Depressionen bedeckt ist von metamorphen paläozoischen Schiefern. Zwischen die Sedimentdecke des Mercantour-Argentera-Massivs und die Ligurischen Alpen schaltet sich der alttertiäre Flysch (Ultradauphinois-Subbriançonnais) ein, über den das mittelpenninische Briançonnais im Finalese und Savonese von Osten her übergreift.

Gestaltung der Oberfläche. Die Provence wird entwässert von der Durance und dem Var mit ihren Nebenflüssen, deren Unterlauf in weitem Bogen verläuft. Die Durance schuf sich in der breiten Molassebucht ein ausgedehntes Tal. Charakteristisch sind die oft tief eingeschnittenen Schluchten der Seitentäler, die auf einer hohen Reliefenergie, aber auch auf der Klüftigkeit der vorherrschenden Kalke in den Chaînes provençales und subalpines beruhen. Die temporär heftigen Regengüsse haben das Ihre zur Landschaftsformung beigetragen. Zur Côte d'Azur hin stürzen die Felsen mit steilen Rippen und Kliffen ab und schaffen zahllose Buchten, in die die kurzen, gefällereichen Flüsse münden. Die Karstverwitterung spielt in der Provence und in den Chaînes subalpines eine überragende Rolle: Karrenfelder, Versickerungstrichter, Höhlensysteme und wasserreiche Stromquellen (Vaucluse) am Fuß der Berge sind Kennzeichen der chemischen Zersetzung des zerklüfteten Kalkes durch das Wasser. In den Kristallinmassiven finden wir völlig andere Geländeformen. Bizarre Grate und Zinnen, die in der Cima d'Argentera bis auf 3297 m aufragen, sowie rostig

Die „Lei Murre" bei Forcalquier. Südlich der Montagne de Lure sind die Kalke der unteren Kreide (Urgon) auf den fast kahlen Hochflächen zu eigenartigen, bis 5 m hohen Gebilden herausgewittert. Gut ist die selektive Wirkung der chemischen Verwitterung zu sehen. Aufnahme Bechtle

Südliche französisch-italienische Westalpen

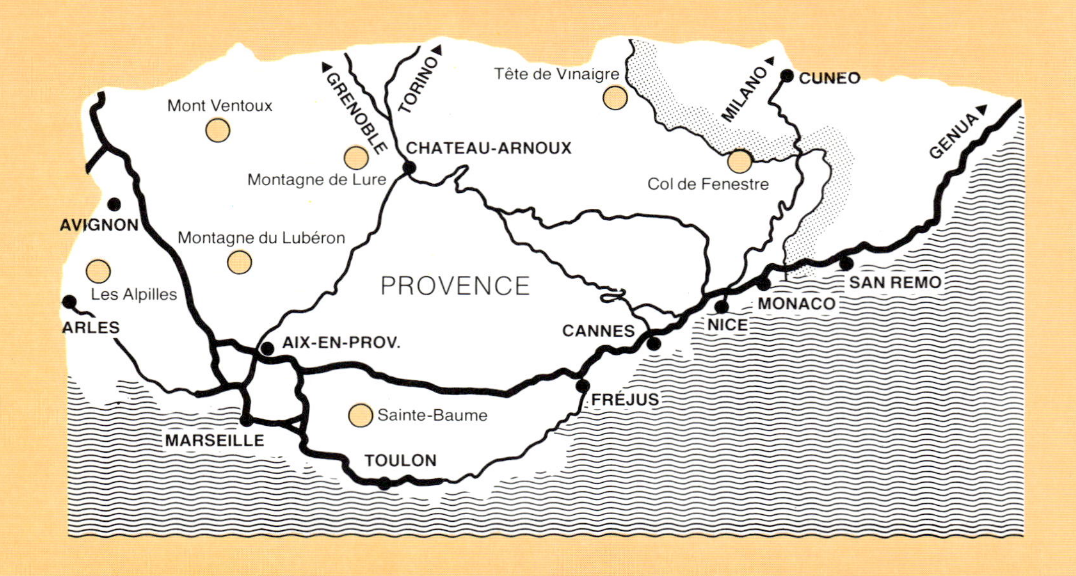

verwitternde Gneise mit Schutthalden und Blockgewirr in den Maures und im Esterel spiegeln die Strukturen der alten Extern-Massive. Die diluviale Vergletscherung erreichte unseren Alpenabschnitt nicht.

Das **Klima** ist stark mediterran geprägt mit heftigen Winter- und Frühjahrs-Regengüssen und mit sommerlicher Trockenheit. Der von Norden herabbrausende Mistral, besonders ausgeprägt in der westlichen Provence, verstärkt die Sommertrockenheit noch mehr; er kann verheerende Brände in der ausgedörrten Buschvegetation auslösen. Die jährliche Regenmenge nimmt sowohl gegen Osten wie gegen Norden zu. In den nördlichen Partien macht sich auch bereits der Einfluß des Westwindwetters mit Steigungsregen bemerkbar; allerdings fängt das jenseits der Rhone aufragende Zentralplateau einen guten Teil der Niederschläge bereits ab.

Typische **Pflanzengesellschaften** charakterisieren, entsprechend dem subtropischen Klima, die Region. In der Hügelstufe herrscht eine eigentliche Mediterran-Vegetation mit Steineichen *(Quercus ilex)* und Flaumeichen *(Quercus pubescens)* vor. Die tieferen Partien der Montanstufe tragen Buchenwälder, höher oben siedeln Fichtenwälder, an feuchteren Hängen auch der südwestalpine Weißtannenwald, der hier den montanen Fichtenwald der Zentralalpen ersetzt. Die Tanne steigt mit der Alpenrose bis zur Waldgrenze hinauf. An nördlich gerichteten Hängen kann aber auch die Buche die Waldgrenze bilden. Charakteristische Pflanzen der Felsfluren sind Vandells Mannsschild *(Androsace vandellii)* und verschiedene Leimkräuter *(Silene)*. Auf Schuttfluren finden wir eine Reitgras-Spornblumen-Gesellschaft und die endemische Berardie *(Berardia subacaulis)*. Auf Schneeböden gedeiht die südalpine Hahnenfuß-Fuchsschwanz-Vegetation (Ranunculo-Alopecuretum gerardii), auf den Mähwiesen Goldhafer *(Trisetum flavescens)* und die Bärenwurz *(Meum athamanticum)*.

Nationalparks. In unserer Region befinden sich zwei aneinandergrenzende Nationalparks: Der italienische Valdieri-Park im Argentera-Massiv und der Mercantour-Park auf französischem Gebiet. Zahlreiche Bergseen, Schluchten und Wildbäche zieren diese Refugien, in denen eine reiche Fauna und Flora das Auge erfreuen. Neben den allgemein verbreiteten Alpentieren sind hier noch wenige Wölfe und Wildkatzen anzutreffen. Im Val des Merveilles sind Tausende von Felszeichnungen der steinzeitlichen Menschen zu bewundern. Die Montagne du Lubéron zwischen Cavaillon und Manosque ist ebenfalls unter Naturschutz gestellt.

Vesuvian. Das dicksäulige tetragonale Calcium-Aluminium-Silikat ist ein typisch kontaktmetamorphes Mineral, das mit Granat, Epidot u. a. am Rande der alpinen Intrusivkörper auftritt. Aufnahme Rykart

Oben links: „Les Pénitents". Unweit von Les Mées an der Durance, südlich von Sisteron, finden sich die Rochers als geologische Sehenswürdigkeit, auch „Pénitents" (Büßer) genannt. Die Verwitterung hat aus den konglomeratischen Bänken eigenartige Gebilde modelliert. Aufnahme Bechtle

Oben Mitte: Ockertürme bei Apt. Am Nordfuß der Montagne du Lubéron, bei Apt und Roussillon in der Vaucluse, liegt eines der größten Ockerlager der Erde. Bis zum Aufkommen des billigeren künstlichen Ockers war Frankreich der weltgrößte Produzent. Heute sind die verlassenen Brüche eine Fundgrube für den Fotografen und den farbenliebenden Wanderer. Aufnahme Bechtle

Oben: Am Verdon. Südlich von Castellane, kurz bevor er sich zum „Grand Canyon" eintieft, können wir im Flußbett die steilgestellten Kreidekalke und -mergel studieren. Aufnahme Richter

Unten links: in der Kreide bei Moriez. Zwischen St.-André-les-Alpes und Barrême können wir die provenzalische Kreide-Serie der unteren und mittleren Stufe gut studieren. Es stehen hier Kalke und Mergel an. Aufnahme Richter

Rechts: Die Verdon-Schlucht. Über den tief eingefressenen „Grand Canyon du Verdon" blicken wir hinaus auf den See bei Ste. Croix. Die Malm- und Doggerkalke sind arg zerklüftet. Aufnahme Bechtle

Chaîne des Alpilles
(274 m, Bouches du Rhône)

Dieses isolierte Massiv zählt geologisch eigentlich bereits zu den Pyrenäen; es stellt die Verbindung zwischen diesen und den Alpen an ihrem äußersten Südwestende her. Weit schweift der Blick zur Rhone-Ebene, ins Mündungsgebiet der Bouches du Rhône und auf das Mittelmeer. Das Massiv besteht aus Kalken der jüngeren Kreide, allseits umgeben von jüngeren, tertiären Aufschüttungen.

Ausgangspunkt: Les Baux-en-Provence (210 m).
Endpunkt: Saint-Gabriel (15 m).
Rückkehr nach Les Baux mit Bus oder Auto.
Marschzeit: 4 1/2 Stunden.
Verpflegung: Saint-Etienne-du-Grès (60 m).

In der Nähe des alten Städtchens Les Baux, malerisch auf einem Felssporn gelegen, wurde 1821 der Bauxit, Rohmaterial der Aluminiumherstellung, entdeckt. Der Ort bietet eine schöne Fernsicht gegen Süden.

Wir folgen vorerst der Straße gegen Norden, vorbei an einem Steinbruch, ins Val d'Enfer. Auf dem Paßübergang wenden wir uns nach links und wandern nun meist auf dem Grat der Alpilles. Nach etwa 1 1/2 Stunden verlassen wir den aussichtsreichen Kamm und steigen nach rechts in mehreren Kehren ab ins schluchtartige Val de Traversière und nach Mas de Pommet (66 m). Von hier aus kann ein Abstecher (20 Minuten) nach Saint-Etienne-du-Grès (Verpflegung) eingeschoben werden.

Von Mas de Pommet steigen wir in einem buschbestandenen Tälchen wieder südwärts auf bis zu einer Häusergruppe, wo wir uns nach rechts wenden und die Crêtes du Planet überschreiten. An ihrem Ende abwärts, zuletzt auf einem Fahrweg nach Saint-Gabriel.

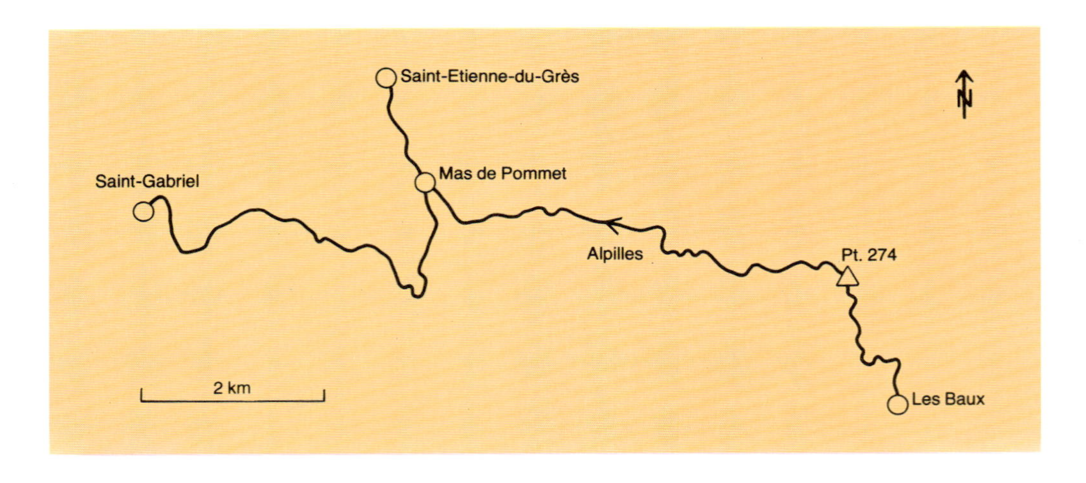

Oben: Burgfels bei Les Baux. Hoch thronen die Ruinen des Chateau féodal über dem reizenden Städtchen Les Baux-en-Provence, erbaut auf den hellen Kalken (Urgon), die weit in die Rhone-Ebene hinausleuchten. Aufnahme Laugero
Unten: In den Felsen der Alpilles. Die chemische Verwitterung hat aus den Kalken der mittleren und oberen Kreide der Aufwölbung in den Alpilles ein Labyrinth von Karstformen geschaffen. Gut sichtbar ist die verschiedene Resistenz der Schichten gegenüber dem nagenden Regenwasser. In den Klüften und Vertiefungen siedelt sich eine reiche Pflanzenwelt an. Aufnahme Bechtle

Mont Ventoux (1909 m; Vaucluse)

Eine herrliche Fernsicht hinaus in die Rhone-Ebene um Avignon und hinüber in die Berge der Vaucluse und der Haute Provence beschert uns diese Höhenwanderung, die durch die hellen Kreidekalke der Chaînes subalpines, dem Helvetikum entsprechend, führt.

Ausgangs- und Endpunkt: Brantes (600 m), Bus, Auto.
Marschzeit: 8 Stunden.
Verpflegung: Mont Ventoux (1909 m), Le Contrat (1412 m).

Vom malerischen Dorf Brantes auf die Talstraße hinuntersteigend, wandern wir die Straße entlang etwa 200 m nach Westen und zweigen nach links ab. Wir überschreiten den Fluß Toulourenc und wandern, vorbei an einem Steinbruch, auf der Bergstraße zur Grange de Bernard, wo wir uns nach links aufwärts wenden. Nun durch den Wald auf einer Güterstraße, über kleinere Bäche bis zum Sporn des Bois Marou. Hier verlassen wir die Straße und steigen links auf dem Grat auf, zuletzt in mehreren Kehren, zur Siedlung Le Contrat. Nach links hangaufwärts im Zickzack auf den Mont Ventoux, der uns ein weites Panorama beschert.

Stets auf dem aussichtsreichen Grat auf Wiesen gegen Osten wandernd (rote Markierung), steigen wir vorerst nur leicht ab, schließlich steiler hinunter zum Col de la Frache (1500 m). Von hier aus nach links durch den Wald hinab gegen Norden, erreichen wir auf etwa 1400 m Höhe einen Waldweg, der uns gegen Westen entlang der Nordflanke des Ventoux-Massivs wieder nach Le Contrat führt. Weiter zurück nach Brantes auf dem Aufstiegsweg.

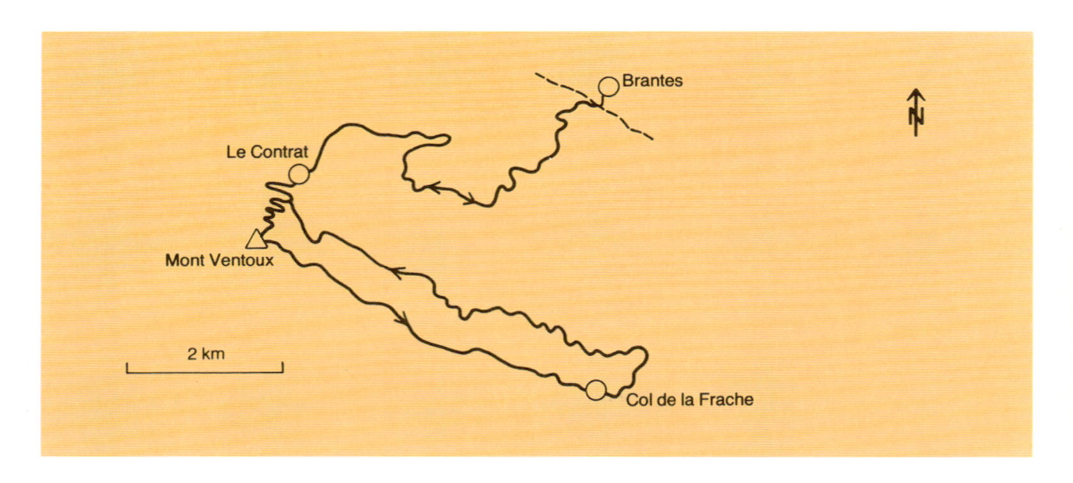

Oben: Der Mont Ventoux. Von Norden gesehen, aus dem Molasse-Tiefland, erscheint der Ventoux als isolierter Höhenzug. Er stellt eine flach gegen Süden geneigte Schuppe aus Gesteinen der Kreidezeit (Hauterivien bis Cénomanien) dar. Aufnahme Höhne

Unten links: Ammonit Crioceratites emericianum. Ein aberranter (heteromorpher) Kreide-Ammonit (Barrême-Stufe) von St. André-les-Alpes, dessen Gehäuse sich entrollt. Durchmesser ca. 8 cm. Aufnahme Richter

Unten rechts: Auf dem Ventoux-Gipfel. In fast völlig kahler Umgebung erhebt sich der Turm der Wetterwarte auf dem Mont Ventoux. Auf den durchlässigen Kreidekalken versickert das Wasser umgehend und verhindert zur Sommerzeit eine geschlossene Pflanzendecke. Aufnahme Bechtle

Montagne du Lubéron (Vaucluse)

Diese Wanderung im Naturpark von Lubéron ist für den Pflanzen- und Tierfreund ein lohnendes Unterfangen. In einer von Westen her tief eingreifenden Bucht dringt hier die tertiäre Molasse mit Sandsteinen und Kalken bis gegen Digne vor und baut – als außeralpines Element – die langgestreckte Montagne du Lubéron auf.
Ausgangspunkt: Mérindol (160 m).
Endpunkt: Lourmarin (210 m). Rückkehr nach Mérindol mit Bus oder Auto.
Marschzeit: 6 Stunden.
Verpflegung: Keine Möglichkeit.
Von der Kirche von Mérindol aus wandern wir auf der Straße gegen Westen und zweigen nach etwa 500 m rechts auf einen Fußweg ab, der uns durch den Wald auf das Plateau von Peyre-Plate hinaufführt. Beim Gehöft Sadillan wenden wir uns nach Osten und gehen weiter auf einer Güterstraße, dann auf einem Pfad und queren die Straße nach Lauris (Vallon du Dégoutau). Nun schräg nach links, leicht ansteigend, vorbei an einigen ehemaligen Kalkbrennöfen, ins Vallon de la Tapis. Nach dessen Überquerung geht es steiler hinauf zum Pied de l'Aigle (629 m), einem Aussichtspunkt. Auf dem Grat gegen Osten, hinab zur Straße, dieser nach links etwa 400 m folgend zu einer Abzweigung nach rechts. Diese benützen wir und überschreiten einen buschbestandenen Grat. Nach Umgehung einer Felsrippe steigen wir auf zum Cap de Serre (614 m), der uns wiederum eine schöne Aussicht auf das Mittelmeer und den Etang de Berre im Süden, auf Vaucluse und Mont Ventoux im Norden beschert. Schließlich steigen wir steil ab nach Lourmarin, vorbei am Schloß.

Links: Bei Lourmarin. Hier gewinnt man ein eindrucksvolles Bild der Montagne du Lubéron. Die typisch mediterrane Buschflora bedeckt die Hänge, während im grundwasserreichen Tiefland intensive Ackerkulturen gepflegt werden können. Aufnahme Arrighi

Oben links: Gorges du Régalon. In der Nähe von Mérindol befindet sich diese Trockenklamm in eozänen Kalken, aus denen große Teile der Montagne du Lubéron aufgebaut sind. Aufnahme Arrighi

Oben rechts: „Lei Murre". Schrattenkalk-ähnliche Kalke (Urgon) sind in der Nähe von Forcalquier von der chemischen Verwitterung aus den horizontal liegenden Schichten herausgearbeitet worden. Das Regenwasser hat entlang den senkrechten Klüften angegriffen. Aufnahme Bechtle

Montagne de Lure
(1826 m; Haute Provence)

Eine lohnende Wanderung durch Wälder und über aussichtsreiche Kämme der Chaînes subalpines – entsprechend den helvetischen Decken der zentralen und östlichen Alpen. Helle, gebankte Kalke der Kreidezeit zeigen zum Teil bizarre Erosionsformen.
Ausgangspunkt: Valbelle (550 m).
Endpunkt: Saint-Etienne-les-Orgues (700 m).
Rückkehr nach Valbelle mit Auto.
Marschzeit: 7½ Stunden.
Verpflegung und Unterkunft: Sommet de Lure (1826 m).
Wir starten in Le Colombier, etwa 1 km nordwestlich von Valbelle, und steigen gegen Westen auf steinigem Weg und über Weiden auf, später im Wald gegen Süden auf den Pas des Portes (1080 m). Im Norden erkennen wir den vergletscherten Pelvoux. Über Weiden zu den Häusern von Jas de Madame (1164 m). Nach Passieren einer Schlucht steigen wir durch den Wald zum Pas de la Graille (1597 m) auf, die weiten Kehren der Straße abkürzend. Nun scharf nach rechts und auf dem kahlen, windumbrausten Grat weiter zum Sommet de Lure (1826 m).
Wir verfolgen den Grat weiterhin gegen Westen, steigen dann nach links ab, vorbei an einem Skilift und einer Feriensiedlung, und durch ein bewaldetes Tälchen zur Chapelle Notre-Dame de Lure (1236 m). Die nahe Straße zur Rechten abkürzend und zweimal überquerend, wandern wir talwärts nach Saint-Etienne-les-Orgues.

N
Montagne de Pélégrine (1335 m)
Valbelle-Colombier
Jas de Madame
Sommet de Lure
Notre-Dame de Lure
Jas de Berle
Saint-Etienne
2 km

Oben: Auf dem Pas de la Graille. Vom Hauptkamm der Montagne de Lure blicken wir hinab ins Vallée du Jabron. Die Seitenbäche durchbrechen die Kreidekalk-Falten in schluchtartigen Quertälern. Die Faltenachsen streichen generell in Ost-West-Richtung, was bereits den langsamen Übergang in die Pyrenäenrichtung anzeigt. Aufnahme Carretier

Unten links: Bei Orgon. In der Nähe von Cavaillon liegt die Typuslokalität des „Urgonien", einer Stufe der unteren Kreide. Hier werden der Urgon-Kalk und der Urgon-Mergelkalk, ein fast reiner Kalkstein, in großem Umfang abgebaut. Aufnahme Richter

Unten rechts: Dentelles du Montmirail. Unweit östlich von Orange im Rhonetal erheben sich die bizarren Felszähne bei Montmirail-Suzette, aufgebaut aus nahezu vertikal stehendem Malmkalk. Wir stehen hier vor einer Klippe mit einer Trias-Basis. Reben und Lavendel gedeihen in diesem warmen, geschützten Hügelgelände prächtig. Aufnahme Bechtle

Chaîne de la Sainte-Baume
(1140 m; Var)

Wir wandern auf den Höhen des höchsten Bergkammes der Gegend und genießen eine entsprechend weite Rundsicht hinaus an die Mittelmeergestade, hinüber zu den Maures und den provenzalischen Alpen. Kalke des jüngeren Jura und der älteren Kreide begleiten uns, zu aufrechten und weitgespannten Falten verbogen.

Ausgangspunkt: Hôtellerie de la Sainte-Baume (680 m).
Endpunkt: Signes (343 m).
Rückkehr nach Saint-Pilon/Hôtellerie de la Sainte-Baume mit Bus über Aubagne.
Marschzeit: 5 Stunden.
Verpflegung: Keine Möglichkeit.

Wir steigen von der Hôtellerie aus gegen Süden leicht auf, vorbei an der Grotte von Sainte-Baume (ein Besuch lohnt sich) durch den Wald, zuletzt in einigen Kehren über Alpweiden hinauf zum Col du Saint-Pilon (950 m). Hier wenden wir uns nach links, ostwärts, und folgen dem Grat auf seiner Südseite, stets mit schöner Aussicht. Mehrere kleine Gipfel in der Kette der Chaîne de la Sainte-Baume werden dabei mühelos bezwungen.

Am Ostende des gegen Norden felsig abstürzenden Grates zuerst sanft, dann steiler hinab gegen Südosten, über zwei Bäche hinunter zur Ferme Taillane. Nun steil hinab, den Markierungen folgend, nach Signes.

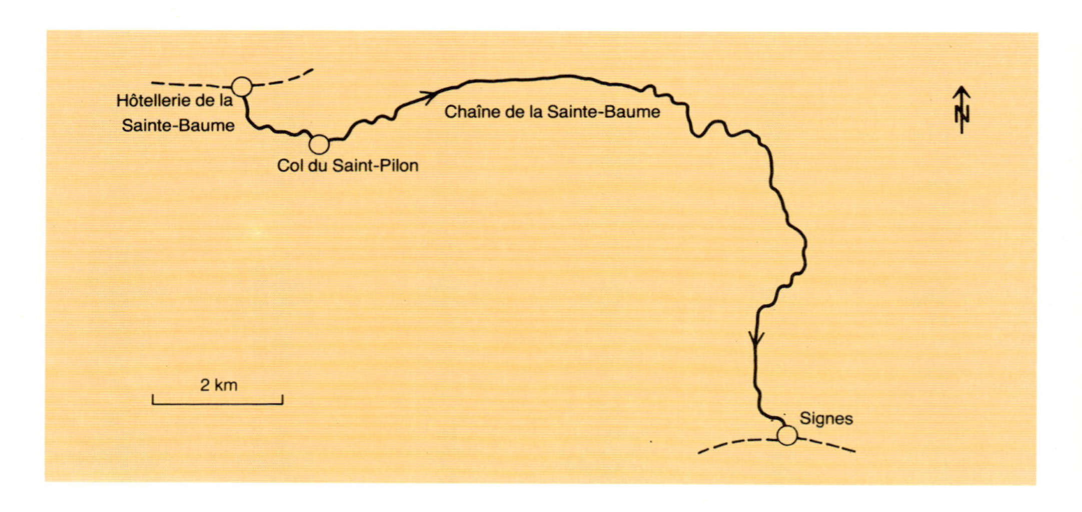

Oben: Die Calanques. Östlich von Marseille münden die Ausläufer des Massivs von Sainte-Baume mit ihren Kreidekalken in malerischen Steilabbrüchen zum Mittelmeer. Tiefe Buchten, in die meist trockene, schluchtartige Täler führen, brechen tief ins Land ein. Aufnahme Bechtle

Unten links: Auster Aetostreon latissimum, auch *Exogyra latissima* genannt. Eine Austernart aus der tieferen Kreide (Hauterivien), die im ganzen Alpenraum anzutreffen ist. Hier ein Exemplar von Comps-sur-Artuby. Größe ca. 13 cm. Aufnahme Richter

Unten rechts: Sainte-Baume. Von Signes aus, dem Endpunkt unserer Wanderung am Südfuß des Massivs, blicken wir zurück auf die stark verwitterten Kalke des Malms und der Unterkreide, zwischen denen sich üppiges Buschwerk breitmacht. Im Vordergrund eine „Glacière", ein Kühlraum. Aufnahme Office du Tourisme, Signes

Links: Mufflon *(Ovis musimon).* Das Wildschaf – hier ein männliches Tier mit den gewundenen Hörnern – findet sich vorwiegend in den französischen Westalpen. Auffallend ist der weiße Sattelfleck. Aufnahme Schrempp

Rechts oben: Tête des Trois Evêques. Nördlich von unserem Wanderweg, von der Tête de Vinaigre gut einzusehen, liegt die Tête des Trois Evêques im weichen Flyschsandstein, der sehr leicht verwittert und von den Bächen stark zerfressen ist. Aufnahme Höhne

Rechts unten: Tête de Roubinos Nègre. Man erkennt deutlich den Unterschied in der Verwitterbarkeit zwischen den harten Kalken der Gipfelpartie und der weichen, sandig-schiefrigen Unterlage. Der Tertiär-Flysch unserer Region stößt direkt an das Mercantour-Massiv und bildet dessen westliche Sedimenthülle. Aufnahme Höhne

Tête de Vinaigre
(2394 m; Alpes Maritimes)

Ein leicht ersteigbarer Paßübergang im westlichen Argentera-Mercantour-Massiv, der besonders wegen der Gesteine interessant ist. Wir durchwandern nicht nur Glimmerschiefer und Gneise des Kristallinkerns dieses Externmassivs, sondern auch Quarzite, Marmore und Rauhwacken (Perm und Trias) der autochthonen Sedimenthülle.

Ausgangspunkt: Bousiéyaz (1883) im Vallée de Tinée.

Endpunkt: Saint-Dalmas-le-Selvage (1000 m).

Rückkehr nach Bousiéyaz mit Bus oder Auto.

Marschzeit: 4½ Stunden.

Keine Verpflegungsmöglichkeit.

Wir verlassen Bousiéyaz gegen Westen und überqueren die Tinée. Nun gegen Südosten leicht ansteigend und über den Bach Rio. Über Alpweiden wandern wir um einen Bergrücken herum. Nun führt unser Weg mit nur wenig Steigung in das Tälchen von Issias und in einigen Kehren hinauf zum Col de la Colombière (2237 m). In einer halben Stunde steigen wir auf gutem Pfad hinauf zum Tête de Vinaigre (Las Planas), von wo wir eine schöne Rundsicht auf die Berge um das Vallée de Tinée genießen. Auf gleichem Weg zurück zum Col.

Nun gegen Osten in der Südflanke der Tête de Vinaigre wenig abfallend über eine Runse bis zu einem Wiesengrat und auf diesem steil abwärts. Den Hang querend, gelangen wir ins Tälchen der Combe und nach Saint-Dalmas-le-Selvage.

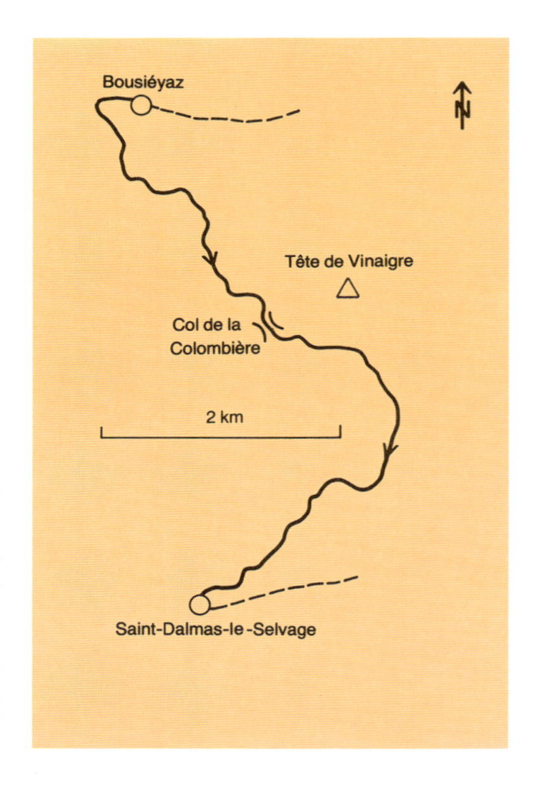

Col de Fenestre
(2474 m; Alpes Maritimes)

Wir wandern im Naturpark Mercantour-Valdieri, einem französisch-italienischen Naturschutzgebiet. Diese östliche Zone des zweigeteilten Argentera-Mercantour-Massivs – eines Extern-Massivs der Alpen – besteht vorwiegend aus Paragneis. Am nahen Mont Clapier sind Granite mit basischen Einschlüssen aufgeschlossen, die in herzynischer (Karbon-) Zeit eingedrungen sind.
Ausgangspunkt: Le Boréon (1473 m).
Endpunkt: Madone de Fenestre (1903 m).
Rückkehr nach Le Boréon mit Bus oder Auto über Saint-Martin-Vésubie.
Marschzeit: 5 Stunden.
Verpflegung: Keine Möglichkeit.

Wir wandern von Le Boréon taleinwärts gegen Osten auf einer Fahrstraße, vorbei an den Chalets de Cerise zur Vacherie du Boréon. Nun auf gutem Pfad, meist durch Wald, vorbei an Wasserfällen und an einer Wildhüterhütte (Jagdbanngebiet) zum Pont de Peyrestrèche (1838 m). Über diese Brücke und hinauf zur Jas Peyrestrèche. Scharf nach rechts abbiegend, steigen wir auf zum malerischen Lac des Trécoulpes (2150 m) und weiter zum Pas des Ladres (2448 m), wo sich der Blick gegen Osten öffnet.
Der weiß-grün-weißen Markierung folgen wir nach links hinüber zum nahen Col de Fenestre (Grenze Frankreich–Italien) mit Blick auf die Gebirge von Valdieri, ja bis zum Monte Rosa und zum Matterhorn. Im Zickzack geht es steil hinunter gegen Süden zu den kleinen Seen und nach Madone de Fenestre.

Unten: Granat (Almandin). Dieser Eisen-Ton-Granat, in schönen Rhombendodekaedern ausgebildet, ist ein Mineral, das sich bei der Metamorphose von sandigen Kalken neu bildet. Hier ist er in Glimmerschiefer eingebettet. In den Kristallin-Massiven trifft man ihn häufig an, meist in Begleitung von Glimmern, Disthen und Staurolith. Aufnahme Rykart

Rechts: Am Col de Fenestre. Herrlich ist das Wandern in den Gneisen und Graniten des Mercantour-Naturreservats. Im Hintergrund die zerklüfteten Granite des französisch-italienischen Grenzkammes, davor helle, fein geschieferte Paragneise. Auch die Wirkung der eiszeitlichen Gletscher tritt uns überall entgegen. Aufnahme van Hoorick

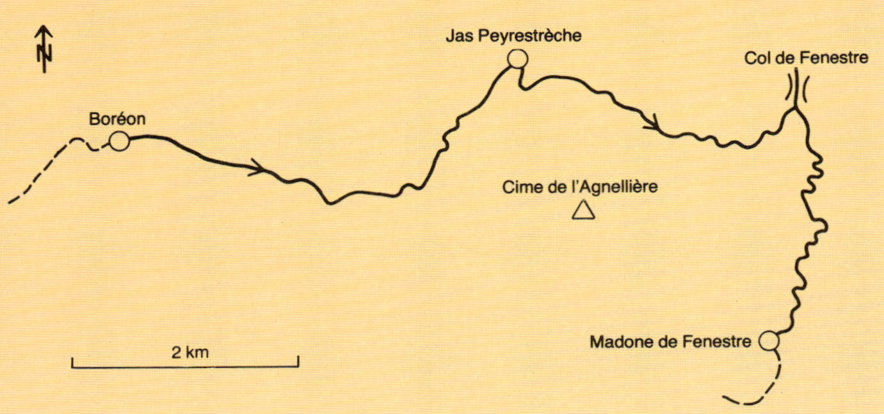
N
Jas Peyrestrèche
Col de Fenestre
Boréon
Cime de l'Agnellière
Madone de Fenestre
2 km

Nördliche französisch-italienische Westalpen

Im Norden durch den Lac Léman (Genfer See) und die gebirgige Staatsgrenze zur Schweiz abgeschlossen, erstreckt sich das Gebiet vom Rhonetal bis zur westlichen Poebene bei Turin. Die südliche Begrenzung verläuft in West-Ost-Richtung vom Tal des Aygues über Sesse und das Ubaye-Tal zum Valle Màira. Mittelpunkt der Region ist Grenoble an der Isère, von wo die Verkehrswege sternförmig ausstrahlen. Der höchste Alpengipfel, der Montblanc (4807 m) krönt den Hochgebirgskamm.
Die **geologische Gliederung** des Westalpenbogens in unserem Bereich ist recht einfach. Zonenweise folgen sich in einem Querschnitt von Westen nach Osten, von der Rhone bis zur westlichen Po-Ebene, die Chaînes subalpines (subalpine Ketten, Dauphinois), die Extern-Massive von Pelvoux-Belledonne und Mont Blanc-Aiguilles Rouges mit ihrer Sedimentbedeckung (Dauphinois-Ultradauphinois) – zur Extern-Zone zusammengefaßt – sowie schließlich die penninische Intern-Zone mit Subbriançonnais, Briançonnais und Piémontais. Die Extern-Zone, nach ihrer Herkunft und baulichen Charakteristik dem Helvetikum im weiteren Sinne gleichzusetzen, besitzt als ursprüngliche Basis die Zentralmassive: im Süden das Argentera-Mercantour-Massiv und die bereits oben erwähnten Extern-Massive. Gewisse Teile der externen Sedimenthülle, die als Dauphinois und höheres (östlicheres) Ultradauphinois bezeichnet werden, blieben hinter den Massiven zurück und wurden während der tertiären Alpenbildung mehr oder weniger metamorph. Die Hauptmasse des Dauphinois dagegen baut die Chaînes subalpines auf, die Berge des Dauphiné und von Savoien. Ihre Schichtfolge umfaßt Karbon bis älteres Tertiär und führt im mächtig entwickelten Jura und in der Kreide vorwiegend fossilreiche Kalke und Mergel. Die Elemente des überschobenen Ultradauphinois enthalten Oberkarbon bis Lias; transgressiv folgt darüber eine mächtige, vorwiegend eozäne Flysch-Serie. Diese nicht umgewandelten Gesteine wurden von ihrem Kristallinsockel abgeschert, gegen Westen verfrachtet und in Falten und Decken gelegt. Die vordersten Elemente überfuhren gar die tertiäre Molasse des Vorlandes. Die Strukturen im Dauphinois erinnern stark an das Juragebirge – besonders in der Chartreuse –; auch hier bildete die lagunäre Trias häufig die Gleitbahn, auf der sich das jüngere „Deckgebirge" vom älteren „Grundgebirge" nach Westen abschob. Die penninische Intern-Zone anderseits brandete aus dem Raum der westlichen Poebene an den Massiven auf, wurde aber in den Senken zwischen Argentera-Mercantour und Pelvoux-Belledonne weit gegen Westen verfrachtet, ähnlich den Préalpes in Hochsavoien und in der Westschweiz. In mehr oder minder parallelen Zügen folgen sich hier gegen den italienischen Alpenrand zu das Subbriançonnais (unter- bis mittelpenninisch), das Briançonnais (mittelpenninisch) mit der mächtigen karbonischen Zone houillère (Steinkohle) und das Piémontais (= Piemontese, hochpenninisch). Die Schichtreihen reichen hier vom jüngsten Paläozoikum bis ins flyschartige Eozän. Bündnerschiefer (= Schistes lustrés) mit submarin-vulkanischen Grüngesteinen (Ophiolithen) aus Jura und Kreide dominieren besonders im Piemontese der italienischen Alpen; aus ihnen wuchtet sich die kristalline Basis im Gran Paradiso empor. Nördlich von Turin, an der Dora Baltea, taucht die gewaltige Vertikalverschiebung der insubrischen Linie – Teil der alpin-dinarischen Naht, der Trennfuge zum Südalpin – an die Oberfläche empor, begleitet von tertiären Eruptivgesteinen bei Traversella und Biella. Entlang dieser Linie zieht sich der kristalline Sockel, das Basement, der Südalpen hin, gegen die Po-Ebene zu abgelöst von Gneisen und jüngeren (permisch-mesozoischen), teils metamorphen Sedimenten des Seengebirges.

Auf dem Col de Balme. Im Hintergrund grüßt der Montblanc, mit 4807 m höchster Gipfel Europas. Über seiner Eiskappe liegt eine Föhnwolke. Bizarr ragen die Granitberge über die durch Gletscher rundgeschliffene Umgebung heraus. Aufnahme van Hoorick

Nördliche französisch-italienische Westalpen

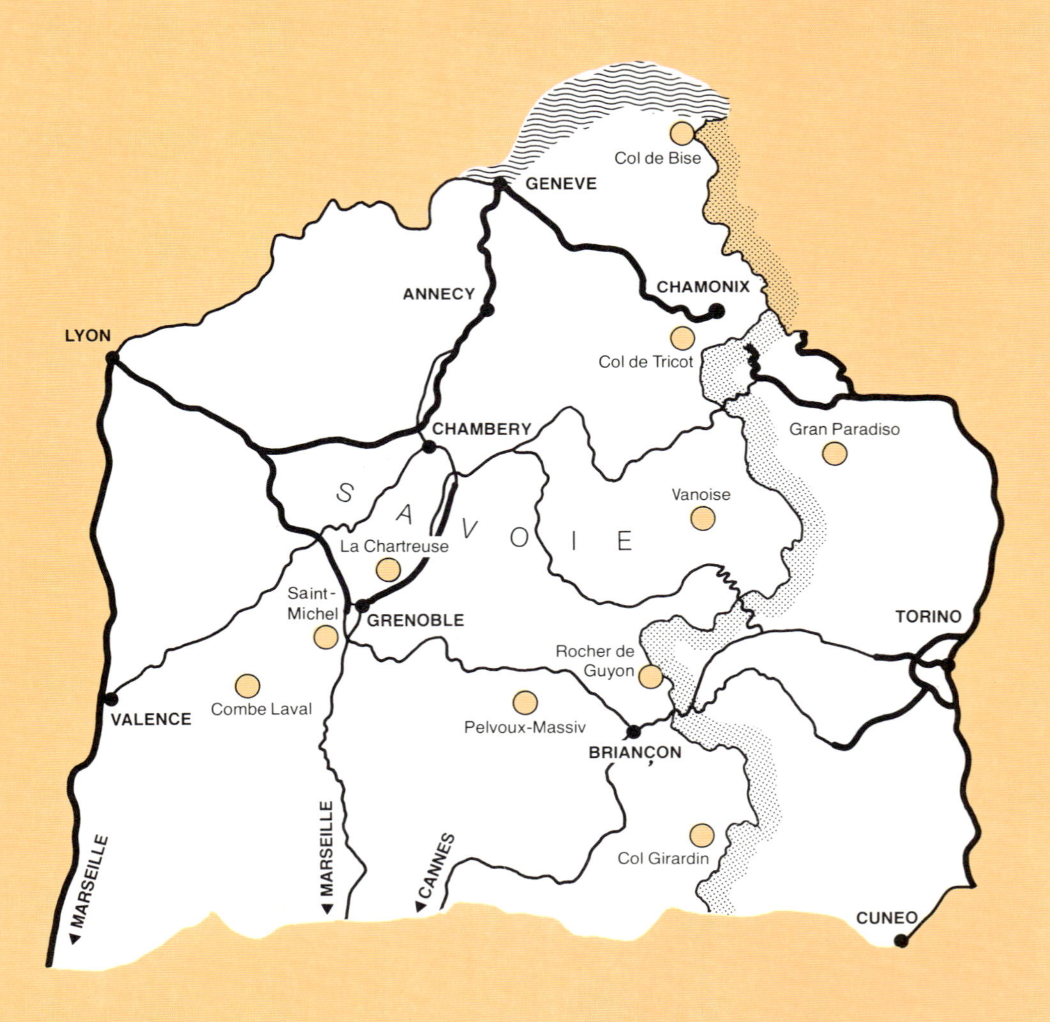

Mineralien finden sich vor allem in den Kristallin-Massiven, speziell im Pelvoux und am Montblanc; hier sind es insbesondere die alpinen Zerrkluftlagerstätten mit Quarz, Adular, Rutil und anderen, aber auch Vererzungen mit Kupfer- und Quecksilber-Mineralien. Die italienischen Täler von Ala und Aosta sind Fundgruben seltener Mineralien.

Gestaltung der Oberfläche. Die Landschaft wird beherrscht von der gebirgigen Grenzkette, vom Montblanc (4807 m) über den Gran Paradiso (auf italienischem Gebiet, 4061 m) bis zum Monte Viso (3841 m). Im Oisans-Massiv erreicht die Meije nahezu die 4000-m-Höhe. Die Hauptwasserscheide ist exzentrisch nach Osten hin verlagert. Damit entwässern die Flüsse zur Po-Ebene mit steilem Gefälle und in oft schluchtartigen Tälern. Anderseits müssen sich die nach Westen und Südwesten führenden Gewässer ihren Weg ins Vorland auf verschlungenen Umwegen suchen, durch Depressionen, in weichen Gesteinszonen oder entlang von Verwerfungen, welche die Gesteinsfalten durchreißen: Rhone, Isère, Durance. Die eiszeitliche Vergletscherung der Westalpen, die nicht bis an die Ufer des Mittelmeers hinabreichte, hat besonders in Savoien und in den Hochalpen östlich von Grenoble ihre markanten Spuren hinterlassen in Form von Moränenzügen, Trogtälern, Stufenmündungen und Terrassen. In den Chaînes subalpines, mit ihrer typischen Karstmorphologie, mit Höhlen, Dolinen und Stromquellen, wähnt man sich oft wie im Juragebirge, so besonders in der Grande Chartreuse.

Oben: Titanit (Sphen). Das Mineral, monoklin kristallisierend, enthält das seltene Element Titan. Es tritt auf in sauren Erstarrungsgesteinen, aber auch in alpinen Zerrkluftlagerstätten zusammen mit Quarz, Adular und Albit. Das Exemplar stammt aus dem Val di Gava. Aufnahme Grammacioli

Unten: Der Monte Viso. Der mit 3841 m dominierende Gipfel in den Cottischen Alpen, unmittelbar an der Grenze zu Frankreich auf italienischem Gebiet gelegen, liegt in den penninischen Bündnerschiefern (Schistes lustrés), die im Mesozoikum in einem bewegten Tiefmeer abgelagert wurden und während der Alpenbildung im Tertiär zu Phylliten umgewandelt wurden. Aufnahme Geissler

Das **Klima** unserer Alpenregion wird von drei Seiten her geprägt: Zum ersten bringen die atlantischen Westwinde, besonders in der kühlen Jahreszeit, beträchtliche Feuchtigkeitsmengen heran, die sich als Steigungsregen in der Dauphiné, aber auch an den Massiven entlädt. Immerhin wirkt das französische Zentralplateau jenseits der Rhone auch hier, wie weiter südlich, stark mildernd. Zum zweiten spürt man das mediterrane Klimaregime vom Mittelmeer her, wenn auch abgeschwächt: Sommerliche Hochdruckperioden mit trockenem und klarem Wetter können über längere Zeiten andauern. Schließlich steht der italienische Westalpenabhang unter der Herrschaft des insubrischen Klimas mit Regen zu allen Jahreszeiten, wobei auch hier der Einfluß der Subtropen über die niedrigen ligurischen Alpen hinweg mitspielt. Dem raschen winterlichen Wetterwechsel steht eine bemerkenswerte sommerliche Stabilität gegenüber. Die Niederschlagsmenge nimmt in der Dauphiné gegen Osten rapide ab: Thône erhält dreimal, Grenoble doppelt so viel Regen wie Briançon. Chamonix am Montblanc dagegen ist niederschlagsreich; am höchsten alpinen Bergmassiv staut sich die feuchte Luft von Westen wie von der Po-Ebene her. Besonders die meridional (von Nord nach Süd) verlaufenden oder im Windschatten gelegenen Talabschnitte sind eigentliche Trockeninseln, oft ausgesetzt den warm-trockenen Winden vom Mittelmeer her. Ausgeprägte Trockentäler sind die Tarentaise, die Haute Maurienne und das Briançonnais, aber auch das Aostatal.

In der **Pflanzenwelt** der Dauphiné, der westlichen französischen Alpen, spürt man den ausklingenden mediterranen Einfluß im oberen Durancetal. Die Steineiche *(Quercus ilex)* und die Flaumeiche *(Quercus pubescens)* erreichen Guillestre. Weiter nördlich macht sich der Kontinent vermehrt bemerkbar: Trockenrasen ist charakteristisch; auf beweglichem Schutt gedeihen Federgras *(Stipa pennata)* und Buntes Reitgras *(Calamagrostis varia)*. Im Steinschutt finden wir den Lavendel *(Lavandula angustifolia)*, die Felsenmispel *(Amelanchier ovalis)* und den Kampfer-Wermut *(Artemisia alba)*. Xerophile Moose und Flechten sind häufig. Der durch Überweidung der natürlichen Föhrenwälder entstandene Trockenrasen führt zahlreiche Leguminosen aus den Gattungen Tragant *(Astragalus)*, Esparsette *(Onobrychis)* und Hauhechel *(Ononis)*, speziell auf Kalk. An Wegrändern und auf Schuttplätzen (sog. Ruderal-Standorte) gedeihen großköpfige Distelgesellschaften wie die Wegdistel *(Carduus acanthoides)*, der Löwenschwanz *(Leonurus cardiaca)*, der wilde Lattich *(Lactuca seriola)* sowie Kletten, wie wir sie im ganzen Alpengebiet in Trockentälern antreffen. Die Bewaldung der Chaînes subalpines ähnelt derjenigen des Juragebirges: Buchenwälder, in höheren Lagen mit beigemischter Weißtanne, tiefer unten mit Flaumeiche und Buchsbaum. Im Vercors finden sich ausgedehnte Waldföhrenbestände. Beim höchsten Alpendorf, St. Véran en Queyras in den Cottischen Alpen, werden Korn und Kartoffeln auf 2050 m Höhe kultiviert. Die untere Talstufe bis etwa 700 m Höhe führt hier Trockenrasen mit artenreichen Gräsern, wie Bartgras *(Andropogon)* und Federgras. An besonnten Hängen werden die Föhrenwälder nach oben abgelöst durch Lärchenbestände mit einzelnen Arven; schattenseitig gedeihen Tanne und Fichte. Im Berberitzen-Gebüsch der Valtournanche (Aostatal) und im Queyras-Park findet sich eine innerasiatische Steppenpflanze: der Alpenfuchsschwanztragant *(Astragalus centroalpinus)*. Die Buchenwaldgrenze in den Grajischen Alpen liegt bei St. Michel de Maurienne; weiter östlich treten Erika-Föhrenwälder an ihre Stelle, gegen oben abgelöst von Legföhren-Erika-Gebüsch, besonders auf Gips. Ähnlich wie im Wallis treffen wir Trockenrasen mit einer Flechten-Kammschmiele-(Fulgensio-Koeleria-)Gesellschaft an. Das Aostatal, durch den Montblanc und den Gran Paradiso vor ozeanischen Einflüssen weitgehend abgeschirmt, ist ein Juwel für den Pflanzenfreund; hier gedeihen mediterrane Arten wie der Gartenthymian *(Thymus vulgaris)*, der Erdburzeldorn *(Tribulus terrestris)* und die Akanthusblättrige Eberwurz *(Carlina acanthifolia)*; hier treffen sich über 200 alpine und xerische Elemente. Für die Region charakteristisch sind aber auch die Ausgeschnittene Glockenblume *(Campanula excisa)*, das Steintäschel *(Aethionema thomasiana)*, die Pfauen-Nelke *(Dianthus neglectus)*, das Schneeweiße Fingerkraut *(Potentilla nivea)* und der Felsschutt-Baldrian *(Valeriana saliunca)*. In der savoiardischen Tarentaise, einem ausgeprägten Trockental,

ist der Südhang mit Traubeneichen *(Quercus petraea)* und Flaumeichen bestanden. Im übrigen herrscht in Savoien eine typisch nordalpine und recht artenarme Vegetation auf kalkreichem Untergrund vor. Am Mont Chauffé finden wir den westlichsten Standort der Bewimperten Alpenrose *(Rhododendron hirsutum)*. An einigen Orten kommt der Alpen-Mannstreu *(Eryngium alpinum)* reichlich vor. An den Hängen des Montblanc-Massivs dehnen sich größere Lärchen-Arvenwälder aus.

Naturparks. Dem Wanderer zum Besuch und Aufenthalt empfohlen seien auch die zahlreichen gepflegten und gut erschlossenen Naturparks, so der Ecrins-Park (1000 km^2) südöstlich von Grenoble im Oisan-Massiv, der grenzübergreifende Vanoise-Gran-Paradiso-Nationalpark (1100 km^2) mit reicher Pflanzen- und Tierwelt (z. B. der seltene Schlangenadler), der Queyras-Park in den Cottischen Alpen, schließlich in den Savoier Alpen an der Tournette, in den Bauges – mit zahlreichen Mufflons, Wildschweinen und Mardern – und in den Frettes. Am Col du Lautaret lohnt sich der Besuch eines Alpengartens.

Links: Auf dem Col des Aravis. An der Straße von Thônes nach Mégève gelegen, auf dem Grenzkamm zwischen Haute-Savoie und Savoie, befinden wir uns auf dem Col des Aravis in der tiefhelvetischen Aravis-Decke, die mit der Morcles-Decke zusammenhängt. Juragesteine bauen die Gebirge beidseits der Route auf. Aufnahme Aarons

Rechts: In den Aiguilles Rouges. Das Massiv der Aiguilles Rouges zählt zu den zentralalpinen Kristallin-Massiven und verläuft parallel zum Montblanc-Massiv. Granite herzynischen Alters sind in polymetamorphe, altpaläozoische Gneise eingedrungen. Mächtige Schutthalden säumen die zackigen Grate dieses nur wenig vergletscherten Massivs. Aufnahme van Hoorick

Links oben: Auf dem Mont Cenis. Eine Wanderung um den reizenden Stausee auf der weiten Paßhöhe des Mont Cenis bietet vor allem dem Pflanzenfreund viele Überraschungen. Der Paß ist in die Bündnerschiefer (Schistes lustrés) eingesenkt. Aufnahme Geissler

Links unten: Im Val d'Isère. Jura- und Kreidegesteine der Sedimentbedeckung des Briançonnais bauen die Gebirge beidseits des Isère-Tales auf. Im Hintergrund der Mont Pourri. Aufnahme Geissler

Rechts oben: Bei Avrieux. Im Tal des Arc, östlich Modane, blicken wir gegen Norden auf die Dent Parrachée im Vanoise-Nationalpark. Permokarbon des Briançonnais überlagert hier den weichen Gips (Nappe des Gypses) der näheren Umgebung. Zahlreiche Forts passieren wir in dieser Grenzregion am Mont Cenis. Aufnahme Geissler

Rechts unten: Am Col d'Izoard. Eine landschaftlich reizvolle Gegend passieren wir bei einer Fahrt von Briançon zur Combe de Queyras. Die Sedimentgesteine der Zone Briançonnais sind am Paß stark verwittert. Aufnahme Geissler

Combe Laval (Drôme)

Diese leichte Wanderung im Naturpark des Vercors führt uns durch eine markante Erosionsform, eingetieft in dickbankige Urgon-Kalke (Untere Kreide), die den Kessel als Felswand in der Höhe umsäumen. Im tief eingeschnittenen weiten Tal erscheinen Mergel und Kalke der untersten Kreide wie in einem tektonischen Fenster. Wir wandern in den Chaînes subalpines, den externen Kalkformationen der Alpen, die im Bau und in der Gesteinszusammensetzung Anklänge an das Juragebirge zeigen. Unter einer Combe versteht der Franzose ein Tal im Scheitel einer Falte.
Ausgangspunkt: Saint-Laurent-en-Royans (312 m), Auto, Bus.
Endpunkt: Col de la Machine (1011 m).
Rückkehr über Saint-Jean-en-Royans mit Bus oder Auto.
Marschzeit: 3½ Stunden.
Verpflegung: Col de la Machine (1011 m).
Von Saint-Laurent-en-Royans aus steigen wir gegen Osten zum Dorfteil Buyet auf und treffen am Waldrand, bei einem Bauernhof, auf einen ebenen Weg, dem wir nach rechts folgen. Wir kreuzen eine Straße und steigen einige Meter ab, um den Sporn herum in das Tal von Laval. Nun zuerst auf einem Fahrweg, später steiler auf einem Pfad oberhalb des Weilers Laval hinauf zum dominierenden Felsband und in diesem im Zickzack auf die Hochfläche (980 m, Pas du Pas). Hier genießen wir den Blick hinab in die mächtige Combe und hinüber auf die Felsplatte des Echarasson mit dem hellen Kalkband, in das die Autostraße eingeschnitten ist. Auf der Weidehochfläche wandern wir weiter gegen Süden, stets wieder einen Blick in die rechts unter uns liegende Combe erhaschend, bis zum Col de la Machine (1030 m) und zum Hotel.

Unten: Auf dem Col de la Machine. Von der Höhe des Col de la Machine blicken wir hinunter in die Combe Laval, wo unter den Urgon-Kalken die tieferen Kreide-Schichten aufgeschlossen sind. Gut ist die leichte Faltung an den Flanken des Erosionstrichters zu erkennen. Aufnahme Pinter

Rechts: Der Absturz zur Combe Laval. Kühn windet sich die Straße zum Col de la Machine durch die Abstürze der subalpinen Urgon-Kalke. Im Hintergrund das weite Tal der Isère. Aufnahme Pinter

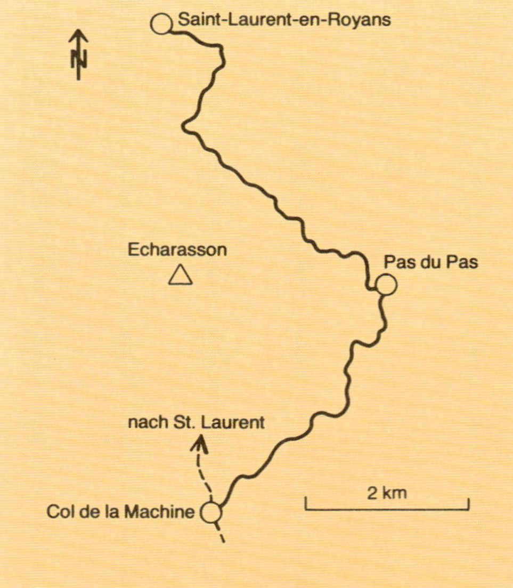

Grande Roche de Saint-Michel (Isère)

Ein prächtiger Rundblick ins Vercors, in die Grande Chartreuse und ins Belledonne-Massiv, ja bis zum Montblanc, aber auch hinaus in die Täler der Isère und des Drac belohnt diese Höhenwanderung hoch über Grenoble. Die ganze vielfältige Kreide-Serie mit Kalken, Mergeln und Sandsteinen der Chaînes subalpines begleitet uns, in Falten gelegt, in Schuppen überschoben, bereits mit den Molasseschichten verzahnt. Die Strukturen der Grande Chartreuse sind besonders gut zu erkennen. Im Osten das Extern-Massiv von Belledonne und Pelvoux mit seiner permo-mesozoischen Sedimenthülle.
Ausgangspunkt: Saint-Nizier-du-Moucherotte (1162 m), Bus von Grenoble aus.
Endpunkt: Villard-de-Lans (1050 m).
Rückkehr nach Saint-Nizier mit Bus.
Marschzeit: 5 Stunden.
Verpflegung: Le Moucherotte (1901 m), Bergerie de Roybon (1450 m).
Wir fahren von Saint-Nizier-du-Moucherotte mit der Luftseilbahn auf den Moucherotte (1901 m) mit einer großartigen Rundsicht (Orientierungstafel). Nahe dem Grat wandern wir sodann auf der Westflanke gegen Süden, zuerst über Weiden, dann durch Laubmischwald, leicht absteigend zur Waldlichtung von La Sierre (1260 m). Nun wieder aufwärts durch Wald bis an den Westfuß des Pic Saint-Michel und nach rechts hinab zum Collet du Furon (1438 m). Hier wenden wir uns wieder südwärts, vorbei an einer Quelle, und wandern auf einem botanisch interessanten Weg, der ohne große Steigung dem bewaldeten Hang mit mehreren Tälchen folgt, zur Bergerie de Roybon (1450 m). Etwa 200 m steigen wir auf dem Weg gegen Nordwesten ab, zweigen dann nach links ab und überqueren einen Grat, hinunter ins nächste Tälchen und schließlich zum nahen Villard-de-Lans.

Oben rechts: Auf der Grande Roche de St.-Michel. Der Wanderweg führt leicht auf und westlich des Grates durch Kalke der unteren Kreide (Valangien bis Urgon) auf der Antiklinale der Moucherotte südwärts. Im Tal zur Linken liegt in der Mulde der subalpinen Kette Molassegestein aus dem Miozän. Aufnahme Besson

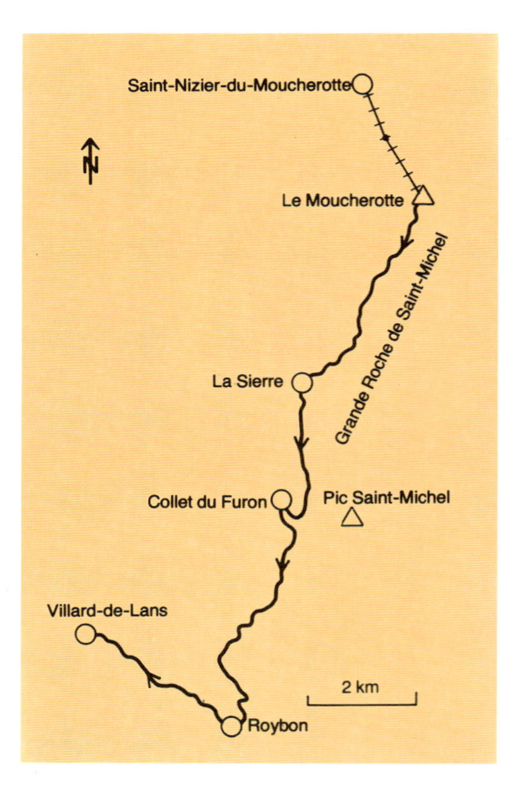

Unten links: Belemnit Neohibolites subfusiformis. Ein Belemnit aus der Unterkreide, wie er in den subalpinen Gesteinen häufig vorkommt. Die Exemplare, deren größtes etwa 4 cm lang ist, stammen von St. André-les-Alpes. Aufnahme Richter

Unten rechts: Die Grande Roche. Die bankigen Kalke der Unterkreide sind hier zu komplizierten Faltengebilden zusammengestaucht worden durch den Anprall des benachbarten kristallinen Belledonne-Massivs. Aufnahme Besson

La Chartreuse (Isère)

Diese Wanderung vermittelt einen nachhaltigen Eindruck vom imposanten Faltenbau der Chartreuse, der uns stark an den Jura erinnert, mit den kühn geschwungenen Schichten, mit den hervorwitternden Kalkwänden und den weiten bewaldeten Mulden. Kalke und Mergel aus Malm und Kreide bauen diese Chaînes subalpines auf. Über dem Isère-Tal baut sich jenseits das Kristallinmassiv der Belledonne auf.
Ausgangspunkt: Saint-Pierre-de-Chartreuse (913 m).
Endpunkt: Col de Vence (782 m).
Rückkehr nach Saint-Pierre-de-Chartreuse mit Bus oder Auto.
Marschzeit: 7½ Stunden.
Verpflegung und Unterkunft: Col du Coq (1434 m, nur an Wochenenden), Le Sappey-en-Chartreuse (950 m), Col de Vence (782 m).
Von Saint-Pierre-de-Chartreuse aus wandern wir ostwärts durch die Klus des Guiers Mort auf der Straße, vorbei am Weiler Buissière. Bei Perquelin (976 m) zweigen wir nach rechts ab auf eine Waldstraße, dann auf einem Pfad, der uns südwärts durch Wald, später über Weiden zum Col des Ayes (1538 m) hinaufführt. Nun halten wir rechts und folgen dem Osthang der Roc d'Arguille hinunter auf den Col du Coq (1434 m). Die Straße überquerend, gelangen wir zum Skigebiet von Habert du Col du Coq. Von hier aus benützen wir einen schlecht unterhaltenen Weg durch den Wald des Gros Muset, auf dem wir, zuletzt auf dem aussichtsreichen Grat – mit schönem Blick auf die Belledonne – zum Col de la Faîta (1430 m) gelangen. Weiter auf dem Grat bis zum Waldrand. Jetzt steigen wir nach rechts über eine Weide ab zu den Häusern und weiter durch das bewaldete Tal auswärts nach Le Sappey-en-Chartreuse (Bus). Beim Weiler Les Combes östlich des Dorfes nach links in vielen Kehren hinauf auf den Grat von Mont Saint-Eynard (1300 m), dem wir nun gegen Süden folgen. Vorsicht: Gegen links fallen die Felsen steil ab! An einigen Aussichtsterrassen vorbei, wandern wir schließlich durch einen Tunnel zum alten Fort Saint-Eynard (1359 m), das Grenoble beherrscht, und in zahlreichen Kehren durch den Wald hinab zum Col de Vence.

Oben: Bei St. Pierre d'Entremont. In der Chartreuse kommt der juraähnliche Faltencharakter der Chaînes subalpines deutlich zum Ausdruck. Die Gebirgsgruppe ist sowohl dem Bau als auch den Gesteinen nach die Fortsetzung des schweizerisch-französischen Juras. Im Bild der Roche Veyrand. Aufnahme Geissler

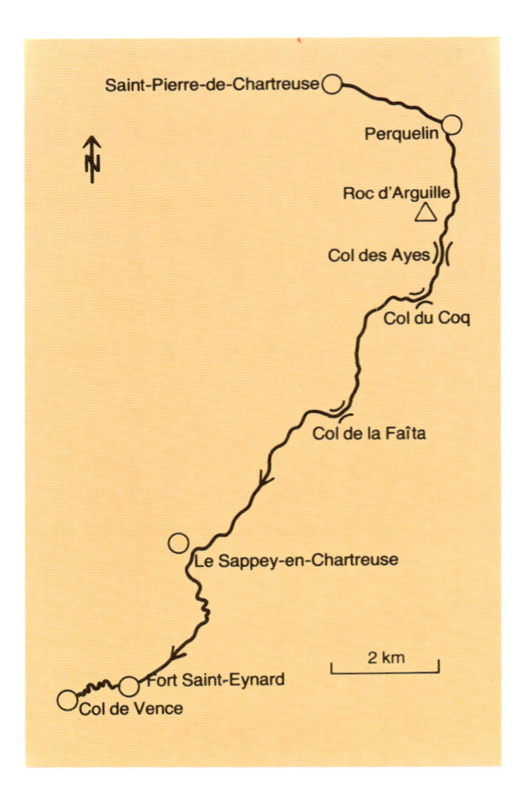

Unten: Die Chartreuse. Aus dem Isèretal nördlich von Grenoble können die Schichten der subalpinen Ketten der Chartreuse besonders gut studiert werden. Die Gipfelpartie besteht aus gebankten Kalken und Mergeln des Urgon; die Basis nehmen Kalke des Malm und der tiefsten Kreide ein. Dazwischen schaltet sich ein mächtiges Band von weichen Mergeln, die zurückgewittert sind. Aufnahme Geissler

Col de Bise (1916 m; Savoie)

Diese Wanderung im Chablais vermittelt einen Einblick in die Struktur der alpinen Frontgebirge um den Genfer See (Lac Léman). Botanisch und morphologisch abwechslungsreich, können wir auch die verschiedenen Gesteine aus Trias, Jura und Kreide der mittelpenninischen Decke der Préalpes médianes (Briançonnais) studieren. Zahlreiche Überschiebungen und Verschuppungen komplizieren die geologischen Verhältnisse ungemein.
Ausgangspunkt: Saint-Gingolph (386 m) am Lac Léman.
Endpunkt: La Chapelle d'Abondance (1102 m).
Rückkehr nach Saint-Gingolph mit Auto über Thonon oder Monthey.
Reisepaß mitnehmen.
Marschzeit: 7½ Stunden.
Verpflegung und Unterkunft: Novel (960 m), Chalets de Bise (1506 m).
Von Saint-Gingolph aus folgen wir dem Lauf der Morge parallel der Fahrstraße nach Novel, dann auf einem Natursträßchen hinauf zum Weiler Planche (1160 m). Hier halten wir nach links, kreuzen die junge Morge und steigen durch Wald und über Weiden auf, zuletzt steil und um einen Felssporn herum nach Neuteu (1750 m). Wir wenden uns westwärts, zweigen aber bald nach links ab und steigen entlang dem Steilhang hinauf zum Col de Bise.
Auf undeutlichen Wegspuren hinunter über Alpweiden und mehrere Runsen zu den Chalets de Bise (1506 m). Nun links hinauf im Zickzack zum Pas de la Bosse (1815 m), von wo der Blick auf den Grand-Combin und auf die Dents du Midi fällt. Wir steigen ab zu den Chalets de la Cheneau (1590 m), dann im Wald steil hinab zu den Chalets de Chevenne (1280 m) und im engen Tal hinaus nach La Chapelle d'Abondance.

Oben rechts: Die Dents du Midi. Über die Kreidekalke der parautochthonen Morcles-Decke in den Dents du Midi wurden die Klippen um die Cornettes de Bise gegen Nordwesten hinübergeschoben und liegen heute entwurzelt auf völlig andersartiger Unterlage. Aufnahme van Hoorick

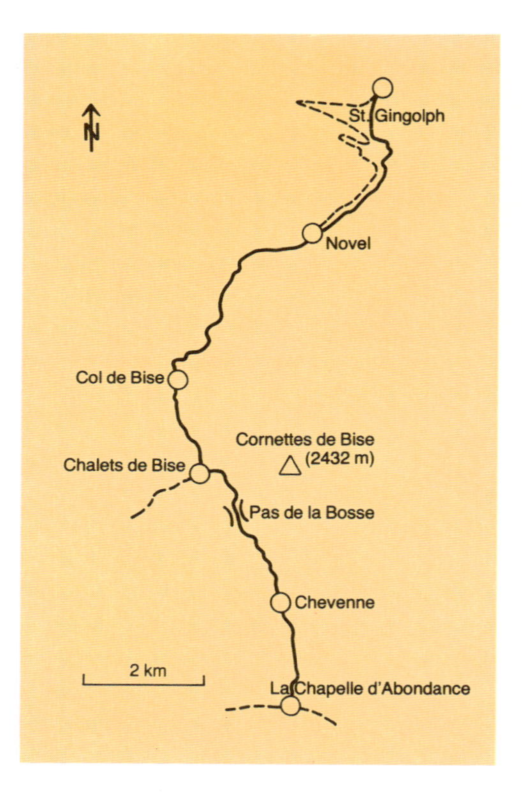

Unten links: Mont Chauffé. Beim Abstieg nach Chapelle d'Abondance fällt uns zur Rechten der mächtige Felsklotz des Mont Chauffé auf. Aus stark zerrüttetem Juragestein der Klippendecke aufgebaut, ist er eine Schuppe im Flysch der Umgebung. Aufnahme Höhne

Unten rechts: Die Cornettes de Bise. Die dominierende Berggestalt im Chablais ist äußerst stark zerklüftet und verschuppt. Die Jurakalke der Klippen-Serie, als fremde Elemente aus Südosten angeschoben, verzahnen sich mit jüngeren Gesteinen in komplizierter Schuppentektonik. Aufnahme Höhne

Col de Tricot (2120 m; Haute Savoie)

Wir erleben eine abwechslungsreiche Bergwanderung entlang der Westflanke des höchsten Alpengipfels, des Montblanc-Massivs. Stets wechseln die Ausblicke auf die Gletscherriesen und auf die Gruppe des Mont Joly. Die Wanderung führt durch Gneise und Granite des kristallinen Kerns dieses Extern-Massivs, aber auch durch die autochthone Sedimentbedeckung mit triadischen Dolomiten und Rauhwacken, mit mergeligen Kalken aus Lias und Dogger.
Ausgangspunkt: Les Houches (1008 m).
Endpunkt: Les Contamines (1164 m).
Rückkehr nach Les Houches mit Bus oder Auto.
Marschzeit: 7 Stunden. (5 Stunden bei Benützung der Seilbahn Les Houches-Bellevue.)
Trittsicherheit ist Voraussetzung.
Verpflegung: Col de Voza (1653 m), Bellevue (1781 m), Chalets de Miage (1579 m).

Sofern wir nicht den bequemen Weg mit der Seilbahn zum Bellevue wählen, zweigen wir in der Nähe der Talstation nach links ab und steigen in vielen Kehren im Wald und über Weiden zum Col de Voza auf. Von hier wandern wir über blumenreiche Alpweiden entlang dem Geleise der Montblanc-Bergbahn zum Bellevue hinauf. Auf gutem Pfad gelangen wir zu den Chalets de l'Arc. Über Moränenzüge erreichen wir die blockübersäte Zunge des Bionassay-Gletschers, den wir leicht überqueren (im Frühjahr und nach Gewittern zu meiden!). An Ruinen vorbei im Zickzack auf den Grat und hinauf zum Col de Tricot. In 20 Minuten können wir den aussichtsreichen Mont Vorassay besteigen.
Vom Col de Tricot steil hinunter zu den Chalets de Miage, dann über den Wildbach und wiederum steil hinauf zum Mont Truc (1811 m) und zu den Chalets du Truc. Nun wandern wir durch den lichten Wald hinab, vorbei an einer Aussichtskanzel, nach Les Contamines.

Oben: Der Montblanc. Höchster Gipfel Europas, leuchtet das ausgedehnte Felsmassiv des Montblanc weit in die oberitalienische, französische und westschweizerische Landschaft hinaus. Das Massiv besteht vornehmlich aus alten Gneisen und im Karbon/Perm (herzynisch) eingedrungenen granitischen Plutoniten. Aufnahme Sirman

Links außen: Die Aiguilles du Midi. Das Kristallinmassiv des Mont Blanc, heute durch Verwitterung und Erosion in eine Vielzahl von Felsspitzen – die „Aiguilles" – gegliedert, spielte während der tertiären Alpenbildung eine bedeutende Rolle als altes, herzynisches Widerlager. Aufnahme van Hoorick

Links: Im Tal von Chamonix. Der breite Hauptgipfel des Montblanc ist umsäumt von etlichen bizarren Felsnadeln, den Aiguilles, die durch Verwitterung entlang den zahlreichen Klüften herausgearbeitet wurden. Aufnahme Sirman

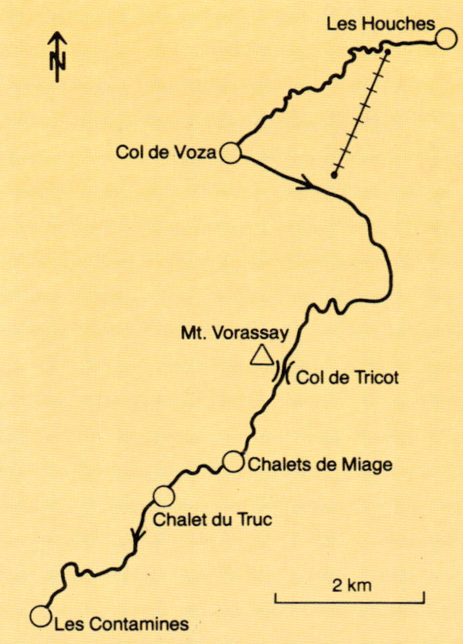

Im Gran-Paradiso-Nationalpark (Piemonte)

Auf dieser Wanderung im größten italienischen Nationalpark treffen wir zahlreiches Hochwild, speziell Steinböcke, an. Von hier stammen die Steinbock-Kolonien der ganzen Alpen. Aber auch die geschützte Blumenwelt, besonders in der Umgebung des Rifugio, ist eines Besuches wert. Das Massiv des Gran Paradiso ist ein internes, auf der Innenseite des Alpenbogens gelegenes Granitmassiv, das dem Piemontese (Piémontais, Hochpenninikum) zugehört,
Ausgangs- und Endpunkt: Valmontey (1660 m), Zufahrt mit Auto von Cogne aus.
Marschzeit: 8 Stunden.
Verpflegung und Unterkunft: Rifugio Vittorio Sella CAI (2584 m).
In Valmontey überqueren wir die Brücke gegen Westen, wandern vorbei an einem besuchenswerten Alpengarten und steigen im Val Loson in Kehren steil aufwärts, bis in das sich öffnende Hochtal. Nun in diesem gemütlich hinein bis zum Rifugio Vittorio Sella.
Auf markiertem Weg, oft nahe an den Steinböcken vorbei, über die Hochfläche und auf einem Zickzackweg, teils gesichert, hinauf zum Col Loson (3292 m). Hier genießen wir den prächtigen Ausblick, in das vergletscherte Paradiso-Massiv, gegen Westen hinüber in die Berge jenseits des Val Savaranche, bevor wir auf dem gleichen Weg zurückkehren.

Apatit. Das hexagonal kristallisierende Calciumphosphat, hier farblos und glasklar, tritt in pegmatitischen und pneumatolytischen Gängen der kristallinen Schiefer in den Alpen häufig auf. Das Exemplar stammt aus der Gegend des Gran Paradiso, von St. Vincent im Aostatal. Aufnahme Grammacioli

Steinbock *(Capra ibex).* Im Gran Paradiso befindet sich das Refugium dieses stolzen Alpentieres. Von hier aus breitete es sich nach der Ausrottung in den übrigen Alpenregionen erst in diesem Jahrhundert wieder aus. Heute treffen wir auch in den Zentral- und Ostalpen wieder Tausende dieser Kletterer an. Aufnahme Maeder

Oben: Im Val Tournanche. Von diesem reizenden Seitental des Aostatales, das vom Matterhorn gekrönt wird, genießt man den Ausblick zum mächtigen Massiv des Gran Paradiso, dem hochpenninischen (Piemontese-) kristallinen Deckenkern mit Graniten und Gneisen paläozoischen Alters. Das Val Tournanche seinerseits ist in die Bündnerschiefer-/Ophiolithhülle des Hochpenninikums eingetieft. Aufnahme van Hoorick

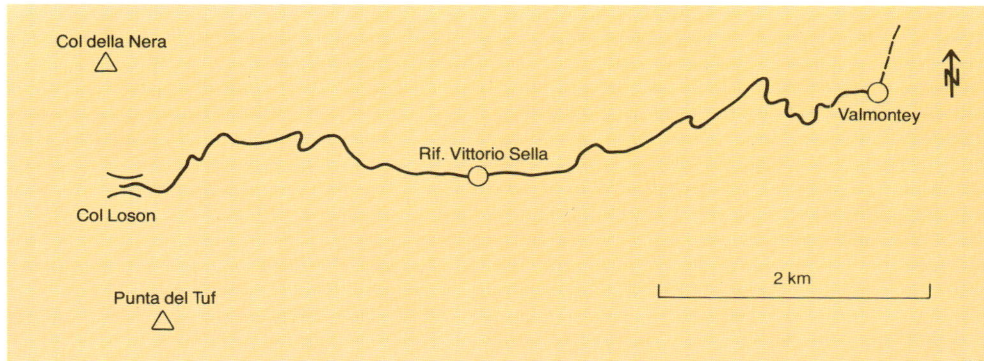

Wanderung in der Vanoise (Savoie)

Diese Zweitages-Tour quer durch den großen Naturpark der Vanoise läßt das Herz des Pflanzen- und Tierfreundes höher schlagen. Immer wieder begegnen uns seltene Alpenblumen, und wir beobachten an den Hängen und in den Felsen große Gemsrudel. Wir wandern zumeist in Gesteinen aus Trias, Jura und Kreide, in Kalken, Dolomiten und Mergelkalken. Die Gipfel zur Rechten sind aus Gneis und Glimmerschiefer aufgebaut. Alle diese Gesteine gehören dem höheren Penninikum an (Prépiémontais, Piémontais, Gips-Decke).
Ausgangspunkt: Tignes-le-lac (2086 m).
Endpunkt: Pralognan-la-Vanoise (1424 m).
Rückkehr nach Tignes mit Bus.
Marschzeit: 10½ Stunden (2 Tage).
Trittsicherheit ist Voraussetzung.
Verpflegung und Unterkunft: Refuge de la Leisse (2550 m), Refuge Burdin (2107 m), Refuge Félix Faure (2525 m).

Wir steigen vom Südende des Sees von Tignes gegen Südosten auf nach Bollin und folgen dem linken Talhang hinauf zum Col de Fresse (2540 m), den wir links liegen lassen. Über den Col de la Leisse, vorbei an mehreren malerischen Seen, zur Rechten die Abstürze der Grande Motte, erreichen wir das Refuge de la Leisse. Weiter talauswärts entlang der Leisse zum Pont de Croé-Vie (2099 m), von wo wir zum Übernachten einen kurzen Abstecher nach Entre-Deux-Eaux (Refuge Burdin) einschalten.
Beim Pont de Croé-Vie geht es über die Brücke gegen Westen, dann steil hinauf in Kehren und nach der glazialen Steilstufe hinein ins weite Tal der Vanoise zum Lac Rond und zum Col de la Vanoise (2525 m). Hier befindet sich die CAF-Clubhütte Félix Faure. Auf einem Saumweg steigen wir ab zu zwei Seen, beidseits mit Blick auf die vergletscherten Gipfel der zentralen Vanoise. Vorbei am Lac des Vaches und am Weiler von Glière (2030 m), zuletzt über eine bewaldete Steilstufe nach Pralognan.

Oben: Die Grande Casse. Mit 3852 m ist die Pointe de la Grande Casse höchster Gipfel im Vanoise-Naturpark. Wir blikken vom Refuge Félix Faure auf das mächtige Massiv und den Glacier des Grands Couloirs. Paragneise und Glimmerschiefer des Prépiémontais bauen die Gebirgsgruppe auf. Aufnahme Parc National Vanoise

Unten links: Am Lac du Chevril. Der Dôme de la Sache beherrscht den See bei Tigne, dem Ausgangspunkt unserer Wanderung. Kristallin und Permokarbon des Briançonnais bauen die Gegend auf, deren Oberflächengestalt unverkennbar durch die eiszeitlichen Gletscher geformt wurde. Aufnahme Höhne

Unten rechts: Granat (Hessonit). Der leuchtend rote bis braunrote Hessonit oder Kaneelstein ist ein beliebter Schmuckstein. Meist kommt er in kleinen, aber wohl ausgebildeten Rhombendodekaedern als metamorphe Neubildung in kristallinen Schiefern vor. Das Exemplar stammt aus dem Val di Susa in Piemont. Aufnahme Grammacioli

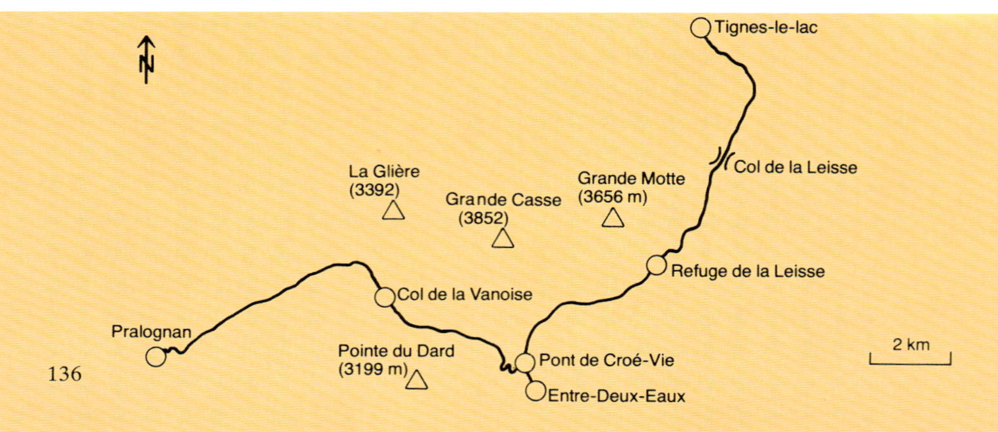

Im Pelvoux-Massiv (Isère)

Inmitten des herrlichen Granitmassivs des Pelvoux gelegen, in überwältigender hochalpiner Umgebung und im Anblick der Südwand der Meije (3974 m), bietet das Val des Etançons dem Naturfreund auch ohne Gipfelerstürmung viele Schönheiten. Wir wandern im zentralen Granit des Extern-Massivs von Belledonne-Pelvoux.

Ausgangs- und Endpunkt: La Bérarde (1719 m), mit Bus oder Auto von Grenoble aus erreichbar.

Marschzeit: 4½ Stunden.

Verpflegung: La Bérarde (1719 m), Châtelleret-Hütte CAF (2221 m).

An der Kapelle von Bérarde vorbei wandern wir dem linken Ufer des Etançon-Baches entlang gegen Norden, überqueren den einmündenden Seitenbach und steigen gemächlich über Alpweiden an, später über Geröll. Bald türmt sich die mächtige Meije vor uns auf. Bei der Weggabelung halten wir nach links und über eine Brücke zum Westufer des Etançon-Baches. Nach weiterem Aufstieg erreichen wir über eine Furt die Châtelleret-Hütte inmitten blumenreicher Weiden, umgeben von den wuchtigen Gipfeln des Pelvoux.

Rückweg gleich wie Aufstieg.

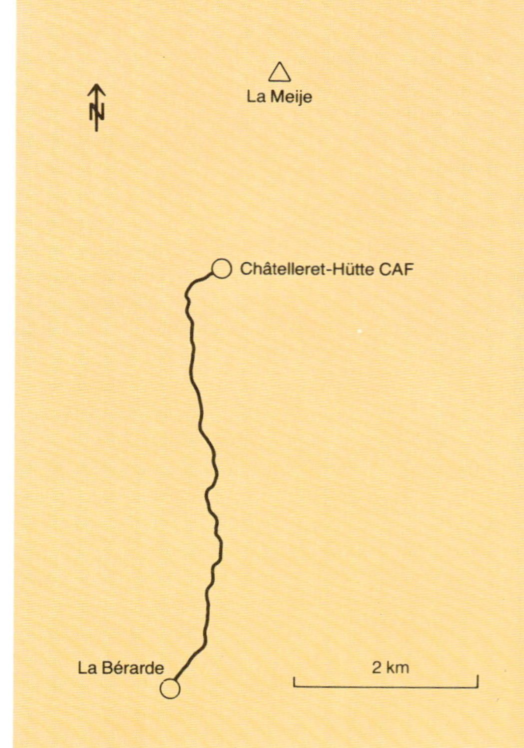

Links: Auf dem Col de l'Iséran. Wir blicken vom flachen Paß gegen Norden auf den Tsanteleina und die Aiguille de la Grande Sassière, eine Klippe von Prépiémontais (Schistes lustrés) auf dem unterliegenden Brianconnais der Vanoise. Aufnahme Geissler

Oben: La Meije. Vom Col du Lautaret aus, wo sich ein besuchenswerter Alpengarten befindet, präsentiert sich uns die Meije-Gruppe im nördlichen Pelvoux-Massiv besonders eindrucksvoll. Meije und Pelvoux sind herzynische Granitstöcke, umschlossen von Glimmerschiefern und Gneisen höheren Alters. Aufnahme Geissler

Im Aostatal. Bündnerschiefer (Schistes lustrés) und Grüngesteine (Prasinite, Ophiolithe u. a.) bauen die Hänge dieses botanisch dankbaren Tales auf. Hier findet der Pflanzenfreund eine Reihe von seltenen Blumen, die nur hier, in diesem abgeschlossenen Trockental der Westalpen gedeihen. Aufnahme van Hoorick

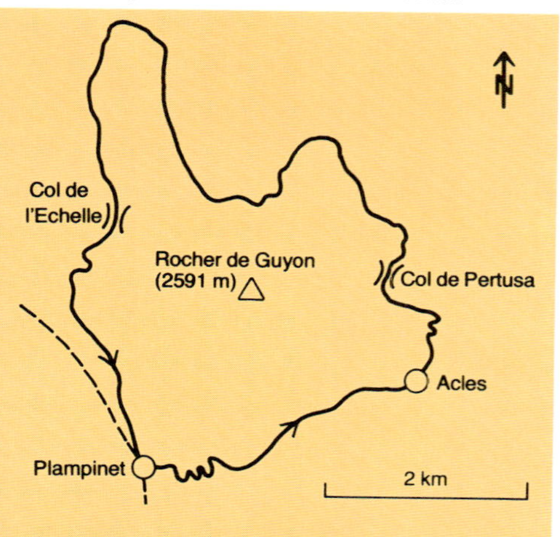

Rund um den Rocher de Guyon
(Hautes Alpes)

Wir erhalten auf dieser Rundwanderung um den markanten Felsgipfel herum einen Eindruck vom französisch-italienischen Grenzkamm zwischen dem Mont Genèvre und dem Mont Cenis. Im Westen begleiten uns Dolomite und Rauhwacken der jüngeren Trias (Briançonnais), während wir im Osten in Kalkglimmerschiefern (Schistes lustrés, Jura-Kreide) des hochpenninischen Piémontais wandern.

Ausgangs- und Endpunkt: Plampinet (1478 m), Bus, Auto.

Marschzeit: 6½ Stunden.

Reisepaß mitnehmen.

Trittsicherheit ist Voraussetzung.

Verpflegung: Keine Möglichkeit.

Von Plampinet aus erklimmen wir auf guter Straße in vielen Kehren die Steilstufe zum Tal von Acles, mit schönem Tiefblick in die imposante Schlucht (glazial bedingtes Hängetal). Dann taleinwärts, vorbei an der Kapelle von Saint-Roch bis zur Siedlung von Acles (1879 m). Nun nach links über Alpweiden steil hinauf zum Col de Pertusa (2228 m) auf der Grenze Frankreich–Italien. Der Paß bietet einen Blick in die Berge über dem italienischen Bardonecchia.

Im Zickzack steigen wir über Geröll ab, halten nach links und umgehen auf felsigem Pfad den Rocher de Barrabas und wandern durch einen weiten Kessel hinüber zum Nordgrat des Rocher de Guion. Auf diesem Grenzgrat abwärts, zuletzt in zahlreichen Kehren hinab auf die Straße, der wir nach links folgen durch das flache Tal bis zum Col de l'Echelle (1766 m). Nun auf der Straße und über steile Waldwege zurück nach Plampinet.

Rechts oben: Bei Névache. Am Lac Rond, unmittelbar westlich des Rocher de Guyon, stehen wir in der zum Teil abgescherten Sedimentbedeckung des Briançonnais, vorwiegend Trias in Form von Dolomiten und Rauhwakken. Aufnahme Geissler

Rechts unten: Die Levanna Centrale. Beim Aufstieg zum Col de l'Iséran fällt uns im Osten, auf dem französisch-italienischen Grenzkamm das Massiv der Levanna Centrale auf, ein nach Frankreich hinüberreichender Ausläufer des Gran Paradiso-Massivs mit Augengneisen und Granitgneisen. Im Vordergrund Schistes lustrés des Piemontese. Aufnahme Geissler

Links: Albit. Eine klassisch ausgebildete Stufe des Natronfeldspats mit dicken triklinen Platten und Zwillingen. Albit findet sich nicht nur in alpinen Zerrklüften, sondern auch in Pegmatiten und in Granitdrusen zusammen mit Quarz, Adular, Apatit u. a. Aufnahme Grammacioli

Rechts oben: Les Demoiselles coiffées. Hoch über dem Lac de Serre Ponçon finden sich diese Erdpyramiden nahe der Straße bei Pontis. Das Regenwasser und die Verwitterung haben das Moränenmaterial unter großen Blöcken verschont. Ähnliche Erdpyramiden finden sich im ganzen Alpengebiet. Aufnahme Geissler

Rechts unten: Im oberen Durance-Tal. Bei Guillestre, wo die Autofahrt zum Start unserer Bergwanderung beginnt, weitet sich das Durance-Tal in den weichen Rauhwakkenzonen der Briançonnais-Sedimente, die uns auf der ganzen Wanderung begleiten. Aufnahme Geissler

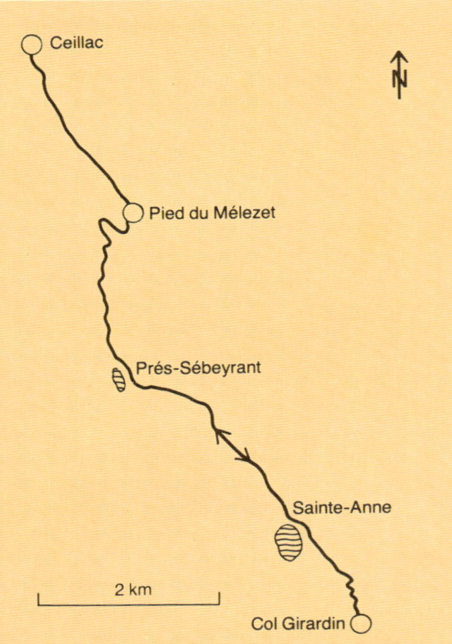

Col Girardin (2706 m; Hautes Alpes)

Eine reiche Pflanzenwelt begleitet uns auf dieser Wanderung im Naturpark von Queyras. Auf dem Col Girardin genießen wir eine eindrucksvolle Rundsicht auf die Cottischen Alpen. Die mittelpenninische Sedimentbedeckung des Briançonnais ist mit Dolomiten, Rauhwacken und Gips der Trias vertreten; in höheren Lagen treffen wir auch Mergel aus Kreide und Alttertiär an.
Ausgangs- und Endpunkt: Ceillac (1633 m), Zufahrt von Guillestre mit Bus oder Auto.
Marschzeit: 7½ Stunden.
Keine Verpflegungsmöglichkeit.
Wir wandern auf der Straße durch das Tal des Mélezet aufwärts bis zu den Häusern von Pied du Mélezet. Nun überqueren wir den Bach und steigen am Gegenhang in weiten Kehren auf einem Schuttkegel auf, vorbei an zwei Wasserfällen, wobei wir den Bach am Waldrand kreuzen. Bald stehen wir am Ufer des Sees von Prés-Sébeyrand (2287 m), den wir rechts oder links umgehen. Dem Skilift entlang steigen wir bis zu einer Mulde auf. Wir treten in einen weiten Kessel ein: Sainte-Anne mit Kapelle (2400 m). Über Geröll und Weiden hinauf zum Col Girardin. Rückweg gleich wie Aufstieg.

Westliche Schweizer Alpen

Die Schweizer Kantone Bern, Freiburg, Waadt und Wallis haben Anteil an den nördlichen und zentralen Alpen. Die Alpenfront gegen Norden und Nordwesten ist meist ausgeprägt durch eine markante Steilstufe. Im Osten bildet die Linie Meiringen – Grimsel – Nufenen – Lago Maggiore die Begrenzung. Eingeschlossen sind die italienischen Alpengebiete im Hinterland von Borgosésia.

Geologie. Dieser bogenförmige Alpenabschnitt wird beidseits abgeschlossen durch kristalline herzynische Massive: das Montblanc-Aiguilles-Rouges-Massiv im Südwesten und das Aare-Gotthard-Massiv im Nordosten. Zwischen diesen hochgewölbten Domen mit ihrer Parallelstruktur aus präkarbonischen Gneisen und herzynischen Granitstöcken erstreckt sich eine flache Senke (Depression), über die die penninischen und ostalpinen Gesteinsmassen weit gegen das nördliche Alpenvorland, über die helvetischen Decken hinweg vorbranden konnten. So finden wir in den Gebirgen vom oberen Genfersee bis zum Thunersee ausgedehnte Zonen mit Gesteinen der penninischen Sedimenthülle: mesozoisch-tertiäre Kalke und Mergel der mittelpenninischen Klippen-, Brekzien-, Simmen- und Niesen-Decke in den sogenannten Préalpes. Diese fuhren auf mächtige ultrahelvetische Flyschmassen auf. Südlich davon ist die sedimentäre helvetische Unterlage als Wildhorn- und Diablerets-Decke im Grenzkamm zwischen den Kantonen Bern und Wallis bloßgelegt worden; sie taucht in mehreren Falten und Gleitbrettern gegen Norden und Nordwesten hin über die Nordflanke des Aarmassivs hinweg ab. Die kristallinen Massivkerne verschwinden im Bereich dieser Depression zwischen Martigny und Leuk unter der Talsohle des Rhonetales und sind an ihrer Nordseite begleitet von parautochthonen mesozoischen Gesteinen. Die südlichen Walliser Hochalpen liegen in den penninischen kristallinen Deckenbasen (Bernhard- und Monte-Rosa-Decke), die auf ihrem Rücken die mesozoischen Phyllite der Bündnerschiefer (Schistes lustrés) tragen, vergesellschaftet mit Grüngesteinen. Schließlich thront auf diesen Schiefermassen das

Oben: Disthen und Staurolith. Der hellblaue Disthen und der dunkelbraune, oft kreuzartig verzwillingte Staurolith sind typisch metamorphe Mineralien, die sich aus ursprünglichen Sedimentgesteinen gebildet haben. Die Mineralien liegen in Paragonitschiefern und wurden auf der Alpe Sponda am Pizzo Forno (Tessin) gefunden. Aufnahme Rykart

Links: Am Engstlensee (Berner Oberland). Der malerische See liegt in einem Hochtal am Jochpaß, dem Übergang von Engelberg nach Innertkirchen. Ein herrliches Wandergebiet am Fuß des Titlis erschließt sich von Melchsee-Frutt aus, von wo der Engstlensee, eingerahmt durch die Wendenstöcke und den Reißend Nollen, leicht erreichbar ist. Juragesteine des Parautochthons und der helvetischen Decken bauen die wuchtigen Gebirgsstöcke auf. Aufnahme van Hoorick

Westliche Schweizer Alpen

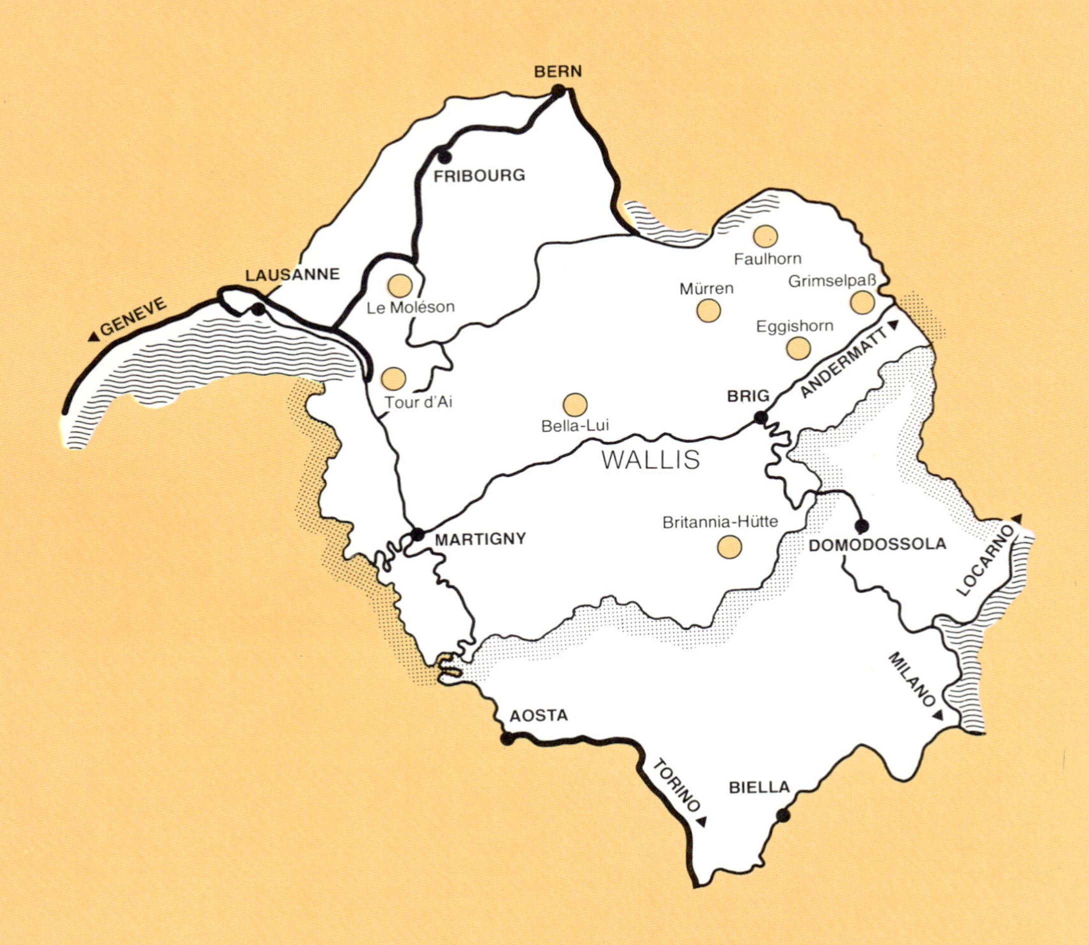

Eiger und Mönch (Berner Oberland). Wuchtig bauen sich über der Kleinen Scheidegg die Gipfel der Jungfraugruppe auf, als Vertreter des nördlichen Aarmassivs, in dessen Kristallin Sedimentmulden eingekeilt sind. Unser Standort befindet sich in der tiefhelvetischen Wildhorn-Decke. Von der Kleinen Scheidegg aus führt eine meist in Tunnels verlaufende Bergbahn hinauf zum Jungfraujoch (rechts oben). Aufnahme Gensetter

ostalpine Relikt der Dent-Blanche-Decke. Zu guter Letzt schließen die oberostalpinen Serien von Sesia und Canavese, die markante Vertikalverschiebung an der insubrischen Linie und die altpaläozoischen südalpinen Faltenzüge der Ivrea, die Region gegen die Po-Ebene hin ab.

Morphologisch ist unser Gebiet durch die tiefgreifende Fuge des Rhonetales zweigeteilt. Diese Erosionsnarbe fällt als Längstal weitgehend zusammen mit der enggepreßten Einwalmung zwischen den beidseits angrenzenden Massiven. Daneben ist aber die Entwässerung quer zum Streichen des Alpenkörpers überwiegend: Saane, Simme und Aare führen hinaus ins Mittelland; die steilen Walliser Talflanken sind von zahlreichen tiefen, schluchtartigen Tälern durchzogen; Sesia und Toce entwässern die Südhänge ebenso steil zum Po hin. Zwei hochalpine und stark vergletscherte Hauptketten begleiten das Walliser Haupttal: Im Norden die „Berner Alpen“ mit der Felspyramide des Finsteraarhorns (4274 m) als höchstem Gipfel; im Süden der Grenzkamm zu Italien, der in der Dufourspitze am Monte Rosa mit 4634 m seinen Höhepunkt erreicht und eine Reihe von berühmten Viertausendern umfaßt. Die Bergketten an der Außenfront der Alpen zwingen die Flüsse, ihren Ausweg ins Mittelland auf Umwegen zu suchen: So kamen die Längstalfluchten der Aare im Brienzersee und der Saane zustande. Der Querdurchbruch der Rhone zwischen Martigny und Genfersee ist tektonisch bedingt. Im Querschnitt zeigen die südalpinen Flüsse ein stärkeres Gefälle als ihre nördlichen Konkurrenten; dies hängt mit der asymmetrisch weit südlich verlaufenden Hauptwasserscheide zusammen und erklärt sich aus dem einseitigen Schub aus Süden wie auch aus der massiven Absenkung des alpinen Hinterlandes im Bereich der heutigen Po-Ebene während der letzten Phasen der Alpenbildung entlang der insubrischen Linie.

Links oben: Auf dem Matterhorn (Wallis). Weit schweift der Blick vom Gipfel des berühmten und von geübten Kletterern mit Führern oft begangenen Matterhorns. Zinalrothorn, Obergabelhorn und Weißhorn sind auf unserem Ausschnitt zu erkennen. Aufnahme Riegg

Links unten: Im Lötschental (Wallis). Von der Hockenalp aus weitet sich der Blick auf das Bietschhorn, im zentralen Aaregranit des Aarmassivs gelegen. Das tief eingeschnittene und glazial überprägte Lötschental bildet eine Paragneis- und Sedimentmulde innerhalb des Massivs. Aufnahme Gensetter

Oben links: Am Rhonegletscher (Wallis). In wuchtigen Séracs bricht die Stirn des Rhonegletschers am Furkapaß gegen die Steilstufe oberhalb Gletsch ab. Von der Furkastraße aus kann der Gletscher gut begangen werden. Seit hundert Jahren zieht er sich kontinuierlich zurück. Aufnahme van Hoorick

Oben rechts: Die Dufourspitze (Wallis). Mit 4634 m ist die Dufourspitze – benannt nach General Dufour, einem berühmten schweizerischen Heerführer des 19. Jahrhunderts – der höchste Schweizer Gipfel im Grenzkamm zu Italien. Paragneise der penninischen Decken bauen ihn auf. Aufnahme van Hoorick

Mineralien. Die Walliser Alpen, aber auch die zentralmassivischen Anteile der Berner Alpen sind reich an Mineralien. Einerseits sind es Zerrkluftlagerstätten tertiären Alters, in den Graniten der Massive mit Quarz, Adular und Apatit als Hauptvertreter. Andererseits sind die metamorphen Gneise, Glimmerschiefer und Paragesteine der penninischen Decken lokal reich an Aktinolith, Glaukophan, Titanit, Granat, Disthen und vielen weiteren Mineralien. Gewisse berühmte Fundstellen sind für die Öffentlichkeit gesperrt; für die übrigen Fundorte ist eine Konzession zu beschaffen.

Klimatisch hat unser Gebiet Anteil an mehreren, sehr verschiedenen Zonen. Die Nordwestabdachung der Alpen ist in besonderem Maße den feuchten Westwinden ausgesetzt, die ganzjährig Niederschläge in Form von Steigungsregen bringen. Das Wallis ist vor diesen Winden weitgehend geschützt und zählt darum auch zu den trockensten Gebieten der zentralen Alpen, wobei die für die Breitenlage hohen Durchschnittstemperaturen und die lange Sonnenscheindauer bemerkenswert sind. Die südlichen italienischen Berge und Täler haben Anteil am milden insubrischen Klima mit recht hohen Regenmengen nicht nur im Winter und Frühjahr, sondern bei Föhnlagen auch im Sommer. Dieser Föhn beeinflußt in der warmen Jahreszeit auch das Wallis, ja sogar die Berner Täler und verlängert hier als warmer und trockener Fallwind die Vegetationsdauer.

Die **Flora** des Wallis spiegelt das warm-trockene Klima wider, das aber auch durch große Wärmeschwankungen gekennzeichnet ist. Roggen gedeiht bei Findelen bis auf 2150 m Höhe; bei Visperterminen wird auf 1350 m Höhe noch die Weinrebe kultiviert. So finden sich im Wallis Steppenpflanzen, wie etwa der Frühlingsadonis *(Adonis vernalis)*, Lotwurz- *(Onosma-)* Arten, Meerträubchen *(Ephedra)* und wärmeliebende Ackerunkräuter. Trockenrasen auf den vorherrschenden silikatischen Gesteinen führen die Berg-Jasione *(Iasione montana)*. Viele Pflanzenarten erreichen hier den Höhenrekord ihres alpinen Vorkommens. Vieles erinnert an ähnliche, östlicher liegende Trockengebiete (Engadin, Vintschgau), so etwa die Gletscher-Edelraute *(Artemisia glacialis)*, der Filzige Alpendost *(Adenostyles leucophylla)* und der Stengellose Tragant *(Astragalus exscapus)*. Am Südhang der Berner Alpen finden wir die typische Kalkflora, allerdings dank der klimatischen Gunst viel reichhaltiger als auf der Nordabdachung.

Die Berner und Freiburger Alpen führen wegen der langdauernden eiszeitlichen Gletscherbedeckung eine wenig artenreiche Kalkalpenflora. Die Buche reicht bis 1200 m Höhe; die Fichte kann bis gegen 1900 m steigen. In der alpinen Region finden sich Borstgräser und Alpenazaleen *(Loiseleuria procumbens)* bis auf 2300 m Höhe, darüber Krummseggen- und Nacktriedrasen. An steilen Kalkhängen siedelt sich der Blaugrastreppenrasen an; auf frischem und wasserzügigem Humuskarbonat-Rendzina-Boden gedeiht neben Moosen die Rostsegge *(Carex ferruginea)*. Blumenreiche Weiden führen den Goldpippau *(Crepis aurea)* und den Rotschwingel *(Festuca paniculata)*. An ausgesetzten Gräben blüht die Silberwurz *(Dryas octopetala)* auf Kalk, die Krähenbeerheide *(Empetrum nigrum)* auf Silikat. In den begünstigten Föhntälern können wärmeliebende südliche Pflanzen wie die Kastanie, die Grüne Nieswurz *(Helleborus viridis)* und der Strauß-Steinbrech *(Saxifraga cotyledon)* gedeihen. Im sehenswerten Alpengarten auf der Schynigen Platte sind viele typische und seltene Alpenpflanzen zu bewundern.

In mehreren **Naturparks** sind Pflanzen und Tiere unter Schutz gestellt. An besuchenswerten Parks seien genannt:

Im Wallis

- Aletschwald-Naturpark: Ein Arvenwald-Reservat nahe der Stirn des Großen Aletschgletschers im großen Naturschutzgebiet Aletsch-Bietschhorn; für den Naturfreund ein herrliches Wandergebiet auf leichten Höhenwegen.
- Derborence im Lizerne-Tal, ein Wald und See im Bereich des Bergsturzes von 1749.
- Vallon de Nant am Abhang des Muveran.
- Grammont über Vouvrey am Genfersee.
- Binnatal im Oberwallis (reich an Mineralien).

In den Berner Alpen:

- Grimsel-Reservat der Seengruppe im Aare-Kristallin am Grimselpaß.
- Hohgant im Habkerntal.
- Hinteres Lauterbrunnental (Weiße Lütschine).
- Breitenfeld am Brünigpaß.
- Gelten-Iffigen.

In den Freiburger Alpen:

- Vanil Noir.
- La Pierreuse, ein Felszirkus mit reicher Pflanzen- und Tierwelt.

Oben: Erdpyramiden im Val d'Anniviers (Wallis). Aus dem mächtigen Moränenschutt bei Eusègne in einem südlichen Seitental der Rhone hat die Verwitterung eigenartige Türme herausgearbeitet. Eingeschlossene größere Felsblöcke schützen das Unterliegende vor der Abtragung. Aufnahme Maeder

Unten: Lauteraarhorn und Schreckhorn (Berner Oberland). In der Morgensonne ist die steilstehende Strukturierung der Granitgneise des Aarmassivs gut zu erkennen. Die lokalen Gletscher haben sich tiefe Karmulden eingegraben. Aufnahme Maeder

Links oben: Die Jungfrau-Gruppe (Berner Oberland). Von der Lobhorn-Hütte aus präsentiert sich uns die wuchtigste Berggruppe der Berner Alpen mit (von links) Eiger, Mönch und Jungfrau. Die gegen uns gewendete Nordwand des Eigers ist die wohl berühmteste Kletterwand der Alpen. Auf die Senke des Jungfraujochs führt von der Kleinen Scheidegg aus eine Bahn. Die Berggruppe liegt im Aarmassiv; das Vorgelände in mesozoischen Kalken der helvetischen Wildhorndecke. Aufnahme van Hoorick

Links Mitte: Am Sustenpaß (Berner Oberland). Von der gut ausgebauten Sustenpaßstraße blickt man hinüber auf den Steingletscher mit dem vorgelagerten Gletschersee und den mächtigen Seitenmoränen. Wir befinden uns im Gneis des nördlichen Aarmassivs. Aufnahme van Hoorick

Links unten: Im Val de Zinal (Wallis). Eindrucksvoll ist die Trogform dieses mineralienreichen Hochtales im südlichen Wallis, bedingt durch die Aushobelung durch den eiszeitlichen Gletscher. Paragneise der penninischen Decken bauen die Region auf. Aufnahme van Hoorick

▶

Oben: Auf dem Gornergrat (Wallis). Der Blick geht hinüber zum Massiv des Monte Rosa, aufgebaut aus Gneisen der penninischen Monte-Rosa-Decke, zu dessen Füßen der Gornergletscher talwärts zieht. Das Panorama vom Gornergrat aus erstreckt sich aber auch hinüber zum Matterhorn und zu all den Gipfeln der Walliser Hochalpen. Aufnahme Gensetter

Unten links: Am Faulhorn (Berner Oberland). Bis heute wird die Bergwirtschaft auf dem Faulhorn durch Saumtiere versorgt, die von der Bergstation der Firstbahn aufsteigen. Der freistehende Gipfel, in Jurakalken der helvetischen Wildhorndecke gelegen, bietet ein herrliches Panorama auf die Berner Hochalpen, aber auch hinaus in die Nordalpen und ins Mittelland. Aufnahme van Hoorick

Unten rechts: Die Fünffingerstöcke am Sustenpaß. Im Erstfelder Granitgneis des nördlichen Aarmassivs gelegen, ragen die bizarren Türme aus der rundgeschliffenen Region um den Sustenpaß heraus. Gut ist die fast senkrecht stehende Struktur des Kristallins erkennbar. Aufnahme van Hoorick

Le Moléson (2002 m; Freiburger Alpen)

An der Front der westlichen Schweizer Alpen gelegen, erlaubt dieser Gipfel eine genußreiche Sicht hinaus ins Vorland und hinüber zum Schweizer Jura, aber auch in die Alpenkette vom Montblanc bis zur Zentralschweiz. Sein Zuname „Freiburger Rigi“ ist ihm nicht zu Unrecht verliehen worden. Im Gegensatz zur Rigi am Vierwaldstätter See gehört der Moléson aber den eigentlichen Alpen an: Malm- und Kreidekalke der mittelpenninischen Klippen-Decke überlagern, von Süden herangeschoben, den ultrahelvetischen Gurnigel-Flysch, der am westlicher liegenden Niremont aufgeschlossen ist.
Ausgangs- und Endpunkt: Moléson-Village (1108 m), mit Bus oder Auto von Gruyères aus erreichbar.
Marschzeit: 6½ Stunden (bei Benützung der Bergbahnen kürzer).
Verpflegung: Plan-Francey (1517 m), Le Moléson (2002 m), La Vudalla (1668 m).
Von Moléson-Village aus wandern wir vorerst auf der Straße nordwärts nach Crêt-de-la-Ville. Hier zweigen wir nach links ab und gelangen zur SAC-Hütte von Petites-Clés. Nun steigen wir nach Süden auf zur Mittelstation der Moléson-Luftseilbahn in Plan-Francey (1517 m). Wir halten uns westwärts und umgehen den Moléson-Gipfel rechts. In einem großen Linksbogen steigen wir zur Bergstation der Luftseilbahn auf und erreichen dann in kurzer Zeit den Gipfel mit seiner prächtigen Rundsicht.
Von der Bergstation steigen wir gegen Süden in die Mulde von Tsuatsaux ab und halten uns dann nach links hinüber zum Sattel des Gros-Moléson (1529 m). Auf dem Wiesengrat geht es zur Vudalla (1668 m). Von hier aus steigen wir entweder auf markiertem Weg über Les Traverses nach Moléson-Village ab, oder aber wir benützen die Seilbahn.

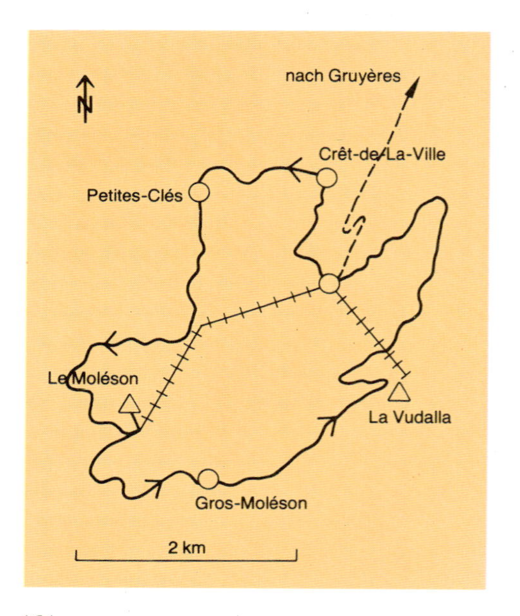

Auf dem Moléson. Die Berge im Vordergrund, bis hin zu den beiden Felszähnen von Tour d'Ai und Tour de Mayen, zählen zu den überschobenen mittelpenninischen Klippen. Dahinter erheben sich die Waadtländer und Walliser Hochalpen. Aufnahme Schweiz. Verkehrszentrale

Blick gegen Süden. Eng verfaltete Malm- und Kreidekalke der penninischen Klippendecke beherrschen das Vorgelände. Im Hintergrund grüßen die savoischen Berge jenseits des Genfersees herüber. Aufnahme Schweiz. Verkehrszentrale

Tour d'Ai (2331 m; Waadtländer Alpen)

Der bizarre Felskopf der Tour d'Ai im hellen Malmkalk der mittelpenninischen Klippendecke bietet eine herrliche Rundsicht in die Préalpes der Westschweiz, in die helvetischen Nordalpen, in die Zentralmassive an Jungfrau und Montblanc und, bei guter Sicht, hinaus ins Mittelland und zum Jura. Zwischen den zentralschweizerischen Massiven und dem Montblanc-Massiv konnten sich die penninischen Decken in einer Depression weit gegen Nordwesten, bis an die Alpenfront vorschieben. Eine reiche Flora erfreut den Alpenwanderer.
Ausgangs- und Endpunkt: Leysin-Feydey (1395 m), mit Bahn oder Auto von Aigle aus erreichbar.
Marschzeit: 6 1/2 Stunden (5 Stunden bei Benützung der Gondelbahn Berneuse-Leysin).
Verpflegung: La Berneuse (2048 m).
Trittsicherheit und Schwindelfreiheit sind Voraussetzung.
Von der Station Leysin-Feydey wandern wir auf der Straße nach links aufwärts und zweigen etwa 150 m nach dem Grand Hôtel nach rechts ab (Wegweiser). Vorbei an einer hellen Felswand, steigen wir beim Austritt aus dem Wald nach links auf, vorerst im Zickzack durch Wald, dann über Weiden zur Alp le Temeley. Auf dem oberen der beiden Wege, auf dem wir die Aussicht auf die Berge des unteren Wallis und auf den Montblanc genießen, erreichen wir den Lac de Mayen (1836 m). Vor uns bauen sich die beiden Felstürme von Tour de Mayen (rechts) und Tour d'Ai auf.
Wir folgen dem Wegweiser zum Lac d'Ai, steigen am Fuß der Ostwand der Tour d'Ai auf gesicherten Felsstufen durch ein Couloir auf zu einem breiten Wiesenrücken, der sich nach oben verschmälert und von Felsbändern durchsetzt ist. Etwas exponiert, aber stets auf gesichertem Pfad erreichen wir den aussichtsreichen Gipfel.
Auf gleichem Weg zurück zum Lac d'Ai und hinauf zur nahen Berneuse, von wo wir uns mit der Gondelbahn zurück nach Leysin tragen lassen können. Oder wir umgehen die Berneuse rechts zu einem Sattel, dann geht es jenseits auf gutem Weg zuerst über Alpweiden, dann durch den Wald nach Leysin-Feydey.

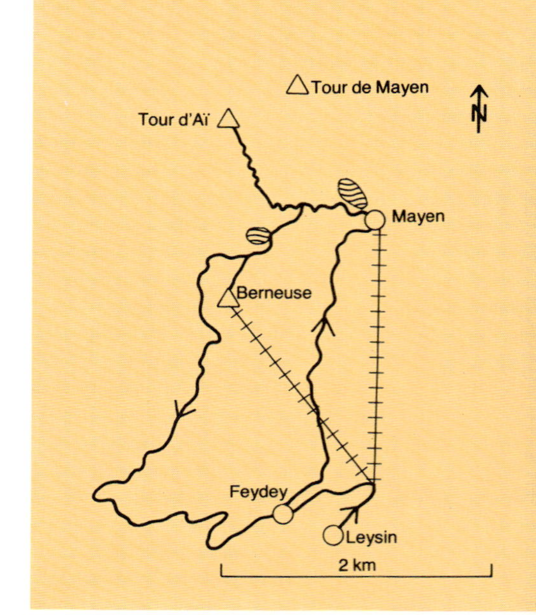

Oben: Blick gegen Süden. Über das im Dunst liegende unterste Waadtländer Rhonetal hinweg schweift der Blick zur Dent de Morcles und zu den Walliser Hochalpen. Aufnahme Cornaro

Links: Tiefblick von der Tour d'Ai. Der letzte Teil des Aufstiegs zum Gipfel führt über ein Wiesenband, das beiderseits in die Tiefe der Karmulden abstürzt. Der Berg ist entlang von Verwerfungen herausgearbeitet worden. Aufnahme Cornaro

Rechts: Die Südwand der Tour d'Ai. In mächtiger Fluh stürzen die Malmkalke zur vorgelagerten Hochebene ab. Die starke Klüftung führte zu zahlreichen Felsstürzen und zur Modellierung von bizarren Felstürmen. Aufnahme Office du Tourisme, Leysin

Wanderung um Mürren (Berner Alpen)

Im Anblick der großartigen Berggruppe von der Jungfrau bis zum Breithorn führt uns diese Höhenwanderung ins Herz der Berner Alpen. Schon die Hinfahrt auf die Terrasse von Mürren aus dem typischen Gletschertrogtal von Lauterbrunnen bietet viele landschaftliche Reize. Während die gegenüberliegende Jungfrau-Gruppe dem Altkristallin des Aarmassivs zugehört, wandern wir in Jura- und Kreidegesteinen (Kalke und Schiefer) der parautochthonen (nur wenig verfrachteten) Doldenhorn-Decke, die im Schilthorn von der helvetischen Wildhorn-Decke überlagert wird.
Ausgangs- und Endpunkt: Mürren (1645 m), nur mit Bahn ab Lauterbrunnen erreichbar.
Marschzeit: 7 Stunden.
Verpflegung: Boganggen (2039 m).
Von Mürren aus ersteigen wir den nahen Allmendhubel (1934 m), den wir auch mit einer Standseilbahn erreichen können. Hier oben genießen wir vorerst die Rundsicht auf die Berner Gletscherberge und die ihnen vorgelagerten Alpen um Lauberhorn und Schynige Platte. Wir wenden uns auf dem markierten Höhenweg nach links, hinein in die weite Senke der Alp Mürrenberg, und erreichen, nur mäßig ansteigend, den Schiltgrat, den wir umgehen. Vorbei an der Alpsiedlung Schilt queren wir den Schiltbach, der hoch oben zur Rechten, am Schilthorn (Piz Gloria) seinen Ausgang nimmt.
Wiederum erreichen wir, diesmal nach steilem Anstieg, eine markante Rippe, die Wasenegg. Vor uns baut sich das mächtige Gspaltenhorn auf. Dem sonnigen Hang leicht absteigend folgend, gelangen wir nach Boganggen (2039 m).
Nun steil hinab durch niedrige Erlenbüsche und vorbei an verwitterten Tannen hinunter nach Oberberg und Ozen, schließlich an Felsstufen vorbei nach Fürten im oberen Sefinental. Hier halten wir uns links, talauswärts, und gelangen durch lichten Wald, vorbei an den Alpweiden von Tal, leicht ansteigend nach Gimmelwald (1400 m) und auf der Straße nach Mürren, oder mit der Luftseilbahn hinunter nach Stechelberg (Postauto nach Lauterbrunnen).

Oben: Auf der Boganggenalp. Am Umkehrpunkt unserer Wanderung bietet sich ein herrliches Panorama auf die westliche Jungfraugruppe und das Breithorn. Links die Jungfrau, nach rechts anschließend die Ebnefluh, die beide zum Aarmassiv zählen. Unser Standort liegt in Juragesteinen des Parautochthons. Aufnahme Gensetter
Unten: Am Stellisee (Wallis). Von diesem malerischen Gletschersee im Zermatter Gebiet schweift der Blick auf die Hochalpen des Wallis – im Bild das Obergabelhorn. Die penninischen Gneise sind recht mineralreich und enthalten Fundstellen metamorpher Abfolge. Aufnahme van Hoorick

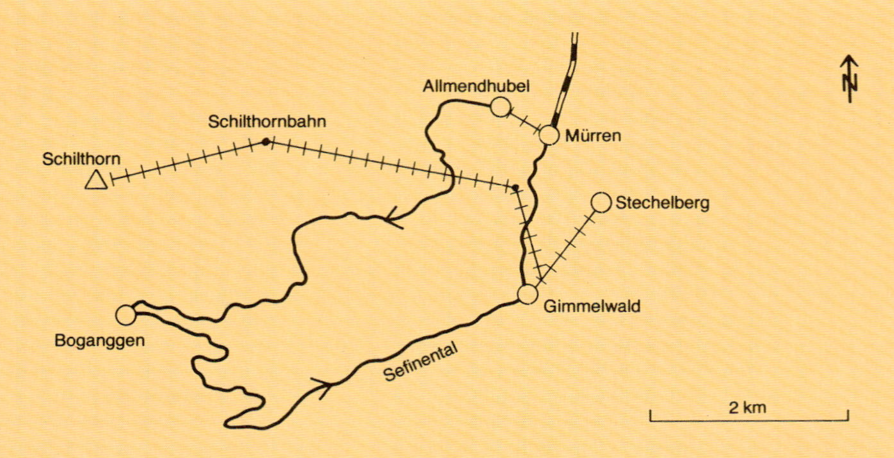

Bella-Lui (2543 m; Walliser Alpen)

Auch wenn sich Montana zum bedeutendsten Fremdenverkehrsort des Wallis, besonders im Winter, entwickelt hat, bieten sich dem sommerlichen Naturfreund in seiner Umgebung noch stille und genußreiche Pfade an. Die Bella-Lui erfreut durch ihre grandiose Rundsicht in die Walliser Hochalpen jenseits des Haupttales. Wir wandern auf Jura- und Kreide-Gesteinen der helvetischen Wildhorn-Decke.
Ausgangs- und Endpunkt: Montana (1495 m), mit Bahn oder Auto ab Siders (Sierre) im Wallis erreichbar.
Marschzeit: 6 Stunden (kann durch Benützung der Bergbahnen abgekürzt werden).
Verpflegung: Cry-d'Er (2236 m), Cabane des Violettes SAC (2204 m).

In den Bergen oberhalb von Montana. Arg zerrüttete Malm- und Kreidekalke der helvetischen Wildhorn-Decke bauen die Felszacken im Bergwandergebiet um Montana auf. Die Gegend ist durch Seilbahnen und Sessellifte gut erschlossen. Aufnahme van Hoorick

Von Montana aus steigen wir durch den Wald hinauf nach l'Arnouva, dann nach rechts entlang dem Waldrand nach der Siedlung Corbire. Nun halten wir nach links hinauf zur Bergstation Chètseron der Seilbahn (2110 m). Über den Südwestgrat der Bella-Lui steigen wir nun gleichmäßig an, vorbei an der Mittelstation Cry-d'Er der Bella-Lui-Luftseilbahn. Auf dem schmäler werdenden Grat erreichen wir den Gipfel, der uns eine schöne Aussicht bietet.
Die Bella-Lui umgehend, gelangen wir auf den Col de Pochet (2500 m) und steigen nach rechts, unterhalb der Felsen der Bella-Lui ab zur Cabane des Violettes SAC (2204 m). Über Alpweiden, später durch Wald, erreichen wir wieder unseren Ausgangspunkt.

Rechts: Les Diablerets. Hoch türmen sich die Kreidekalke der tiefhelvetischen Diablerets-Decke über dem unteren Wallis auf. Gut sichtbar ist das unterschiedliche Verhalten der verschiedenen Kalke und Mergel gegenüber der Verwitterung. Zahlreiche Felsstürze sind nach der Eiszeit von den Felsflanken niedergegangen. Aufnahme van Hoorick

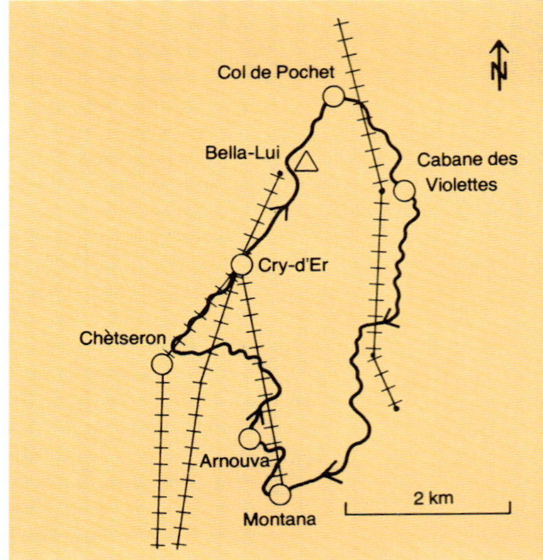

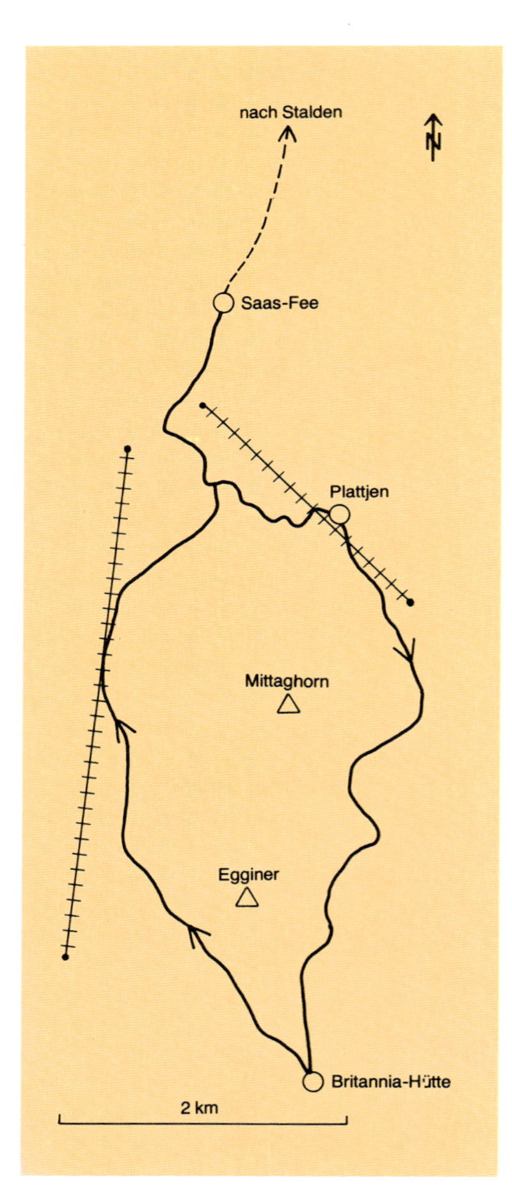

Britannia-Hütte
(3029 m; Walliser Alpen)

Diese Hochtour über einem der reizvollsten Walliser Seitentäler läßt uns Gletscherluft atmen und vermittelt uns einen tiefen Eindruck von der großartigen Gebirgswelt um Monte Rosa, Mischabel und Weißmies, in die der Mattmark-Stausee eingebettet liegt, aber auch hinüber in die Berge der Berner Alpen. Granitgneise der penninischen Monte-Rosa-Decke und Grünschiefer der darunterliegenden Bernhard-Decke begleiten uns. Der Pfad folgt einem geologischen Wanderweg mit Erklärungen.
Ausgangs- und Endpunkt: Saas-Fee (1780 m), mit Postauto von Stalden aus erreichbar.
Marschzeit: 7 Stunden.
Hochgebirgs- und Gletscherwanderung, Trittsicherheit Voraussetzung.
Verpflegung und Unterkunft: Britannia-Hütte SAC (3029 m).
Durch den Wald steigen wir vom südlichen Dorfteil von Saas-Fee in Kehren aufwärts nach Plattjen (2411 m). Der weitere Aufstieg führt uns auf den Nordgrat des Mittagshorns. Nun folgen wir einem aussichtsreichen Bergpfad hoch über dem Saaser Tal und erreichen über den Chessjen-Gletscher die Britannia-Hütte.
Um zum Eggінerjoch (2991 m) hinabzugelangen, überqueren wir den Chessjen-Gletscher wieder (Vorsicht!). Über die rechte Seitenmoräne des Fee-Gletschers – links die Bergstation Felskinn der Seilbahn – steigen wir ab und treten bald in den Wald ein, in dem wir zurück nach Saas-Fee gelangen.

Oben: Auf Plattjen. Von unserem Wanderweg schweift der Blick hinunter ins Saastal mit dem Stausee von Mattmark, darüber Stellihorn und Spechhorn. Der Weg ist gepflastert mit Kristallinblöcken der penninischen Monte Rosa-Decke. Aufnahme Verkehrsverein Saas-Fee

Unten: Am Grindjisee. Weithin leuchtet das Matterhorn über die Höhen um Zermatt und Saas-Fee. Gut ausgebaute Höhenwanderwege und etliche Bergbahnen erschließen dem bergtüchtigen Wanderer diese herrliche Gegend. Aufnahme van Hoorick.

Eggishorn (2927 m; Walliser Alpen)

Diese Höhenwanderung bietet einen einmaligen Einblick in die Hochgebirgswelt des Grenzkammes zwischen Bern und Wallis, in die Gletscherwelt – der größte Alpengletscher, der Große Aletschgletscher, liegt zu unseren Füßen – und ins obere Wallis mit den jenseitigen Bergen an der Grenze zu Italien. Gneise und Granite des Aar-Massivs sind unsere Begleiter. Eine reichhaltige Alpenflora erfreut in diesem Naturschutzgebiet den Wanderer.

Ausgangs- und Endpunkt: Kühbodenstafel (2221 m), mit Luftseilbahn von Fiesch im Wallis aus erreichbar.

Marschzeit: 6½ Stunden.

Verpflegung: Hotel Jungfrau (2181 m), Kühbodenstafel (2221 m).

Vom Kühbodenstafel aus gelangen wir auf ebenem, gut ausgebautem und markiertem Weg rasch zum Hotel Jungfrau. Nun steigen wir nach links steil auf in vielen Kehren durch eine weite Mulde, dann auf dem Ostgrat hinauf auf das Eggishorn (2927 m), das uns eine prächtige Hochgebirgs- und Gletscherwelt erschließt.

Wir wandern den gleichen Weg auf dem Ostgrat zurück, verlassen ihn aber auf etwa 2500 m nach links und steigen über eine schrofige Flanke hinab zum Märjelensee (2361 m) am Rand des Aletschgletschers. Dieser durch Gletscher gestaute und sich stetig verändernde See hat sich schon mehrmals gänzlich entleert. Über einen leichten Höhenweg gelangen wir, vorbei am Tälli, zurück zum Hotel Jungfrau und zum Kühbodenstafel.

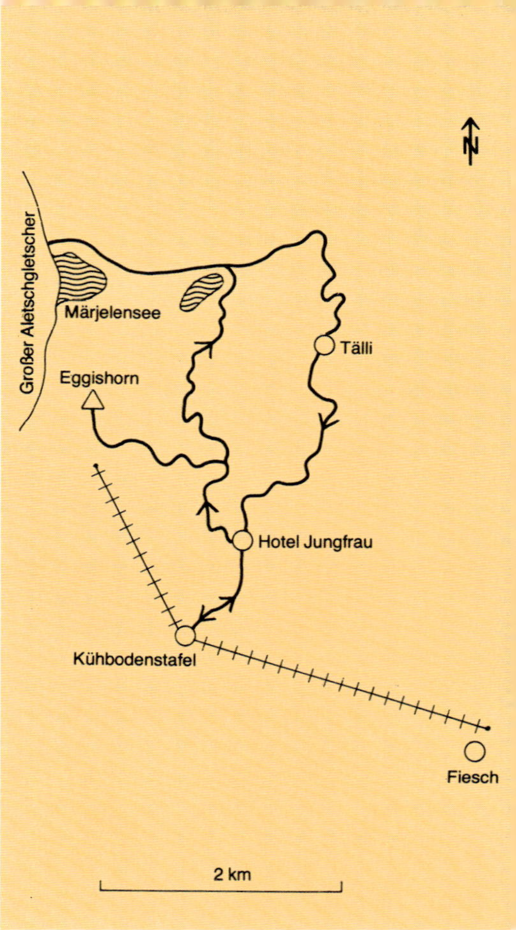

Oben: Am Märjelensee. Am Nordfuß des Eggishorns staut der Aletschgletscher einen See, der von Zeit zu Zeit ausbricht. Eine Wanderung von hier aus über den riesigen Gletscher läßt uns viele Phänomene der Eiszeit nachvollziehen. Aufnahme van Hoorick

Unten: Im Aletschwald. Nahe der Stirn des Aletschgletschers, des größten Alpengletschers, liegt das Arven-Reservat des Aletschwaldes. In diesem Naturschutzgebiet werden alljährlich wissenschaftliche Forschungen und Kurse durchgeführt. Der Pflanzenfreund kommt hier voll auf seine Rechnung und kann seinen Aufenthalt dank guter Unterkunftsmöglichkeiten ausdehnen. Aufnahme Gensetter.

Am Grimselpaß (Berner/Walliser Alpen)

Diese leichte Wanderung entlang den Grimsel-Stauseen führt uns bis an die Stirn des Oberaargletschers. Stets im hellen und grobkörnigen zentralen Aare-Granit des herzynischen Aarmassivs wandernd, können wir die Wirkungen der Gletscher – Rundhöcker, Gletscherschliffe, Trogschultern und Schliffgrenzen – ausgezeichnet beobachten.

Ausgangs- und Endpunkt: Grimsel-Paßhöhe (2165 m), mit Bus oder Auto von Meiringen oder von Gletsch aus erreichbar.

Marschzeit: 6½ Stunden.

Verpflegung: Grimselpaß (2165 m), Oberaarhütte (2408 m).

Dem Grat folgend, wandern wir vom Westende des Totensees aus auf aussichtsreichem Pfad auf das nahe Sidelhorn (2764 m), wo sich der Blick auf die Walliser und Berner Alpen, aber auch auf die verschiedenen Stauseen der Haslital-Kraftwerke öffnet. Dann steigen wir zur Trübseelücke (2674 m) ab und nach rechts zum Trübtensee, den wir rechts umgehen, um nach kurzem Anstieg die Oberaarhütte (2408 m) zu erreichen. Nach einem Abstieg zum Damm des Oberaarsees können wir auf dessen Nordufer bis an die Stirn des Oberaargletschers gelangen.

Bis zum Trübtensee wählen wir den gleichen Weg zurück, dann folgen wir der Fahrstraße bis zum Grimselpaß, hoch über dem Grimselsee.

Oben: Am Oberaarsee. Der Oberaarsee ist Teil eines großen Stausee-Netzes der Grimsel-Kraftwerke. Der Oberaargletscher – im Hintergrund das Oberaarjoch – bricht abrupt in den See ab. Eine genußreiche Wanderung führt uns von der Oberaarhütte an die Gletscherzunge. Wir befinden uns im Kern des granitischen Aarmassivs. Aufnahme Gensetter

Unten: Auf dem Grimselpaß. Das Lauteraarhorn steht beherrschend über dem Unteraargletscher, der den größten der Grimsel-Stauseen speist. Aus dem durch die Gletscher rundgeschliffenen Gelände ragen die Bergspitzen bizarr in die Höhe. Der helle zentrale Aaregranit baut die Region auf. Aufnahme Gensetter

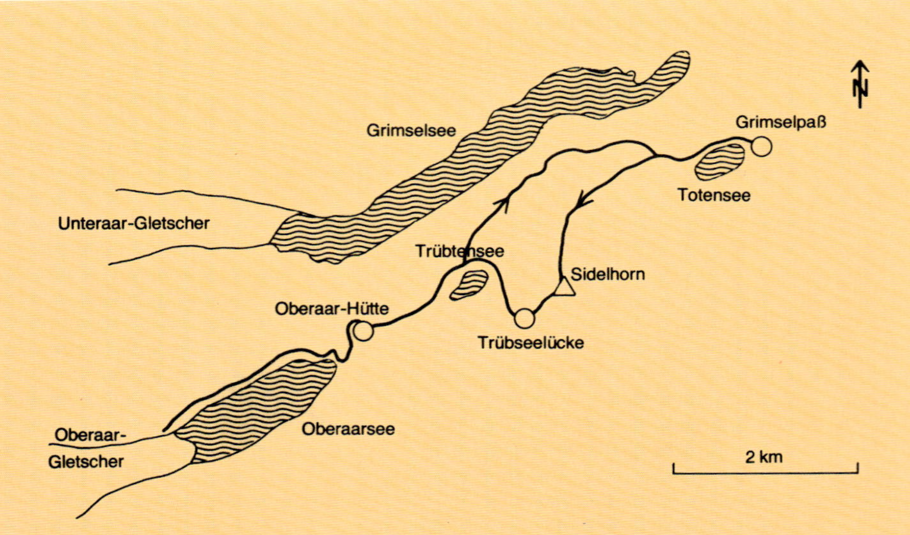

Faulhorn (2681 m; Berner Alpen)

Eine der schönsten Höhenwanderungen in den zentralen Schweizer Alpen, die uns den ständigen Anblick der Jungfrau-Gruppe mit ihren Gletschern, mit ihren Steilabstürzen (Eiger-Nordwand) aus stets wechselnden Blickwinkeln beschert. Wir wandern in den Dogger- und Malmgesteinen – Kalke und dunkle Mergelschiefer – der helvetischen Wildhorn-Decke, hier arg verfaltet und in Teildecken aufgelöst. Die Nordwände der Jungfrau-Gruppe zeigen uns die Front des Aarmassivs mit eingespießten autochthonen Sedimentkeilen.

Ausgangs- und Endpunkt: Wilderswil (584 m) bei Interlaken.

Marschzeit: 6½ Stunden.

Verpflegung und Unterkunft: Schynige Platte (2067 m), Faulhorn (2681 m), First (2186 m).

Mit der Zahnradbahn fahren wir von Wilderswil hinauf zur Schynigen Platte. Hier besuchen wir den nahen Alpengarten mit zahlreichen Vertretern der hiesigen Alpenflora. Wir wandern, zuerst leicht absteigend, dann aufwärts über die Oberbergalp zum Fuß des Laucherhorns, das wir rechts umgehen und auf karrigem Gelände zur Egg gelangen. Nun geht es schräg hinauf entlang der Nordkante der Sägisen – in der Tiefe der Sägistalsee –, auf der Gratkante scharf nach rechts und durch das Hühnertal hinauf zum Sattel (Verpflegungsmöglichkeit). Wieder gegen Osten, wandern wir auf dem breiten Grat der Winteregg bis zum Fuß des Faulhorns, das wir über steile Wiesen leicht erklimmen.

Der Abstieg führt uns auf die Hochfläche des Gassenbodens, wo wir links halten und zum malerischen Bachsee gelangen. Dem Hang folgend, erreichen wir bald die Bergstation First (2168 m).

Mit der Sesselbahn fahren wir, im Angesicht der wuchtigen Eiger-Nordwand, in vier Sektionen hinab nach Grindelwald, von wo aus uns die Bahn über Zweilütschinen wieder nach Wilderswil bringt.

Oben links: Am Bachsee. Beim Abstieg vom Faulhorn eröffnet sich dem Blick das herrliche Panorama auf die Hochgebirge des Berner Oberlandes, hier das Wetterhorn. Der reizende Bachsee liegt in Juramergeln der helvetischen Wildhorn-Decke, die über die Kristallin-Massive im Hintergrund vorgeschoben wurde. Aufnahme van Hoorick

Oben rechts: Auf dem Faulhorn. Im Vordergrund Kalke und Mergel der Wildhorn-Decke, die hier stark verfaltet und verschuppt wurden. Auf den Kalken ist die Karrenbildung auffällig. Im Hintergrund überragt der Niesen (penninischer Flysch) den Thunersee. Aufnahme van Hoorick

Unten: Auf der Schynigen Platte. Hoch über Thuner- und Brienzersee stehen wir auf dem Bergkamm und blicken auf unseren weiteren Wanderweg, der uns zum Faulhorn führt. Auf der Schynigen Platte lohnt sich der Besuch des Alpengartens. Aufnahme Heierli

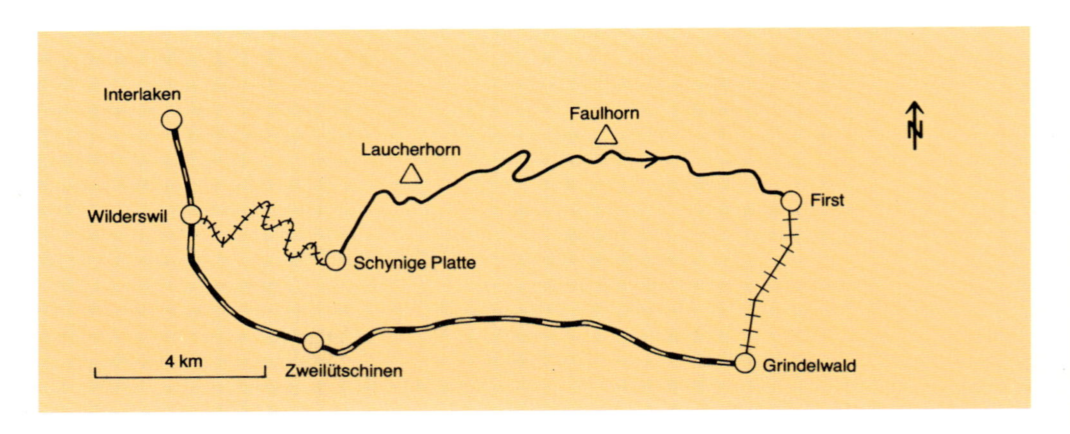

Zentralschweiz und Tessin

Östlich an die Walliser und Berner Alpen anschließend, erstreckt sich die Region quer über den zentralen Teil der Schweizer Alpen vom Vierwaldstätter See bis an die Gestade von Comersee und Langensee (Lago Maggiore). Im Osten bildet die Linie Sihlsee – Oberalppaß – Lukmanierpaß – Comersee die Grenze zur Region Ostschweiz/Graubünden. Mitten durch unser Gebiet verläuft die Gotthard-Achse, durch Straße und Bahn erschlossen. So ergeben sich für den Alpenwanderer ideale Verkehrsverhältnisse, um auf bequeme Weise den ganzen Alpenquerschnitt in leichten Touren in seiner geografischen, klimatischen, floristischen und faunistischen Vielfalt kennenzulernen.

Geologie. Auch der geologisch Interessierte und der Mineralienfreund kommen auf ihre Kosten. Die Tatsache, daß die Region zentral durch eine Verkehrslinie von Schwyz und Luzern bis nach Como erschlossen ist, gestattet uns, ein geologisches Querprofil durch die ganzen Alpen in ihrem zentralen Abschnitt zu durchfahren und durchwandern. Der Vierwaldstätter See mit seinen tektonisch und glazial bedingten zahlreichen Teilbecken ist in die gegen Norden aufsteigenden Nagelfluhplatten der subalpinen Molasse (Untere Süßwassermolasse) an der Rigi und in die auf diese Molasse aufgefahrenen Kreidekalke der helvetischen Randketten (Wildhorn-/Säntis-Decke) eingebettet. Am Pilatus sind diese Kalke zu mehreren parallelen Faltenzügen zusammengestaucht, während sie weiter östlich, am Bürgenstock und an der Rigi-Hochfluh, nur mehr aus einer Platte bestehen. Auf dem Rücken des Helvetikums, in der weiten Mulde hinter den Frontalketten, sind noch Relikte der mittelpenninischen Klippen-Decke in den Giswiler Stöcken am Brünig, im Buochser- und Stanserhorn, an den beiden Mythen und um Iberg als „Klippen" von der Erosion verschont geblieben. Entlang der Axenstraße kann die intensive Faltung und die mehrfache Überschiebung der helvetischen Teildecken (Säntis- und Axen-Decke) sehr gut beobachtet werden. Bei Erstfeld ist im Scheidnössli der Kontakt zwischen dem autochthonen Mesozoikum und dem Kristallin des Aarmassivs ausgezeichnet aufgeschlossen. Im Kristallin des Aarmassivs fahren wir weiter südwärts, zunächst bei Amsteg durch die nördliche Schieferhülle, dann ab Gurtnellen durch den hellen zentralen Aaregranit, der uns bis zum Urnerloch (Teufelsbrücke) unmittelbar nördlich von Andermatt begleitet. Die weite Längsmulde des Urserentales, in leicht metamorphem Mesozoikum eingesenkt, stellt die markante Fuge zwischen Aar- und Gotthard-Massiv dar, das sich über den Oberalppaß ins Vorderrheintal und über den Furkapaß ins Oberwallis fortsetzt. Nun queren wir beim Aufstieg von Hospenthal zum Gotthardpaß das südlichere Gotthard-Massiv, wie das Aarmassiv ein herzynisches, im Karbon aufgetürmtes Gebirge. Wir passieren mehrere altpaläozoische Gneiszonen und herzynische Granitstöcke. Den Südrand des Massivs erreichen wir bei Airolo und treten in die angeschobenen Kristallinkerne der penninischen Decken (Lucomagno-Decke, Leventina-Gneis) ein, in der oberen Leventina bedeckt von mächtigen Bündnerschiefern. Bei Bellinzona weitet sich das Tessintal zur Magadino-Ebene, die in der insubrischen Verwerfung, der Trennfuge zu den in spätalpiner Zeit massiv abgesunkenen Südalpen liegt; einer Linie, die sich auch morphologisch ausgeprägt über das Veltlin und Bozen bis ins Pustertal erstreckt. Auf dem Monte Ceneri passieren wir das südalpine (insubrische) Kristallin und gelangen am südlichen Luganersee (Ceresio) in die aufliegenden mesozoischen Sedimente, in denen man am Monte Generoso die Rückfaltung gegen Süden beobachten kann. Permische Porphyre bauen vor allem den Monte San Salvatore und die Westhänge des Monte Generoso auf. Schließlich treten wir bei Mendrisio aus den Alpen in die tertiäre Molasse der Po-Ebene ein.

Bei Lavertezzo im Verzascatal (Tessin). Die wilde Verzasca hat sich ein tiefes Tal in die Paragneise der penninischen Kristallinkerne gegraben und ausgekolkt. Ein prächtiges Farbenspiel wird durch die fast saiger stehende Schieferung dieser metamorphen Sedimentgesteine hervorgerufen. Aufnahme Gensetter

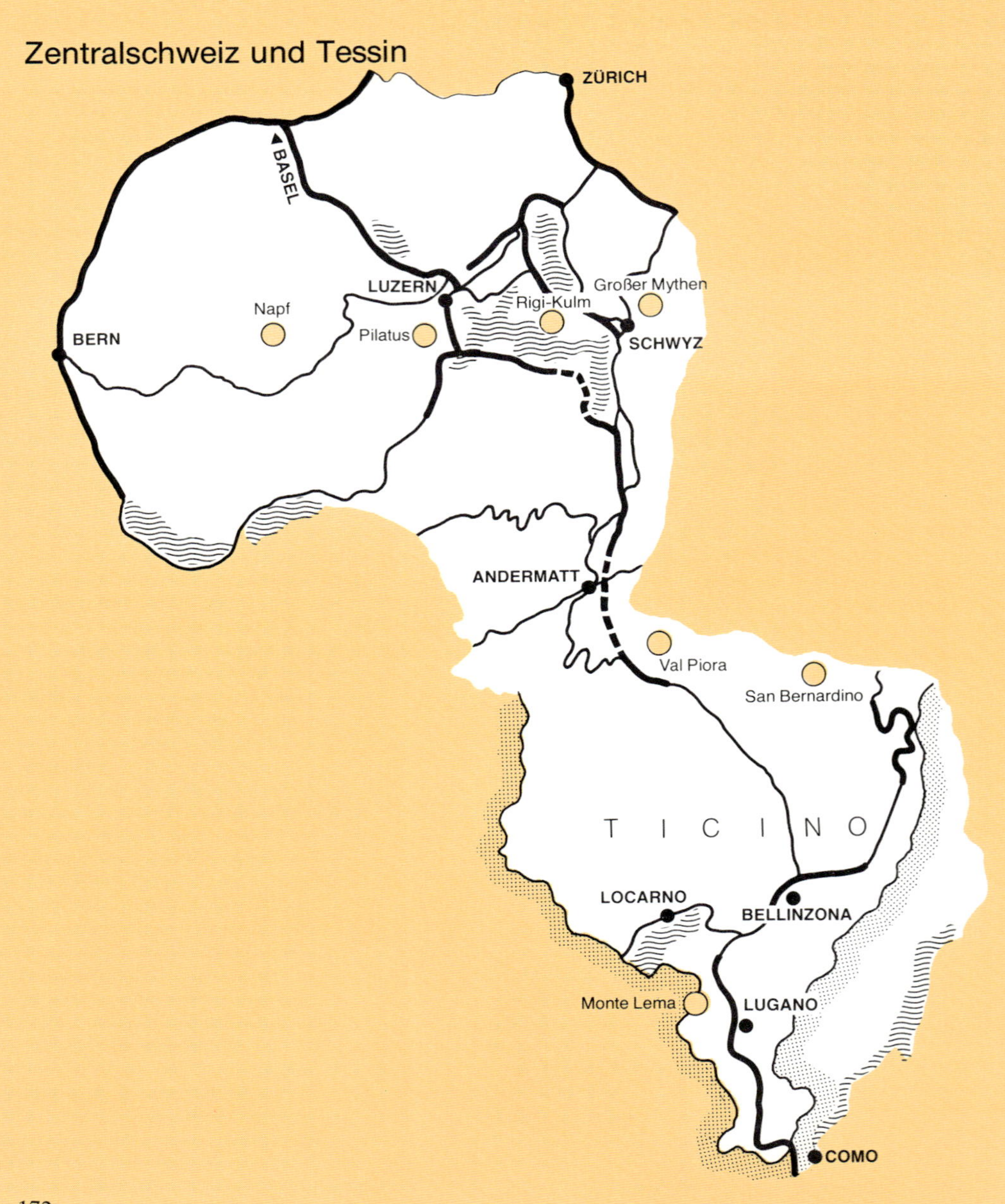
Zentralschweiz und Tessin
ZÜRICH
BASEL
LUZERN
Großer Mythen
Rigi-Kulm
Napf
Pilatus
BERN
SCHWYZ
ANDERMATT
Val Piora
San Bernardino
TICINO
LOCARNO
BELLINZONA
Monte Lema
LUGANO
COMO

Mineralien lassen sich vor allem in den beiden Zentralmassiven aufsammeln, in erster Linie alpine Zerrkluft-Stufen mit Quarz, Adular, Anatas, Titanit und Epidot. In der Gegend von Andermatt und Hospenthal finden sich in den metamorphen mesozoischen Gesteinen Serpentin, Talk, Magnesit und Dolomit. Mineralreich sind auch das Val Piora und das Val Canaria an der Südflanke des Gotthardmassivs (Granat, Disthen, Staurolith, Hornblende u. a.). Am Campolungo findet sich schöner Tremolit. Allerdings muß man sich bei den zuständigen Gemeindebehörden um eine Konzession zum Suchen von Mineralien bemühen.

Morphologie. Am Gotthard liegt die zentrale Wasserscheide der Alpen. Rhone, Aare, Reuß, Vorderrhein und Ticino streben von dieser Kulmination strahlenförmig auseinander. Die tektonisch vorgezeichnete Fuge Wallis – Urseren – Vorderrheintal beherbergt die markantesten Längstäler der Alpen, verbunden durch die Pässe Furka und Oberalp. Die gegen Norden entwässernden Flüsse – Aare und Reuß – haben sich tiefe Furchen gegraben, werden aber vor dem Austritt ins Mittelland in Längstäler – Brienzersee bzw. Vierwaldstätter See – abgelenkt. Die kräftigste Rückwärtserosion geschieht aber durch die zum Po hin führenden Gewässer: Maggia, Ticino, Calancasca, Moësa und Brenno greifen mit beachtlichem Gefälle in teils markanten Schluchten die Hauptwasserscheide von Süden her an. Darum

Oben: Nagelfluh. Der Name des bekanntesten Gesteins der voralpinen Molasse des Tertiärs rührt davon her, daß eine Fluh (Felswand), die aus diesem Gestein besteht, wie mit Kopfnägeln gespickt erscheint. Die gerundeten Trümmer deuten auf Flußtransport dieses Abtragungsschuttes der werdenden Alpen hin. Aus der Art der Trümmer kann auf das Einzugsgebiet und auf die damals oberflächlich aufgeschlossenen Gesteine geschlossen werden. Aufnahme Crespi

Unten: Die Denti della Vecchia (Tessin). Aus südalpinen Trias-Dolomiten aufgebaut, bilden diese herausgewitterten Felszähne im Hinterland von Lugano ein beliebtes Kletterparadies. Aufnahme van Hoorick

auch stürzt die Südflanke der großen Alpenübergänge, im Gegensatz zur Nordseite, stets abrupt in die Tiefe ab. Die eiszeitlichen Gletscher haben ihrerseits zahlreiche Spuren hinterlassen: Trogtäler mit steilen Flanken und flachen Talböden (Leventina, Haslital, Reußtal), Gletscherschliffe und Rundhöcker (Gotthardpaß, Nufenenpaß, Grimselpaß), Talstufen (Leventina, Maggiatal) und Stufenmündungen der Seitentäler mit Wasserfällen. Auch heute noch sind die zentralen Hochalpen stark vergletschert und dienen als Reservoire für die zahlreichen Stauseen.

Klima. In unserer Region kommt die Wirkung der Alpen als Klimascheide besonders drastisch zum Ausdruck. Die Wetterlagen beidseits des Gotthardpasses sind häufig völlig voneinander verschieden. Dabei spielt der Föhn, der vehement durch die Täler brausende warm-trockene Fallwind, die Hauptrolle. Beim häufigeren Südföhn fließen die Winde über den Alpenkamm nach Norden, regnen ihre Feuchtigkeit beim Aufstieg in den Tessiner Alpen ab und bilden über der Wasserscheide mächtige Quellwolken, die „Föhnmauer". Die sich rasch erwärmenden, extrem trockenen Fallwinde stürzen in die nordalpinen Täler, wühlen den Urnersee auf und bringen der Nordabdachung und dem Vorland willkommene Wärme, können aber auch wütende Brände entfachen. Anders der Nordföhn: Auf der Alpennordseite entwickelt sich eine Staulage mit langdauernden und ergiebigen Regenfällen; durch die Tessiner Täler weht ein mäßig warmer Nordwind bei klarem Wetter. Die klimatischen Unterschiede zwischen der Nordabdachung mit ihren vorherrschenden Nord- und Westwinden des gemäßigten Klimas einerseits und dem Tessin anderseits, das im insubrischen Bereich liegt und starke Anklänge an mittelmeerische Verhältnisse zeigt, kommen uns bei der Durchquerung des Gotthard-Tunnels besonders eindrücklich zum Bewußtsein.

Oben links: Der Salbitschjien (Zentralschweiz). Aus der Tiefe des Göschenertales erscheint dieser Kletterberg besonders imposant. Er besteht aus dem zentralen Aaregranit, dem Kern des Aarmassivs. Die eiszeitlichen Gletscher haben seine Flanken rundgeschliffen. Aufnahme van Hoorick

Oben rechts: Die Val Leventina (Tessin). Der Ticino hat sich tief in die Kristallinkerne der penninischen Decken eingeteuft. Die Gletscher der Eiszeit haben das Ihre zur endgültigen Formung beigetragen: Trogtal, Geländestufen im Tallauf. Weit hinauf reicht die Vegetation, die auch hier, nahe dem zentralen Alpenkamm, bereits den südlichen Einfluß erkennen läßt. Aufnahme van Hoorick

Links: Auf der Göscheneralp (Zentralschweiz). In einem Seitental hinter Göschenen befinden sich bekannte Fundstellen von alpinen Zerrkluftmineralien, die bei den einheimischen Strahlern besichtigt und gekauft werden können. Hier, am Fuß des Winterberges, hat die Technik mit einem großen Stausee Einzug gehalten. Aufnahme van Hoorick

Die **Pflanzenwelt** der nördlichen Regionen ist ähnlich derjenigen der Berner Alpen. Auch hier ist wegen der langdauernden diluvialen Eisbedeckung eine Armut an Arten festzustellen. Die Hochlagen der Südabdachung sind regenreich und weisen auf den zumeist silikatischen Böden eine ebenfalls artenarme, aber üppige Vegetation auf. Typisch ist hier die Alpengrasnelke *(Armeria alpina)*. Im insubrischen, fast schon subtropischen Klima der tieferen Lagen im Tessin gedeiht auf Kalkböden der Flaumeichen-Hopfen-Buchenbusch, der besonders in den vielen Schluchten reich an Farnen ist. Kastanienwälder werden kultiviert. An die mediterrane Macchia erinnert die Cistrosenformation auf kieseligem Gestein. Kalkmagerwiesen mit Pfingstrosen *(Paeonia officinalis)* finden sich im südlichsten Tessin, während am Comersee eine reiche Kalkalpenflora mit der südalpinen Insubrischen Glockenblume *(Campanula raineri)* siedelt.

An **Naturschutzgebieten** seien erwähnt das Pilatusmassiv, die Gegend um Buochs-Beckenried, die Gruppe des Fronalpstockes und die Nordflanke der Rigi.

Links: Am Luganersee (Tessin). Der Monte San Salvatore dominiert den verzweigten Luganersee (Ceresio), der tief in die Gebirge der Südalpen eingebettet ist. Kristallin und permische Porphyre dominieren die Gesteinswelt. Im Hintergrund der Monte San Giorgio, wo zahlreiche Überreste von triasischen Meersauriern gefunden wurden. Aufnahme van Hoorick

Unten links: Am Cornopaß (Wallis/Tessin). Von der Hochfläche am Cornopaß führen die Wege talwärts ins tessinische Bedrettotal, ins Oberwallis und nach Oberitalien. Wir befinden uns auf der Südflanke des Gotthard-Massivs, in den stark metamorphen Gneisen und Graniten. Aufnahme van Hoorick

Unten rechts: Valle di Muggio (Tessin). Weit schweift der Blick vom Südhang des Monte Generoso hinaus in die oberitalienische Tiefebene. Die von der intensiven Verwitterung und von den eiszeitlichen Gletschern rundgeschliffenen Hügel tragen eine typisch mediterrane Vegetation. Tief haben sich die gegen Süden entwässernden Flüsse in die Kalke des südalpinen Jura eingeschnitten. Aufnahme van Hoorick

Rechts: Salez-Alp (Zentralschweiz). Hoch über dem Vierwaldstätter See erstreckt sich ein herrliches Wandergebiet mit stets wechselnden Panoramen. Über das Schächental hinweg blicken wir auf die Grenzberge zwischen Glarus und Uri (Clariden, Scherhorn). Aufnahme van Hoorick

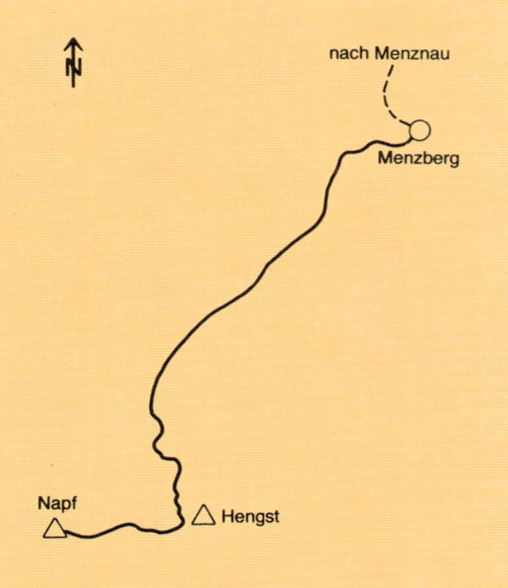

Napf (1408 m; Berner Voralpen)

Dieser einsame Gipfel liegt nicht in den Alpen, sondern diesen vorgelagert im schweizerischen Mittelland. Der Grund, warum er in die Vielzahl der alpinen Wanderungen mit eingeschlossen wurde, liegt in der einzigartigen Rundsicht, die er bei klarem Wetter, besonders im Herbst bietet. Zudem ist er von allen Seiten auf ausgebauten Wanderwegen gut zugänglich. Nicht nur der Kranz der zentralen Alpen, vom Moléson über die Berner Alpen und die zentralschweizerischen Berge bis hin zum Alpstein, sondern auch das Mittelland, der Jura und der Schwarzwald sind sichtbar. Zudem ist der Napf, aufgebaut aus nahezu flachliegender bunter Nagelfluh der Oberen Süßwassermolasse (Torton), auch morphologisch einzigartig, strahlen doch vom Gipfel aus die breiten Kämme und die klammartigen bewaldeten Täler nach allen Himmelsrichtungen aus. Wer einen Überblick über den zentralen Teil unserer Alpen gewinnen will, der besteige den Napf!

Ausgangs- und Endpunkt: Menzberg (1016 m), mit Postauto oder Auto von Menznau aus.

Marschzeit: 4½ Stunden.

Verpflegung und Unterkunft: Bergwirtschaft auf dem Napf (1408 m).

Von Menzberg folgen wir der gelben Markierung (Wegweiser) und wandern auf dem Grat nach Südwesten, auf dem Fuhrweg stets leicht auf- und absteigend, vorbei an weit verstreuten Bauerngehöften. Ein steiler Anstieg führt uns durch dichten Wald auf den Grat beim Hengst, von wo wir den Gipfel des Napf bereits sehen und wo sich der Blick nach Süden auf die Berner Alpen öffnet. Nun entlang dem Wiesenhang und in einer letzten Steigung durch Wald hinauf zum weiten Wiesenplateau des Napf mit dem Berghaus und mehreren Panoramatafeln.

Rückweg gleich wie Anstieg.

Links: Im Napfgebiet. Auf der geruhsamen Wanderung zum herrlichen Aussichtsberg passiert man stets wieder die sauberen Einzelhöfe der Emmentaler Bauern mit den charakteristischen Walmdächern. Meist befindet sich neben dem Haupthaus und dem Stall noch ein kleineres Häuschen, das „Stöckli", in dem die Eltern des Bauern wohnen. Aufnahme Zopfi/Schweiz. Verkehrszentrale

Rechts oben: Wanderung um den Napf. Weit zieht sich die Wanderung entlang den zahlreichen bewaldeten Kämmen rund um den Napf hin. Wir treffen immer wieder auf Aufschlüsse von Molasse, von Nagelfluh und Sandstein des Alpenvorlandes. Das Napfgebiet ist bekannt für Funde von Seifengold in den zahlreichen, sternförmig ausstrahlenden Bächen. Aufnahme Zopfi/Schweiz. Verkehrszentrale

Rechts unten: Der Napf-Gipfel. Ein herrlicher Rundblick auf Alpen, Mittelland und Jura eröffnet sich dem Wanderer, wenn er den Napf mit seiner Raststätte erreicht hat. Von der Zentralschweiz bis in die französischen Gebirge präsentieren sich ihm die Nordalpen an einem klaren Föhntag. Aufnahme Hirschi

Pilatus (2120 m; Zentralschweiz)

Der freistehende Pilatus, hoch über dem Mittelland an der Nordfront der Alpen gelegen, ist ein bekannter Aussichtsberg. Vor uns in der Tiefe liegt der Vierwaldstätter See, eingebettet in die gegen Norden aufsteigenden Schichtplatten der helvetischen Decken (Kreide der Säntis-Drusberg-Decke und der Pilatus-Bürgenstock-Decke) und der subalpinen Molasse. Gesteine, Bau und tektonische Position des Pilatus entsprechen fast genau dem Säntismassiv, das in der Ferne im Nordosten erkennbar ist.
Ausgangspunkt: Matt bei Hergiswil (437 m).
Endpunkt: Pilatus (2120 m).
Rückkehr nach Hergiswil: entweder nach Kriens mit Luftseilbahn und Gondelbahn, oder mit der steilsten Zahnradbahn der Welt (48% Steigung) nach Alpnachstad und mit der Bahn nach Matt-Hergiswil.
Marschzeit: 5½ Stunden.
Trittsicherheit und Schwindelfreiheit sind Voraussetzung.
Verpflegung: Fräkmüntegg (1410 m), Pilatus (2090 m).
Wir verlassen die Bahn Luzern–Sarnen bei der Haltestelle Matt (437 m) im nördlichen Dorfteil von Hergiswil. Nach Überqueren der Bahngeleise (Unterführung) hinauf zum Schulhaus und weiter durch Steinhofstraße und Sonnenbergstraße. Nach links wandern wir dem Feldbach entlang, bis wir die ausholende Fahrstraße wieder erreichen. Ihr folgend und uns gegen Norden wendend, biegen wir beim markanten einzelstehenden Stall nach links gegen den Wald hin ab, den wir aufsteigend durchwandern, bis wir wieder auf eine Fahrstraße treffen. Auf dieser gehend, biegen wir kurz vor Seewil nach rechts auf einen Weg ab, der uns zum Grat hinaufführt. Dem Grat folgend, gelangen wir über Weiden zur Fräkmünt und steigen nach rechts hinauf auf die Rippe der Fräkmüntegg (1436 m). Nun auf gut ausgebautem Weg durch den steilen Nordhang des Klimsenhörnli und in zahlreichen Kehren zum Klimsensattel (1869 m). Der Weg windet sich in steilem Zickzack hinauf zum Chriesilochtunnel. Beim Austritt aus dem mit Treppen versehenen Durchgang bietet sich uns ein herrliches Panorama vom Gipfel des Oberhaupts (2105 m), des westlichen Pilatusgipfels. Ein kurzer Abstieg bringt uns zu Restaurant und Bergstation der Bahnen. Man versäume nicht, den Ostgipfel (Esel, 2120 m) mit seiner Aussichtskanzel zu besteigen.

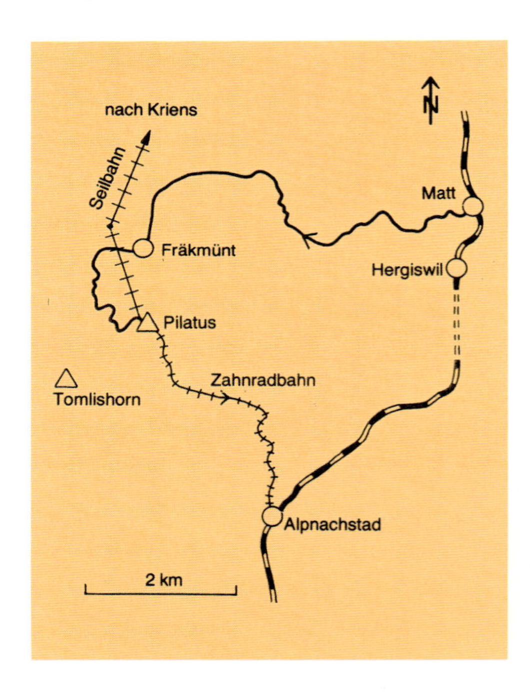

Oben: Die Pilatusbahn. Europas steilste Zahnradbahn führt uns von Alpnachstad hinauf auf den Pilatus – im Hintergrund das Matthorn mit seinen Kreidefalten. Damit der Wagen bei der großen Neigung nicht aus den Schienen springt, mußte eine spezielle Zahnradkonstruktion angewendet werden. Aufnahme Pilatusbahn

Unten: Blick vom Pilatus gegen Osten. In der Tiefe glänzt der verwinkelte Vierwaldstättersee. Die Frontkette der helvetischen Decken am Pilatus setzt sich im Lopper und im Bürgenstock weiter fort als gegen Norden aufsteigende Schichtplatte aus Kreidegesteinen. Die Berge im Mittelgrund sind penninische Klippen, die über große Distanzen vorgeschoben wurden. Im Hintergrund erkennt man die Glarner Berge. Aufnahme Pilatusbahn

Rigi-Kulm (1798 m; Zentralschweiz)

Obwohl das Massiv der Rigi geologisch nur mehr zum Teil zu den eigentlichen Alpen zählt (Rigi-Hochfluh und Vitznauer Stock), lohnt sich ein Aufstieg auf diesen berühmten Gipfel wegen des unvergleichlichen Panoramas, das nicht nur die ganzen schweizerischen Nordalpen einschließt, sondern auch ins Mittelland mit seinen zahlreichen Seen, zum Jura und zum Schwarzwald hin reicht. Wir wandern in den steil gegen Norden aufragenden Nagelfluhbänken der Unteren Süßwassermolasse (Chattien), dem verfestigten Abtragungsschutt der werdenden Alpen aus dem mittleren Tertiär.

Ausgangspunkt: Goldau (510 m).
Endpunkt: Rigi-Kulm (1798 m).
Rückfahrt nach Goldau mit Arth-Rigi-Bahn.
Marschzeit: $3^1/_2$ Stunden.
Verpflegung: Hotel Rigi-Kulm.

Vom Bahnhof Goldau (510 m) dem Wegweiser „Rigi" folgend zur Kirche. Hier überschreiten wir die Rigi-Aa und steigen auf den sonnigen Wiesenhängen sanft zum Barmettlenberg auf, folgen dem Waldrand und halten dann wieder nach links zur Rigi-Aa. Nach deren neuerlichen Überschreitung geht es in schattigem Wald, über Rippen von bunter Nagelfluh, im Zickzack steil aufwärts, vorbei am Restaurant „Rigidächli". Der Blick öffnet sich zum Bergsturzkessel von Goldau und zum Roßberg, wo die Abrißnische des verheerenden Bergsturzes vom 2. September 1806 (457 Tote) noch deutlich sichtbar ist. Bald erreichen wir, in nun wieder sanfterem Anstieg, die nächste Weidenstufe bei Resti (1208 m). Nun stetig aufsteigend auf undeutlichen Wegspuren über die Schwändialp zur Schochenhütte (1475 m). Über die gegen links zu abfallende Nagelfluhrippe, stets rechts haltend in der Fallinie über die Weiden erreichen wir die Kulmhütte (1676 m) und damit die Gratkante der Rigi: prächtiger Blick weit hinaus ins Mittelland; Vorsicht: Zaun nicht übersteigen! In kurzer Zeit stehen wir, der Gratkante folgend, auf dem Gipfel von Rigi-Kulm (1798 m) und genießen die Rundsicht, erläutert durch die Panoramatafeln.

Oben: Blick von der Rigi gegen Süden. Der Vierwaldstätter See wird im Bereich der beiden „Nasen" zwischen Bürgenstock und Vitznauerstock eingeengt. Der See ist in mehrere Becken gegliedert, von denen jedes eine eigene geologische Geschichte aufweist. Im Hintergrund ragt das Stanserhorn als penninische Klippe aus der Ebene auf. Aufnahme Verkehrsverein Rigi-Sonnenseite

Unten links: Dampfzug der Vitznau-Rigi-Bahn. Mit großer Steigung führt die Bahn entlang der Nagelfluhbänke hinauf auf Rigi-Kulm. Diese Zahnradbahn ist eine der ältesten Bergbahnen der Erde und war in ihrer Konstruktion bahnbrechend für die Technik. Aufnahme Verkehrsverband Zentralschweiz

Unten rechts: Auf Rigi-Staffel. Herrliche Höhenwanderungen erschließen sich von den verschiedenen Stationen der Bahnen, die auf Rigi-Kulm (im Hintergrund) hinaufführen. Auch wenn gewisse Gebiete hier erschlossen sind, findet der Wanderer noch viele romantische Ecken mit einmaligen Rundsichten. Aufnahme Verkehrsverband Zentralschweiz

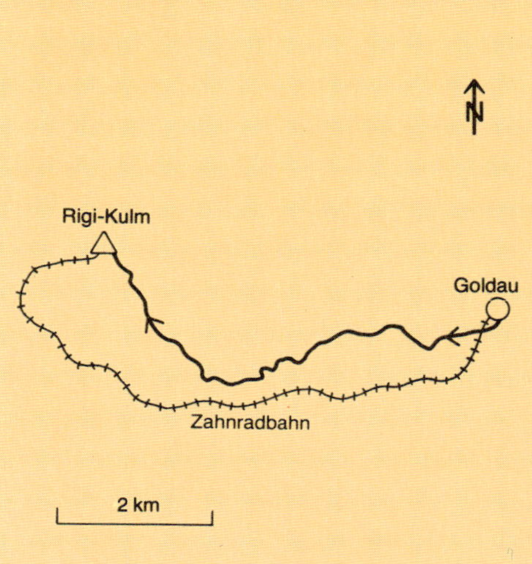

Großer Mythen
(1899 m; Zentralschweiz)

Die Gruppe der Mythen ist eine mittelpenninische Klippe (Trias bis jüngere Kreide der Klippendecke), die über viele Kilometer hinweg von Süden her auf die weiche Unterlage des süd- und ultrahelvetischen Flyschs aufgeschoben wurde. Vom Gipfel der markanten, isolierten Berggestalt aus öffnet sich ein eindrucksvoller Blick auf die Berge der helvetischen Alpenfront, auf den Vierwaldstätter See und hinein in die Zentralalpen sowie auf das Bergsturzgebiet von Goldau.

Ausgangs- und Endpunkt: Rickenbach bei Schwyz (600 m), mit Auto von Schwyz aus erreichbar, Parkplatz.

Marschzeit: 5 Stunden.

Trittsicherheit und Schwindelfreiheit sind Voraussetzung.

Verpflegung: Holzegg (1405 m), Mythengipfel (1899 m).

In Rickenbach besteigen wir die Luftseilbahn, die uns in zwei Sektionen auf die Rotenflue (1520 m) bringt – ebenfalls eine penninische Klippe. Gegen Norden wandern wir durch lichten Föhrenwald über den breiten Kamm und erreichen über sumpfiges Flyschgelände die Holzegg, wo der eigentliche Aufstieg beginnt. In zahlreichen Kehren, zum Teil in den Fels gehauen, gewinnen wir auf der Südostflanke des Großen Mythen zusehends an Höhe. Der gesicherte und gut ausgebaute, teils aber exponierte Weg führt schließlich durch die Nordwand („Totenplangg", mit Blick auf Kleinen Mythen) hinauf zum aussichtsreichen Gipfel, der aus rötlichen Kreidegesteinen (Couches rouges) aufgebaut ist.

Bis zur Holzegg benützen wir für den Abstieg den gleichen Weg. Dann steigen wir gegen Südwesten ab nach Hasli, vorbei am Mythenbad und durch den Wald zurück nach Rickenbach.

Schwyz und die Mythen. Hoch über dem Hauptort des innerschweizerischen Kantons Schwyz erheben sich die beiden Mythen als exotische Relikte auf völlig fremder Unterlage. Sie sind aus Süden als penninische Deckplatte über den weichen helvetischen Flysch überschoben worden. Gut sichtbar ist der „Rote Nollen" am Hauptgipfel: die „Couches rouges" aus der Kreidezeit. Aufnahme Schweiz. Verkehrszentrale

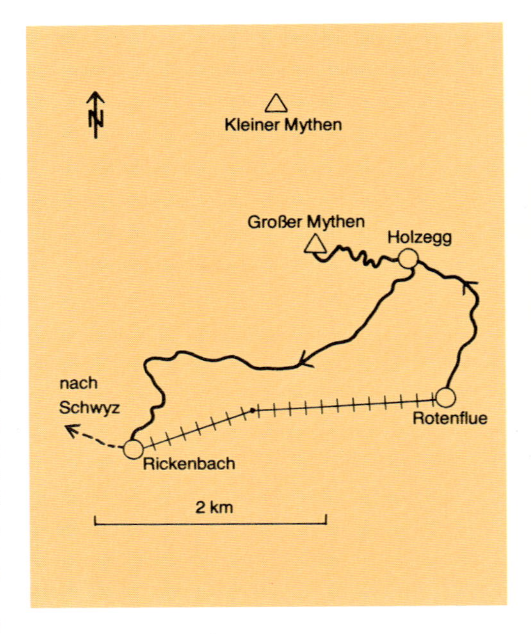

Die Mythen aus Westen. Als einsames Bergpaar erheben sich die beiden Mythen aus der Nebeldecke über den Voralpen. Im Hintergrund die Glarner und Appenzeller Berge. Aufnahme Maeder

Oben: Hornblendegarbenschiefer. Dieses metamorphe Paragestein ist besonders im Val Piora und seiner Umgebung bis an den Gotthardpaß häufig anzutreffen. Die Hornblende bildet Bündel von langgestreckten schwarzen Stengeln. Eingeschlossen sind rotbraune Granate, die oft in idealen Rhombendodekaedern kristallisiert sind. Aufnahme Crespi

Rechts: Im Val Piora. Das einsame Hochtal südlich der Zentralmassive im obersten Tessin bietet dem Wanderer viele genußreiche Stunden. Etliche malerische Seen – im Vordergrund der Lago Cadagno, dahinter der gestaute Lago Ritòm – laden zum Studium der Lebewelt ein. Zahlreiche Mineralien der metamorphen Serie können aufgesammelt werden. Aufnahme van Hoorick

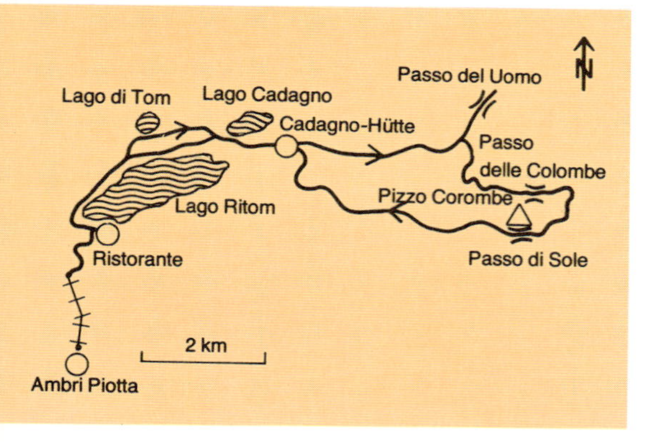

Rundwanderung Val Piora
(Nördliche Tessiner Alpen)

Das landschaftlich sehr reizvolle Hochtal des Val Piora bietet dem Naturfreund eine Fülle von Überraschungen, angefangen bei den mannigfachen Gesteinen und den zahlreichen Mineralien (u. a. Granat, Disthen, Staurolith, Hornblende), über die vielen malerischen Seen in ihren glazialen Wannen bis zur reichhaltigen Flora im Grenzgebiet zwischen Kristallin und Kalk. Das Tal ist eingebettet in eine tektonische Muldenzone von triadischem Dolomit und Rauhwacke, zwischen dem Gotthard-Kristallin (Granit, Gneis) im Norden und der penninischen Lucomagno-Decke (Paragneise) im Süden.

Ausgangs- und Endpunkt: Ambri-Piotta (1006 m) in der oberen Leventina (Bahn, Straße).

Marschzeit ab und nach Bergstation der Seilbahn Piora: 9½ Stunden.

Verpflegung und Unterkunft: Ristorante Lago Ritòm (1840 m), Capanna di Cadagno SAC (1987 m).

Vom Bahnhof Ambri-Piotta aus überqueren wir die Talebene bis zur Talstation der steilsten Standseilbahn Europas (bis 88 % Steigung). In 25 Minuten fahren wir zur Bergstation Piora hoch, von der wir auf einem Fahrweg leicht ansteigend zum Stausee Ritòm gelangen. Diesen umgehen wir links und steigen nach links über eine Stufe auf zum Lago di Tom (2026 m), der in helle Rauhwacken eingebettet ist. Nun nach rechts hinauf auf mineralfündigem Weg zu einem flachen Sattel (2077 m) und jenseits hinab zum Lago di Cadagno (1917 m, Restaurant). Von hier aus geht es auf einem Fahrweg hinauf zur Cadagno-Hütte SAC und weiter taleinwärts, zuletzt über eine Stufe, auf Alpweiden zum Passo del Uomo, dem Übergang zum Lukmanierpaß (2218 m). Hier wenden wir uns scharf nach rechts und steigen zum Passo delle Colombe (2377 m) auf. Den Pizzo Corombe mit seinen bizarren Dolomittürmen umgehen wir links, vorerst absteigend bis auf etwa 2260 m, dann rechts haltend und zuletzt wieder hinauf zum Passo del Sole (2376 m). Nun geht es entlang dem südlichen Hang wieder talauswärts. Bei der Cadagno-Hütte überqueren wir den Bach (Murinascia) und folgen dem Fahrweg hinunter zum Lago Ritòm und zur Bergstation der Standseilbahn.

Strada alta von San Bernardino
(Nördliche Tessiner Alpen)

Diese Höhenwanderung, hoch über dem Tal der jungen Moësa, bietet prächtige Ausblicke auf die Grenzberge zwischen der Schweiz und Italien, zwischen dem Val Mesolcina (Bernardinopaß) und dem Valle di San Giacomo (Splügenpaß). Die Talung der Moësa liegt in weichen Bündnerschiefern der penninischen Decken; unser Weg führt uns durch die vorherzynischen Gneise des Kristallins der ebenfalls penninischen Adula-Decke.

Ausgangspunkt: San Bernardino-Hospiz (2065 m), mit Auto oder Postauto von Splügen-Hinterrhein oder von Mesocco-San Bernardino aus zu erreichen.
Endpunkt: Pian San Giacomo (1170 m).
Rückkehr zum Bernardinopaß mit Postauto.
Marschzeit: 8 Stunden.
Verpflegung: Ristorante Confin Basso.

Der markierte und gut ausgebaute Pfad beginnt etwa einen Kilometer südlich der Paßhöhe von San Bernardino, einem flachen Paß mit zahlreichen Gletscherspuren (Rundhöcker, Moränen, Gletscherschliffe). Wir folgen dem Hang leicht ansteigend über Alpweiden zur Hochfläche der Alpe Muccia. Über den Bach und weiter um einen Bergrücken herum zur Alpe Vignone (Vigon). Nun steigen wir ab zur Bergstation der Gondelbahn San Bernardino-Confin Basso. In lichtem Wald, dann nach rechts hinauf zu einem Bergrücken und zum weiten Passo Passetti mit seinen zwei reizenden kleinen Seen. Hier öffnet sich der Blick ins abgelegene Calancatal. Wir steigen ab zur Alpe Ocola, wenden uns nach rechts und wandern dem Hang entlang und um eine Felsrippe herum wieder leicht hinauf zur Alpe Arbeola. Nun beginnen wir den Abstieg, indem wir in östlicher Richtung um den Motto Dolera herum zur Alpe d'Arbèa wandern. Im Wald geht es hinunter zur Siedlung Pradirone und auf einer Güterstraße über Valineu und Sei in Kehren nach Pian San Giacomo.

Am Lago d'Osso im Misox. In der Umgebung des San Bernhardino befinden wir uns in den Gneisen der penninischen Adula-Decke, die von den eiszeitlichen Gletschern kräftig überarbeitet wurden. Der langsam verlandende Lago d'Osso ist ein Beispiel für einen Gletschersee in einer ausgehobelten Felswanne. Aufnahme Gensetter

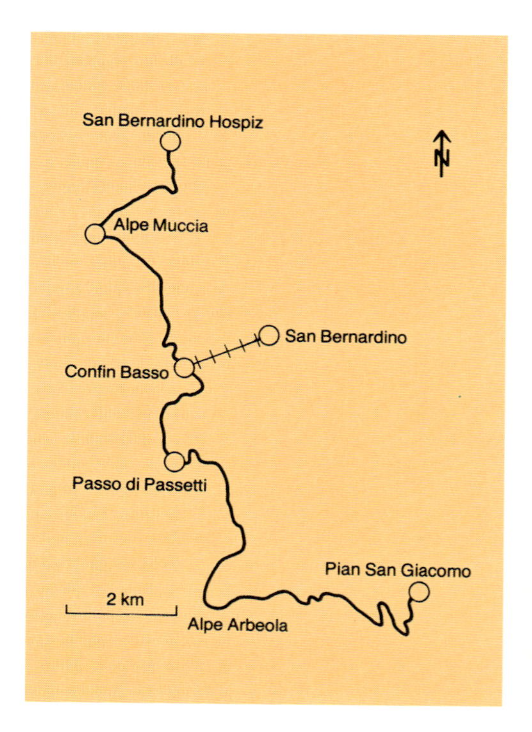

Auf dem San Bernardino. Wer die Mühe nicht scheut, die Straße auf den Paß unter die Füße oder die Räder zu nehmen, statt durch den Autotunnel zu fahren, wird reichlich belohnt. Der malerische See und seine Umgebung zeigen alle Phänomene der Gletscherwirkung. Im Hintergrund der Pizzo Rotondo. Aufnahme Geiger

Monte Lema
(1620 m; Südliche Tessiner Alpen)

Dieser Berg vermittelt bei klarem Wetter ein umfassendes Panorama der Südflanke der Alpen, das bis zum Monte Rosa reicht. Langensee (Lago Maggiore) und Luganersee (Ceresio) liegen zu unseren Füßen, und wir erblicken die vielen Täler und Siedlungen des Malcantone mit seiner charakteristischen Busch-Vegetation. Unsere Wanderung führt uns durch die Gneise des südalpinen Kristallins, deren Sedimenthülle wir im Osten am San Salvatore und am Monte Generoso erkennen.
Ausgangs- und Endpunkt: Novaggio (638 m), mit Auto oder Postauto von Lugano oder Ponte Tresa aus.
Marschzeit: 7 Stunden (kann durch Benützung der Seilbahn Miglieglia–Monte Lema abgekürzt werden).
Verpflegung: Ristorante Monte Lema (1620 m).
In westlicher Richtung wandern wir von Novaggio aus durch lichte Kastanienwälder zu den Hütten von Paz und weiter zur Alpe di Monte. Durch ein Tälchen hinauf erreichen wir die Forcola (1100 m). Nun nach rechts, auf dem breiten Grat ansteigend über den Hügel des Moncucco zum Monte Lema.
Gegen Nordosten absteigend und jenseits hinauf zum Poncione di Breno (1638 m), der uns nochmals eine herrliche Rundsicht beschert. Wir steigen ab zur Alpe di Mageno und durch Wälder nach Breno. Jetzt wandern wir zum Bach hinab, halten nach rechts und erreichen nach kurzem Anstieg wieder Novaggio.

Oben: Blick vom Monte Lema gegen Osten. Eingebettet in die hügelige Landschaft mit ihren dichten Waldbeständen liegt der Luganer See. An den Hängen im Vordergrund, im Malcantone, liegen einige typische Tessiner Ortschaften, deren Besuch sich lohnt. Aufnahme Gensetter

Links: Indemini und der Monte Tamaro. Der höchste Gipfel in der Berggruppe ist der Monte Tamaro, vom Monte Lema in einer aussichtsreichen Höhenwanderung leicht zu erreichen. An seinen durchfurchten Hang mit der südlichen Vegetation schmiegt sich das abgelegene Tessiner Bergdorf. Die Gebirgsgruppe liegt in Gneisen der südalpinen Kristallinbasis. Aufnahme Gensetter

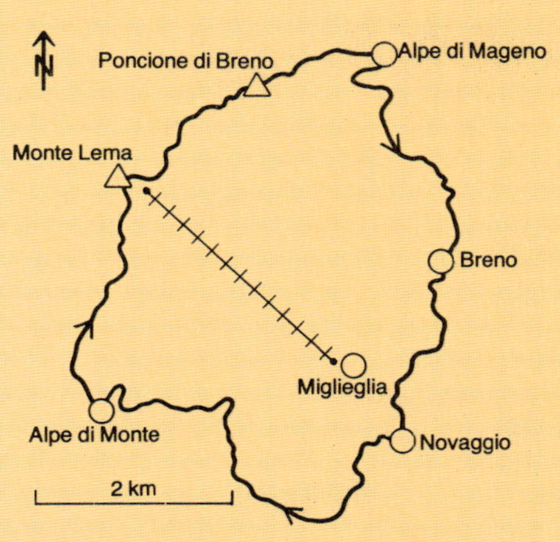

Ostschweizer Alpen, Graubünden und Liechtenstein

Die Region umfaßt die Glarner, St. Galler und Appenzeller Berge, das Fürstentum Liechtenstein und Graubünden, den „Kanton der hundert Täler". Östlich an Zentralschweiz und Tessin anschließend, wird sie ihrerseits gegen Osten begrenzt durch die Landesgrenze zu Österreich. Im Norden stürzt die Alpenfront meist in markanter Steilwand zum hügeligen Molasseland ab.

Geologie. Mitten durch unser Gebiet verläuft die tektonische Grenze zwischen West- und Ostalpen. Sie ist morphologisch markiert durch die Talflucht Septimer–Oberhalbstein–Lenzerheide–Rheintal ab Chur–Bodensee. Von der Kulmination der Zentralmassive im Gotthardgebiet fallen die Strukturen gegen Osten in der Längsrichtung der Alpen stetig ab. Im Churer Rheintal tauchen die autochthonen, parautochthonen und helvetischen Einheiten unter den Talboden und werden östlich des Rheintals von penninischen und ostalpinen Elementen überlagert. Nur die Gesteine von Alvier und Säntismassiv setzen sich jenseits des Rheins in Vorarlberg fort. Das gleiche Schicksal erleiden weiter südlich die penninischen Decken: Östlich einer Linie Oberhalbstein – Septimer verschwinden sie unter den ostalpinen Decken. Andererseits bildet das Vorderrheintal zwischen Ilanz und Chur eine Trennlinie zwischen den penninischen Massen im Süden und den helvetischen Decken im Norden; wir haben in dieser ausgeprägten Längsfurche die Wurzelzone der helvetischen Decken zu suchen.

Seealpsee im Säntismassiv. Dieser malerische See, dominiert von der senkrecht abstürzenden Roßmad, liegt in einer Gesteinsmulde und besitzt einen weitgehend unterirdischen Abfluß. Im Hintergrund rechts der Säntis, links der Altmann, die zwei höchsten Gipfel des Gebirges. Gut sind die gegen Norden aufsteigenden Kalksteinschichten zu erkennen. Aufnahme Gensetter

In den südlichen Glarner Alpen bildet das Kristallin des Aarmassivs die Basis der parautochthonen Sedimentschuppen. Darüber hinweg wurde das Paket der komplexen „Glarner Decken " (Axen-, Mürtschen- und Säntisdecke) gegen Norden vorgeschoben. Deren Basis, der permische Verrucano, taucht über einer ausgeprägten und morphologisch markanten Überschiebungsfläche steil gegen Norden ab und baut die Gebirge um Schilt, Flumserberge und Pizol auf. Interessant ist die Stockwerk-Tektonik der helvetischen Decken: Im Niveau des oberen Malm ist das Jüngere als Säntis-(Kreide-)Decke bis weit ins Mittelland auf die Molasse vorgestoßen, während die älteren, tieferen Gesteine – oftmals stark gefaltet und gestaucht – als Axen- und Mürtschendecke zurückblieben. Als Gleithorizont wirkten die mächtigen Zementstein-Mergel.

In den St. Galler und Appenzeller Alpen ist das aarmassivische Kristallin – Gneise und Glimmerschiefer – nur mehr im tiefen Fenster von Vättis im Taminatal aufgeschlossen; das Parautochthon ist in mehrere Schuppen zerteilt. Darüber ruht ein mächtiges Flyschpolster, das seinerseits von den helvetischen Decken überfahren wurde. Im Seeztal bildet die Jura-Teildecke mehrere liegende Falten aus, während die Kreidegesteine der Säntis-Decke im Alpstein (Säntismassiv) in einer Schar mehrerer paralleler Steigfalten auf die gegen Norden aufgekippten Nagelfluhplatten der subalpinen Molasse aufgefahren sind. Gegen den tief eingesenkten Graben des Rheintales von Sargans bis zum Bodensee tauchen diese Gesteine mit Axialgefälle (am Alvier) oder in Form von Treppenbrüchen ab und finden jenseits in Vorarlberg ihre nach Strukturen und Gesteinen ähnliche Fortsetzung.

Im Fürstentum Liechtenstein dominieren im Hauptkamm des westlichen Rätikons die mesozoischen Sedimente – vorwiegend Kalke – der hochpenninischen Falknisdecke, nördlich davon die höhere oberostalpine Lechtaldecke in den Drei Schwestern, unterteuft von schiefrigem penninischem Flysch des Tertiärs.

Graubünden ist im wesentlichen die Domäne der penninischen (im Westen) und der ostalpinen Dekken (im Osten). Ganz im Westen ragen noch das Gotthardmassiv und das Tavetscher Zwischenmas-

Ostschweizer Alpen, Graubünden und Liechtenstein

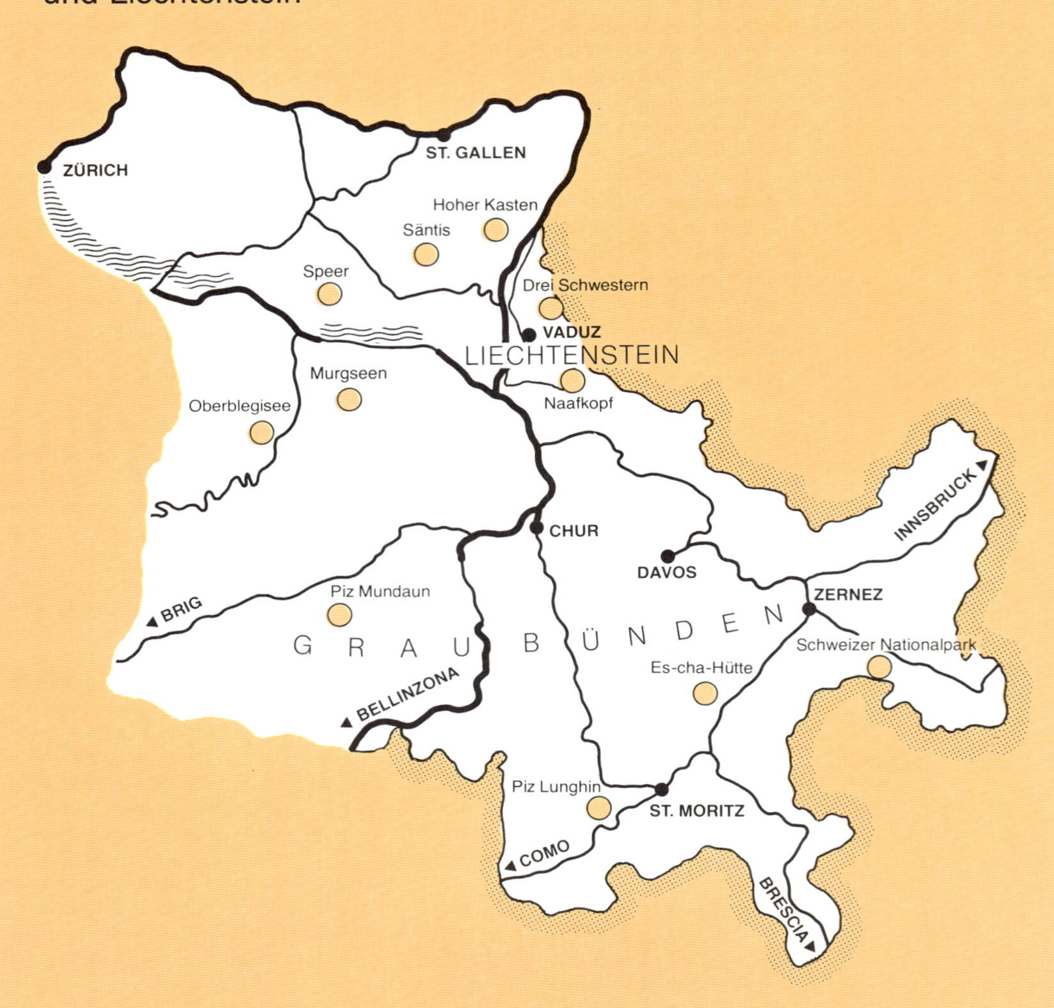

Lai da Palpuogna am Albulapaß. Direkt an der Fahrstraße zum Albulapaß liegt der Palpuognasee in einer weichen Rauhwackenzone, die beim Bau des darunter durchführenden Albulatunnels der Rhätischen Bahn zu kräftigen Wassereinbrüchen führte. Im Hintergrund die Dolomitberge der Ela-Gruppe. Aufnahme van Hoorick

Cavlocciosee mit Piz Forno. Vom Malojapaß in leichter Wanderung erreichbar, ist der Cavlocciosee ein Kleinod des Oberengadins. Umsäumt von Lärchen und Arven, bettet er sich ein zwischen die hochpenninischen Kristallinberge in der Grenzzone zum Bergellermassiv. Aufnahme van Hoorick

siv mit einer mächtigen Sedimentbedeckung herein. Auf die Kristallinkerne der penninischen Adula-, Tambo- und Suretta-Decke legt sich in den Gebieten südlich des Vorderrheintales, im Domleschg und im Plessurtal, der metamorphe mesozoische Bündnerschiefer (Schistes lustrées) mit eintönig grauen, intensiv verfältelten Glanzschieferserien. Über einer Flysch-Zwischenschicht (Lenzerheide, Prätigau) folgen die unterostalpinen Massen, deren kristalline, paläozoische Deckenkerne im Err-, Julier- und Bernina-Massiv aufgeschlossen sind. Über wenig mächtigen Sedimenten (Perm bis Kreide) thront als höchste Einheit das oberostalpine Silvretta-Ötz-Kristallin, das entlang der Engadin-Furche in zwei gegeneinander verschobene Komplexe geteilt ist. Im Unterengadin um Schuls hat die Erosion fensterartig die penninische Unterlage (Bündnerschiefer) aufgeschlossen. Schließlich sind die penninischen Decken Südbündens im Miozän vom Bergeller Granitpluton durchbrochen und durchschmolzen worden. In Graubünden finden sich Mineralien im Gotthard-Massiv (Disentis – Oberalp – Lukmanierpaß), aber auch im Oberhalbstein und im Albulatal, auf Lenzerheide und im Ofenpaßgebiet, hier vorab Eisen- und Manganerze, die früher ausgebeutet und verhüttet wurden. Lohnend ist der Besuch des Bergbau-Museums in Davos-Monstein. Am Gonzen bei Sargans wurde bis vor kurzem Hämatit (Roteisenstein) bergmännisch abgebaut. Im übrigen ist die Region, vor allem in den Kalkalpen, arm an Mineralien: Calcit, Fluorit und wenige Quarze sind die Hauptvertreter.

Die **Oberflächengestaltung** ist so vielgestaltig wie der Innenbau und die Gesteinsarten. Vier Flußsysteme entwässern in mehrere Weltmeere: Linth und Rhein zur Nordsee, der Inn zum Schwarzen Meer und die südalpinen Flüsse zur Adria. Die alpine Hauptwasserscheide liegt weit südlich; die Diskrepanz des Gefälles der nach Süden und nach Norden führenden Flüsse ist am Maloja, am Septimer und am San Bernardino besonders augenfällig. Am Piz Bernina erreichen die Bündner Alpen mit 4049 m ihren höchsten Punkt. Die eiszeitlichen Gletscher haben überall ihre unverwechselbaren Spuren hinterlassen; auffällig ist z. B. die Stufung des Oberhalbsteins, des Bergells und des Puschlavs. Ein wesentliches morphologisches Element ist der Flimser Bergsturz, der nach dem Rückzug des Rheingletschers am Ende der Würm-Eiszeit, vor etwa 11000 Jahren, niederging und zusammen mit mehreren Nebenstürzen das Vorderrheintal von Ilanz weg bis gegen Chur mit etwa 15 km³ Trümmermassen erfüllte, so eine auch heute noch einmalige Landschaft schaffend. Viele weitere kleinere Felsstürze gingen nieder, so auch der Elmer Bergsturz 1881 im hinteren Glarnerland.

Klima. Während in den nördlichen Alpen, dem Westwindwetter ausgesetzt und als wuchtige Alpenfront exponiert, reichliche Niederschläge fallen, ist das bündnerische Alpeninnere klimatisch bevorzugt. Das Unterengadin zählt zu den trockensten Regionen der Alpen. Wild braust der Föhn durch die großen Haupttäler bis an den Bodensee und den Zürichsee und bewirkt eine spürbare Verlängerung der Vegetationszeit: Im Frühjahr schmilzt er den Schnee rapide hinweg, und im Herbst hilft er mit zur Traubenreife im Churer und St. Galler Rheintal. Bergell und Puschlav profitieren bereits vom insubrischen Klima der alpinen Südabdachung. Staulagen auf der Nordseite der Alpen bringen langdauernde Landregen; an schönen Sommernachmittagen entwickeln sich nicht selten heftige Gewitter, besonders entlang der Alpenfront, mit kulturschädigenden Hagelschlägen.

Links: Die Churfirsten am Walensee. Zwei helvetische Decken bauen die mächtigen Südwände der Churfirsten auf: unten die Mürtschendecke, in liegende Falten gelegt; darüber die Säntisdecke, die ihre Fortsetzung im Alpstein findet. Die Gipfel aus Schrattenkalk sind durch zahlreiche Querbrüche gegliedert. Das tiefe Walenseetal ist ein Isoklinaltal. Aufnahme Gensetter

Rechts: Biancograt am Piz Bernina. Der berühmte Eisgrat, der von Norden zum Gipfel des höchsten Bündner Berges hinaufführt, wird von geübten Alpinisten häufig begangen. Beidseits stürzen die vereisten Felsen in die Tiefe der gletschererfüllten Täler. Das Gestein ist ein heller Granit der unterostalpinen Berninadecke. Aufnahme Maeder

Unten: Das Tinzenhorn. Die Ela-Gruppe in Mittelbünden besteht aus Trias- und Liaskalken der oberostalpinen Ortler-Ela-Decke, die von Süden her über das Unterostalpin vorgeschoben wurde. Im Mittelgrund rechts ist die glaziale Überformung der Hänge gut erkennbar. Aufnahme Gensetter

Links oben: Die Churfirsten von Osten (Flugaufnahme). Gut erkennbar ist das Abtauchen der Kalkschichten gegen Nordosten, in die Mulde des oberen Toggenburgs. Das Massiv ist in zahlreiche einzelne Köpfe zerlegt, die durch Querbrüche getrennt sind. Aufnahme Baer

Links Mitte: Das hintere Glarnerland. Vom Schilt aus genießen wir einen prächtigen Blick auf die Berge des südlichen Glarnerlandes. Im Hintergrund die Gruppe des Tödi mit seiner Kristallinbasis (Aarmassiv). Das tiefe Haupttal mit dem Dorf Schwanden besitzt deutliche Spuren der glazialen Überformung. Die bewachsenen Hänge im Vordergrund bestehen aus weichem Flysch, der Unterlage der helvetischen Decken. Aufnahme Riegg

Links unten: Das St. Galler Rheintal. Wir stehen auf dem Gonzen, dem Wahrzeichen des oberen Rheintales. Das St. Galler Rheintal öffnet sich gegen Norden immer mehr zum Bodensee. Es bildet gleichzeitig eine wichtige bauliche Strukturlinie: zur Linken die helvetische Säntisdecke, zur Rechten in den Drei Schwestern das überschobene Oberostalpin der Nördlichen Kalkalpen. Aufnahme Riegg

Rechts oben: Piz Badile im Bergeller Massiv. Im Miozän drang granitisches Magma in die penninischen Decken ein und erstarrte zu einem hellen Granit, aus dem die Erosion bizarre Felstürme herausformte. Die massigen Bergspitzen sind beliebtes Ziel der Kletterer. Wir sehen den Piz Badile von Bondo im Bergell aus. Aufnahme Maeder

Rechts unten: Bei Soglio im Bergell. In der herbstlichen Stimmung im südlich anmutenden Bergell schimmern die bizarren Felszacken der Sciora- und Bondasca-Gruppe, aus dem Bergellergranit herausmodelliert, herüber. Tiefe, schluchtartige Täler weisen auf die intensive Abtragung durch die südalpinen Flüsse hin. Aufnahme Gensetter

Die **Pflanzenwelt** der Glarner, St. Galler und Liechtensteiner Alpen unterscheidet sich kaum von der um den Vierwaldstätter See oder der Berner Alpen. Sowohl Gesteinsunterlage (vorwiegend Kalke) als auch das Klima sind ähnlich. Immerhin finden wir hier auch die westlichsten Vertreter von typisch ostalpinen Pflanzen, wie den Triglav-Pippau *(Crepis terglouensis)* oder den Ungarischen Enzian *(Gentiana pannonica)*. In Graubünden kommt der Massenerhebungseffekt in den Alpen am ausgeprägtesten zum Tragen, z. B. in der höherliegenden Waldgrenze. Kontinentale Lärchen-Arven-Wälder mit dem Moosglöcklein *(Linnaea borealis)* im Unterwuchs beherrschen besonders im Oberengadin das Landschaftsbild. Hier treffen ostalpine Elemente – Saumnarbe *(Lomatogonium carinthiacum)*, Niederliegender Enzian *(Gentiana prostrata)* oder der Österreichische Drachenkopf *(Dracocephalum austriacum)* – mit westalpinen Vertretern – etwa der Fünfblatt-Frauenmantel *(Alchemilla pentaphyllea)* oder die Mont-Cenis-Glockenblume *(Campanula cenisia)* – zusammen. In den föhndurchbrausten Trockentälern gedeiht die Rebe; die Föhre bildet ausgedehnte Waldbestände, ebenso die wärmeliebende Eiche mit Rotblauem Steinsamen *(Buglossoides purpurocaerulea)* oder am Calanda der Treppenrasen mit der Küchenschelle *(Pulsatilla montana)*. Während im Unterengadin trockenheitsliebende Rasengesellschaften siedeln – bekannt ist die Umgebung von Zernez –, treffen wir im Oberengadin Moore von nordischem Charakter. Ausgedehnte Grauerlenbestände säumen den Innlauf. Die Südtäler weisen eine ähnliche insubrische Flora wie das Tessin auf; im Puschlav ist die Buche ersetzt durch Hasel-Hopfenwälder. Hier findet sich auch der einzige Schweizer Standort von Haselwurzblättrigem Schaumkraut *(Cardamine asarifolia)*, die wir auf der Alpensüdseite von den Meeralpen bis nach Südtirol finden.

Der Schweizerische **Nationalpark** am Ofenpaß, mit 170 km² größtes Areal der Schweiz mit absolutem Naturschutz, besitzt eine reiche, von Süden und Osten her beeinflußte Pflanzenwelt. Aber auch das zahlreiche Hochwild ist auf den offiziellen Wanderwegen gut zu beobachten. Als Ausgangspunkte dienen Zernez (mit Parkmuseum) und S-chanf im Engadin sowie Il Fuorn an der Ofenpaßstraße mitten im Park. Weitere Naturschutzgebiete finden sich im südlichen Säntisgebirge, an den Murgseen (Arvenreservat), im Val del Fain am Berninapaß und im Val di Campo. Besuchenswert ist der Alpengarten auf Alp Grüm im obersten Puschlav.

Links außen: Die Churfirsten. Mächtig überragen die Churfirsten das tiefe Tal des Walensees, durch das einst der Rhein geflossen ist. Klar ist das unterschiedliche Verhalten der Gesteine gegenüber der Verwitterung und der Erosion zu erkennen. Wir können hier die gesamte Kreide-Schichtreihe der Säntisdecke beobachten. Aufnahme van Hoorick

Oben Mitte: Der Morteratschgletscher. Ein großartiger Blick eröffnet sich dem Wanderer oberhalb von Pontresina auf dem Wege zum Berninapaß. Der mächtige Morteratschgletscher ist umsäumt von den Hochgebirgen der Berninagruppe: links der Piz Palü, rechts der Piz Bernina, an den seitlichen Flanken kann das Zurückweichen des Gletschers im vergangenen Jahrhundert gut beobachtet werden. Aufnahme van Hoorick

Oben rechts: Silsersee im Oberengadin. Die malerische Seengruppe im Oberengadin ist dominiert durch das Wahrzeichen des Tales, den Piz della Margna. Das weite flache Tal bricht am Malojapaß (rechts) abrupt gegen das südalpine Bergell ab, dessen Kristallinberge man im Hintergrund erkennt. Die tieferen Hangpartien sind durch die eiszeitlichen Gletscher rundgeschliffen worden. Aufnahme Gensetter

Rechts: Die Berninagruppe aus Norden. Vom Piz Palü links über den Piz Bernina bis zum Piz Morteratsch reicht der Blick auf die kristalline Berninagruppe von einem Standort noch über Pontresina. Im letzten Jahrhundert reichte der Gletscher noch bis hinunter ins Tal zu unseren Füßen. Aufnahme Gensetter

Links oben: Die Kreuzberge. Die Verwitterung hat die senkrecht stehenden Schrattenkalkschichten zu markanten Felstürmen herausgearbeitet – berühmte Kletterberge im Alpsteingebirge. Zahlreiche Querbrüche zerlegen die Gesteinsfalte weiterhin. In der Tiefe glänzt der Rhein herauf; im Hintergrund das Vorarlberg mit der Ill. Aufnahme Gensetter

Links unten: Tschiervagletscher mit Piz Bernina. Der höchste Gipfel der Bündner Alpen, der Piz Bernina (links mit dem vereisten Biancograt, 4055 m), dominiert mit dem Piz Roseg den stark zurückweichenden Tschiervagletscher, der von mächtigen Seitenmoränen flankiert ist. Die Gebirgsgruppe liegt im unterostalpinen Berninagranit. Aufnahme Gensetter

Rechts: Der Altmann im Alpstein. Von Süden gesehen bietet der zweithöchste Berg im Säntismassiv einen wuchtigen Anblick. Nahezu senkrecht stehende Schrattenkalkplatten bauen ihn auf. Der begrünte Kamm links besteht aus dem weichen Gault-Sandstein. Querbrüche zerreißen den Berg und geben der Verwitterung reiche Nahrung. Aufnahme Maeder

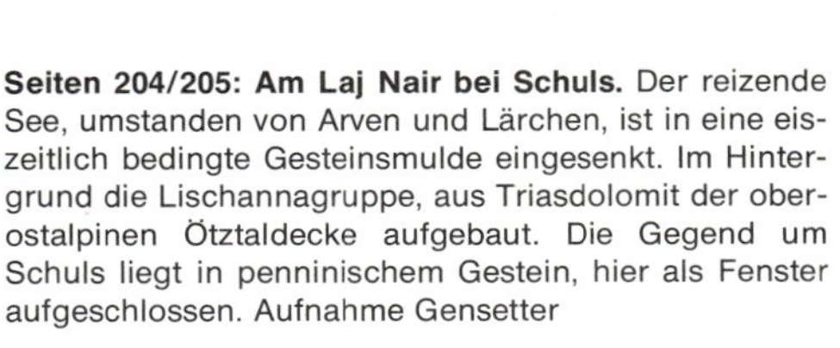

Seiten 204/205: Am Laj Nair bei Schuls. Der reizende See, umstanden von Arven und Lärchen, ist in eine eiszeitlich bedingte Gesteinsmulde eingesenkt. Im Hintergrund die Lischannagruppe, aus Triasdolomit der oberostalpinen Ötztaldecke aufgebaut. Die Gegend um Schuls liegt in penninischem Gestein, hier als Fenster aufgeschlossen. Aufnahme Gensetter

Speer (1950 m; St. Galler Alpen)

Dieser dominierende Nagelfluhberg im unmittelbaren Vorgelände der Nordalpen in der Ostschweiz bietet ein außergewöhnliches Panorama hinein in die Glarner und St. Galler Alpen und weit hinaus ins schweizerische Mittelland mit dem Zürichsee, ja bis zum Jura und zur Schwäbischen Alb. Im Aufstieg können wir nicht nur die reiche Vielfalt an Alpengeröllen in der bunten Nagelfluh der Unteren Süßwassermolasse (Chattien) studieren; wir durchwandern in der Umgebung von Amden auch Kreide- und Flyschkalke der helvetischen Säntisdecke, die mit ihrer Front im Mattstock auf die steilstehenden Nagelfluhplatten aufgefahren ist.
Ausgangs- und Endpunkt: Amden (935 m), mit Auto oder Postauto ab Weesen erreichbar.
Marschzeit: 6 Stunden (5 Stunden mit Sesselbahn Amden–Niederschlag).
Trittsicherheit und Schwindelfreiheit ist erforderlich.
Verpflegung: Oberchäseren (1649 m).

Links oben: Das Speermassiv aus Norden. Bei einem Blick aus Norden fällt uns nicht nur die markante Schichtung der mächtigen Nagelfluhplatten am Speermassiv auf. Im Hintergrund links blicken uns bereits die Frontelemente der nördlichen Alpen in den Churfirsten entgegen. Aufnahme Heierli

Links Mitte: Auf Oberchäseren. In leichtem Anstieg klimmen wir von der Alp Oberchäseren auf den Nagelfluhplatten der Unteren Süßwassermolasse hinauf zum aussichtsreichen Speergipfel. Aufnahme Verkehrsverein Amden

Links unten: Amden und der Walensee. Der Kurort Amden, Ausgangspunkt unserer Wanderung, liegt in einer weitgespannten Gesteinsmulde der helvetischen Säntisdecke, die im Mattstock zur Linken kulminiert. Hier bäumt sich die Alpenfront auf die Speer-Molasse auf. Aufnahme Heierli

Rechts: Der Schäniserberg. Von der Alp Oberchäseren, der letzten Station vor der Besteigung des Speers, erkennen wir gegen Westen die steil aufstrebenden Nagelfluhschichten am benachbarten Schäniserberg, die zum Mittelland hin in markanten Schichtköpfen abbrechen. Aufnahme Verkehrsverein Amden

Von Amden aus wandern wir über Wiesen und Alpweiden nach Chäseren nordwärts auf der Südflanke des Mattstocks (1936 m) hinauf zur Bergstation des Sessellifts bei Niederschlag. Leicht rechts haltend, gewinnen wir bald den breiten Sattel der Hinter-Höhe (1416 m) mit einem von Latschen umsäumten Hochmoor. Wir zweigen nach links ab und gehen unter den Felsen des Mattstocks nach Vordermatt und ansteigend nach Oberchäseren (1649 m). Von hier aus erklimmen wir den Gipfel des Speers (1950 m) direkt in einigen Kehren.
Den Rückweg ab Oberchäseren wählen wir anders, indem wir den Mattstock westlich, rechts, umgehen und absteigen zur Alp Unterchäseren. Hier zweigen wir nach links ab und wandern durch den Wald über Brunnenegg und Durschlägi zurück nach Amden.

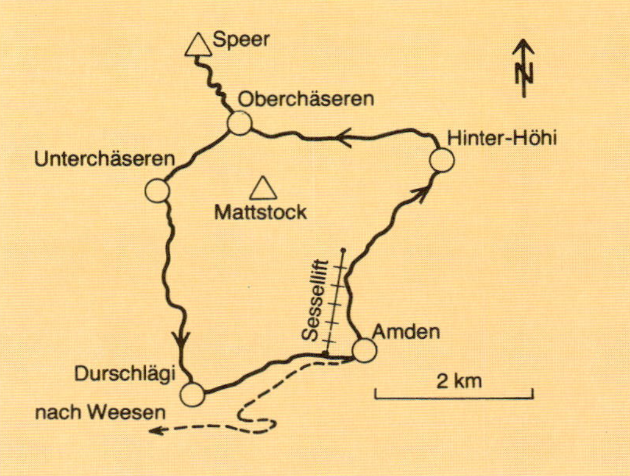

Säntis
(2501 m; St. Galler/Appenzeller Alpen)

Der höchste Gipfel des Alpstein-Massivs erhebt sich einsam hoch über dem schweizerischen Mittelland und dem Bodensee. Weit schweift der Blick in die Alpen, von der Zugspitze bis in die Berner Alpen, aber auch hinaus bis zum Schwarzwald und zur Schwäbischen Alb. Die Kalkgesteine der Kreidezeit der helvetischen Säntis-Decke bilden eine Schar von prächtig aufgeschlossenen Falten, die alle steil gegen Norden auf die Nagelfluhplatten der Molasse im Vorland aufgefahren sind. Der Säntisgipfel selbst stellt eine solche Falte dar, die bei der Talfahrt mit der Luftseilbahn schön zur Geltung kommt.
Ausgangspunkt: Wasserauen (868 m), mit Bahn oder Auto von Appenzell aus erreichbar.
Endpunkt: Schwägalp (1352 m).
Rückkehr nach Wasserauen: Mit Postauto nach Urnäsch, dann mit Bahn über Appenzell.
Marschzeit: 6 Stunden bis Säntis.
Trittsicherheit und Schwindelfreiheit sind erforderlich.
Verpflegung und Unterkunft: Meglisalp (1517 m), Säntis (2501 m).
Vom Parkplatz in Wasserauen wandern wir durch das tief eingeschnittene Tal steil auf einem Fahrweg aufwärts zum malerischen Seealpsee (1141 m). Wir umgehen den See rechts und queren die Seealp, nach links haltend, gegen Süden. Durch Wald und über leichte Felsstufen steigen wir im Zickzack auf zur Hochfläche der Meglisalp (1517 m). Nun wenden wir uns nach rechts und folgen, stets gleichmäßig steigend, dem Südhang der Roßmad zur Hütte an der Wagenlücke. In felsigem Gelände, aber stets auf gutem Weg, zuletzt über eine mit Seilen gesicherte Felsentreppe, erreichen wir den Gipfel des Säntis und genießen das weite Panorama.
Zur Schwägalp hinunter führt uns die Luftseilbahn in genußreicher Fahrt über die markante Nordwand.

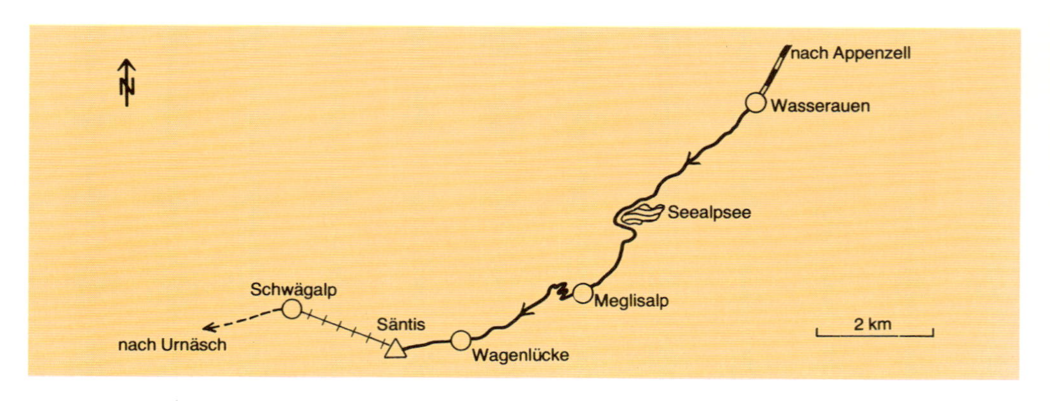

Oben: Das Säntismassiv aus Norden. Wuchtig türmt sich die abweisende Nordwand des Säntismassivs – der Alpenfront – hoch über den steil gestellten Molasserippen des Appenzellerlandes auf. Die Gesteine der Kreidezeit sind hier in mehreren Steigfalten und Schuppen aufeinandergeschoben worden. Aufnahme Baer

Unten links: Am Fälensee. Der malerische Fälensee (siehe auch Wanderung S. 210) liegt in einer engen Gesteinsmulde (Seewerkalk). Im Hintergrund der Altmann, der zweithöchste Gipfel des Säntismassivs. Die nahezu senkrechte Schichtung der Kalksteine läßt sich in der Bergkette rechts gut beobachten. Der Fälensee hat einen unterirdischen Abfluß. Aufnahme Heierli

Unten rechts: Der Säntis-Gipfel. Von der Seilbahn aus eröffnet sich ein herrlicher Blick auf den massigen Gipfelkopf des Säntis (2501 m). Seewerkalk, Gault und Schrattenkalk bilden eine gut aufgeschlossene Falte, die in die enggepreßte Mulde links am Blauschneesattel taucht. Aufnahme Heierli

Hoher Kasten – Saxerlücke
(Säntisgebirge)

Die Wanderung führt uns über einen der schönsten Höhenwege der Alpen. Auf dem Pfad sind insgesamt 14 Tafeln angebracht, die die einmalig aufgeschlossenen interessanten geologischen Verhältnisse dieses von ALBERT HEIM, dem Altmeister der Geologie, als „schönstes Gebirge der Welt" bezeichneten Massivs erläutern (erster geologischer Wanderweg der Schweiz). Auf der leichten Gratwanderung wechselt das Panorama immer wieder von den Einblicken in den Alpstein zu den Rundsichten ins Rheintal und in die Bündner und Vorarlberger Alpen. Eine reichhaltige Flora erfreut den Pflanzenfreund.
Ausgangs- und Endpunkt: Brülisau (900 m), erreichbar mit Auto oder mit Bahn und Postauto von St. Gallen und Appenzell aus.
Marschzeit: 7½ Stunden (bei Bergfahrt mit der Luftseilbahn auf den Hohen Kasten 5½ Stunden).
Verpflegung und Unterkunft: Hoher Kasten (1796 m), Stauberen (1780 m), Bollenwees (1470 m), Platte (1278 m).
Von Brülisau aus benützen wir den Weg neben der Kirche und steigen über sanft geneigte Wiesenhänge zum Ruhsitz auf (Gasthaus). Von hier windet sich der Pfad in mehreren Kehren steil hinauf zum Kastensattel, wo sich uns der Rundblick ins Rheintal und gegen Osten öffnet. In kurzer Zeit erreichen wir den Gipfel des Hohen Kasten. Diese Route kann durch die Bergfahrt mit der Luftseilbahn abgekürzt werden.
Wir steigen wieder ab zum Kastensattel und wenden uns nach links, unter der Nordwand des Hohen Kastens durch. Nun beginnt die Höhenwanderung auf gutem Weg, der teils auf dem Grat, teils entlang der Nordflanke verläuft, bis zur Stauberen. Nach Überwinden einer gesicherten felsigen Partie gelangen wir schließlich steil hinab zur Saxerlücke, wo uns die trutzig aufragenden Kreuzberge beeindrucken. Nach kurzem Abstieg stehen wir am malerischen Fälensee und wandern, nordwärts haltend, entlang der Stifelwand hinunter zur Sämtisalp, auf deren Weiden wir an den Sämtisersee gelangen – Fälensee und Sämtisersee entwässern unterirdisch durch ein ausgedehntes Höhlensystem. Nach kurzem leichtem Anstieg erreichen wir die Platte, von wo aus wir steil auf einem Fahrweg nach Brülisau zurückkehren.

Oben: Der südliche Alpstein. Im Mittelpunkt der Luftaufnahme baut sich der Hohe Kasten auf, Ausgangspunkt unserer Höhenwanderung, die auf dem Grat nach rechts zu verläuft. Die Bergkette liegt in einer gegen uns zu (gegen Norden) überliegenden Kalkfalte, die durch eine Reihe von Querbrüchen zerhackt ist. In der Tiefe im Hintergrund das St. Galler Rheintal und die Bündner und St. Galler Oberländer Berge. Aufnahme Baer

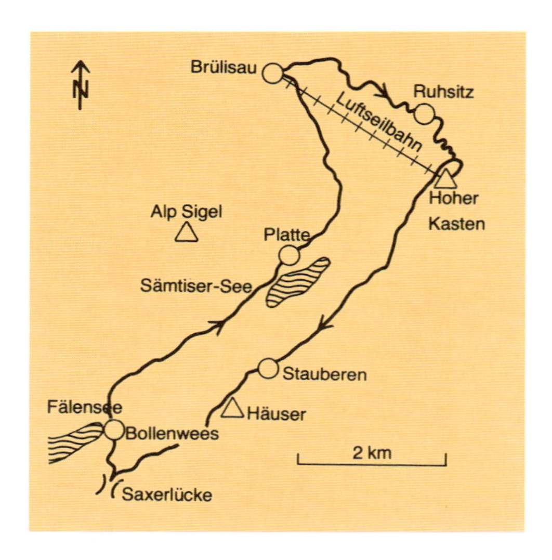

Mitte: Auf dem Geologischen Lehrpfad. Auf unserer Bergwanderung entlang dem geologischen Lehrpfad mit seinen erläuternden Tafeln stehen wir kurz vor Erreichen des Stauberen-Gasthauses vor einer imposanten aufrechten Falte aus Schrattenkalk: die Häuser und die Stauberenkanzel. Im Hintergrund rechts Altmann und Roslenfirst. Aufnahme Heierli

Unten: Der Alpstein vom Hohen Kasten aus. Ein umfassendes Panorama in den Alpstein, in die St. Galler, Liechtensteiner und Vorarlberger Höhen und hinunter ins Rheintal und zum Bodensee bietet der Hohe Kasten. Auf dem Ausschnitt im Hintergrund der Säntis, davor Alp Sigel und Marwees. Aufnahme Heierli

Oberblegisee (1420 m; Glarner Alpen)

Inmitten der wuchtigen Bergmassive des hinteren Glarnerlandes und hoch über dem tief eingeschnittenen Haupttal gelegen, ist der malerische Oberblegisee ein beliebtes Wanderziel. Glärnisch, Ortstock und Tödi sind die markantesten Berge der Umgebung. Wir durchwandern die Kalke und Sandsteine der Jurazeit, die der mittelhelvetischen Axen-Decke angehören.

Ausgangspunkt: Schwanden (520 m), erreichbar mit Bahn oder Auto von Glarus aus.

Endpunkt: Braunwald (1300 m).

Rückkehr nach Schwanden: mit Standseilbahn nach Linthal, mit Bahn nach Schwanden.

Marschzeit: 5 Stunden.

Verpflegung: Bösbächi (1360 m), Braunwald (1300 m).

Von der Station Schwanden aus (520 m) durchschreiten wir das Dorf, überqueren die Hauptstraße und steigen auf nach Thon (590 m, an der Straße nach Schwändi). Hier benutzen wir den Fußweg, der im oberen Dorfteil nach links abzweigt und uns in bequemem Aufstieg über Wiesen und durch Wald zum Sträßchen nach Eggberg (900 m) führt. Stets weiter ansteigend, gelangen wir zu den Alphütten von Unterstafel (1280 m). Diese links liegen lassend, erklimmen wir auf gutem Wanderweg die Höhe von Oberblegi, wo unvermittelt der malerische Oberblegisee zu unseren Füßen liegt, eingerahmt vom Felszirkus des Glärnisch (Bächistock und Vrenelisgärtli). Von jenseits des Haupttales grüßen die Berge um Hausstock und Kärpf herüber. Nach ausgedehnter Rast geht es in leichter Wanderung, fast horizontal, zur Alp Bösbächi-Mittelstafel (1360 m) und um die Felskante des Chnügrates herum. Hier öffnet sich der Blick auf Braunwald und auf sein Wahrzeichen, den Ortstock. Die mächtigen Gletscherberge um Tödi und Bifertenstock schließen das Glarnerland gegen Süden ab. Über blumenreiche Weiden absteigend, erreichen wir den Sommer- und Winterkurort Braunwald.

Falls uns noch Zeit bleibt, lohnt sich eine Fahrt mit der Sesselbahn auf den aussichtsreichen Gumen (1900 m, Gasthaus).

Oben links: Am Klöntaler See. Der malerische Klöntaler See – ein durch einen Erddamm aufgestauter natürlicher See im vorderen Glarnerland – ist von Glarus aus mit Auto und Postbus leicht zu erreichen. Zur Linken türmt sich die massige Nordwand des Glärnisch auf. Das tiefe Längstal liegt in einer alten Entwässerungsrinne, die heute kaum mehr aktiv ist. Der See wurde ursprünglich durch einen gewaltigen Bergsturz gestaut, dessen Trümmer bis nach Glarus stürzten. Aufnahme van Hoorick

Oben rechts: Am Oberblegisee. Der Oberblegisee, Höhepunkt unserer Wanderung, liegt in einer glazial bedingten Senke zu Füßen des Glärnischmassivs, dessen Jurakalke in steilen Wänden abstürzen. Aufnahme Heierli

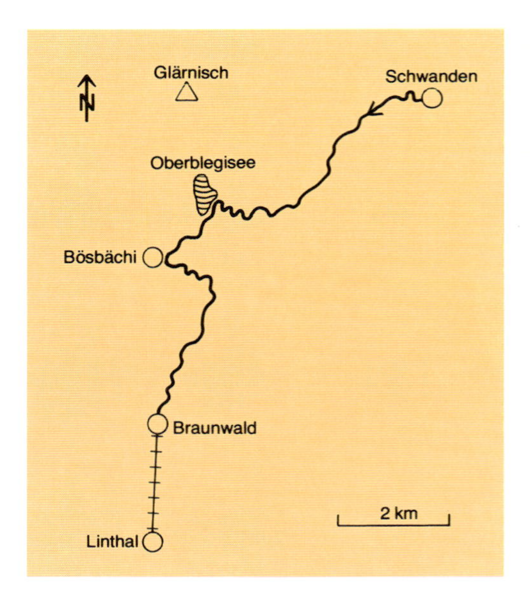

Unten: Die Berge bei Braunwald. Blick vom Oberblegisee gegen Süden, auf die Berge über Braunwald. Aufnahme Heierli

Murgseen (Glarner Alpen)

Der Übergang vom glarnerischen Sernftal zum Walensee bietet uns einen Einblick in die Berge des Glarnerlandes und des St. Galler Oberlandes. Wir durchqueren die tieferen helvetischen Decken und ihre Flysch-Basis. Bei der Fahrt von Schwanden nach Engi lohnt sich ein Besuch der berühmten „Lochseite" hinter Schwanden, wo die messerscharfe helvetische Hauptüberschiebung (permischer Verrucano über Tertiärflysch) aufgeschlossen ist. Die Wanderung führt meist durch diesen roten Verrucano, das älteste Gestein an der Basis der helvetischen Decken.

Ausgangspunkt: Engi im Sernftal (810 m), mit Bus ab Schwanden erreichbar.

Endpunkt: Murg am Walensee.

Rückkehr nach Engi: mit Bahn über Ziegelbrücke-Glarus nach Schwanden, mit Bus nach Engi.

Marschzeit: 7 Stunden.

Verpflegung und Unterkunft: Murgsee-Hütte (1820 m).

Bei der Weberei Engi zweigt der Weg ins Mülital ab. Entlang dem Mülibach bis Ueblital (1190 m), wo wir uns links halten und steil zum Widersteiner Hüttli (1830 m) aufsteigen. Nun leichter über Alpweiden und zwischen Felsblöcken hindurch zur Widersteiner Furggel (2010 m), wo sich das Panorama gegen Norden öffnet: Schwarzstöckli, Mürtschenstock, Etscherzapfen. Vor uns in der Tiefe liegt der Obere Murgsee. Nach einem Blick zurück gegen Süden, ins Gletscherreich des Vorab, steigen wir ab zu den Murgseen (1820 m, Berghaus, Arvenreservat). Bald führt uns der Weiterweg am Unteren Murgsee (1700 m) vorbei. Wir halten uns rechts und gelangen durch Legföhren und lichte Wälder nach Merlen (1090 m). Die nun folgende geteerte Straße nach Murg hinunter kann teilweise über Abkürzungen umgangen werden. Auf steilem Waldweg erreichen wir Murg am Walensee, mit Blick hinüber zu der an die Dolomiten erinnernde Südwand der Churfirsten. Vom Murgsee aus kann das Hochmättli auch über die Murgseefürggel mit annähernd gleicher Marschzeit links umgangen werden (Variante).

Der Mürtschenstock von der Mürtschenalp aus
Auf den mächtigen wandbildenden Öhrlikalken der Unterkreide ruht in der Gipfelpartie ein Relikt von Betliskalk und Kieselkalk. Die Kreideserie der tiefhelvetischen Mürtschendecke wird von Trias und von dunklem permischem Verrucano – dem tiefsten Element der auf Flysch überschobenen helvetischen Schubmasse – unterlagert. Auf den undurchlässigen Lokalmoränen im Vordergrund haben sich Moore und Sümpfe angesiedelt.

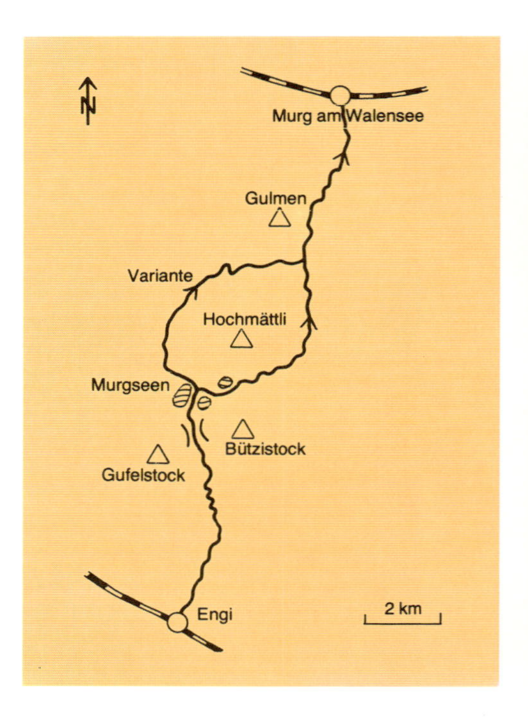

Am Unteren Murgsee. Die Umgebung der drei reizenden Murgseen ist geschütztes Naturreservat mit einem geschlossenen Bestand an Arven (*Pinus cembra,* Zirbelkiefer). Die Seengruppe im rötlichen Verrucano ist durch die Wirkung der eiszeitlichen Lokalgletscher geschaffen worden, die die Wannen ausschürften, die harten Steilstufen akzentuierten und eine Rundhöckerlandschaft schufen. Im Hintergrund die Triaskappe der Mürtschendecke. Aufnahme Gensetter

Drei Schwestern
(Liechtensteiner Alpen)

Das markante Felsmassiv der Drei Schwestern im Fürstentum Liechtenstein, hoch das Rheintal überragend, kann in einer lohnenden Höhenwanderung mit vielen Aussichtspunkten hinüber in die Vorarlberger und die Ostschweizer Berge begangen werden. Auf einer Unterlage von weichem penninischem Flysch thronen die Trias-Dolomitberge des Liechtensteins als westlichste Vertreter der oberostalpinen Nördlichen Kalkalpen (Lechtal-Decke), aufgefahren auf die im Falknis-Massiv vertretenen hochpenninisch-unterostalpinen Sedimente.
Ausgangspunkt: Planken (786 m), Postauto oder Auto ab Schaan.
Endpunkt: Steg (1300 m).
Rückkehr: mit Postauto über Vaduz–Schaan.
Trittsicherheit und Schwindelfreiheit sind erforderlich.
Verpflegung: Gafadura-Hütte (1428 m), Steg (1300 m).
Von Planken aus steigen wir, die Fahrstraße abkürzend, auf markiertem Weg durch den Wald hinauf zur Gafadura-Hütte (1428 m). Auf Alpweiden, dann durch lichten Wald erreichen wir in mehreren steilen Kehren den Sarojasattel (1628 m) auf dem Grenzkamm gegen Österreich, mit Blick auf die Vorarlberger Höhen. Nach rechts haltend, links des Grates gegen Süden aufsteigend, umgehen wir die Gipfeltürme der Drei Schwestern auf einem mit Leitern und Drahtseilen gesicherten Felspfad. Nun auf dem felsigen Grat weiter zum Garsellakopf (2105 m) und zum Kuhgrat, mit 2123 m höchste Erhebung des Kammes, wo wir die unvergleichliche Aussicht genießen.
Weiter folgen wir stets dem Grat, zuerst rechts, dann links der Höhe, mit geringen Höhenschwankungen, zuletzt steigen wir – bei der Weggabelung – nach links zur Scharte (1937 m) zwischen Alpspitz und

Hehlawangspitz haltend durch einen nicht schwierigen Kamin. In Kehren geht es über Alpweiden und durch Legföhren hinunter zur Alp Bargella (1685 m), dann dem Osthang entlang auf den Grat, dem wir bis zum oberen Straßentunnel folgen. Von hier auf Abkürzungen hinunter nach Steg.

Oben links: Auf dem Fürstensteig. Der sogenannte „Fürstensteig" führt als gut ausgebauter und gesicherter Bergpfad über die ganze Kette der Drei Schwestern. Wir wandern im Triasdolomit der oberostalpinen Lechtaldecke. Aufnahme Eberle

Oben rechts: Das Liechtensteiner Hochtal. Wir blicken von der Alpe Turna auf den Endpunkt unserer Wanderung, auf das Dörfchen Steg im Malbuntal. Im Hintergrund der Augstenberg und das Sareiserjoch im Grenzkamm gegen Österreich. Aufnahme Eberle

Links: In den Drei Schwestern. Die Plankner Türme im Massiv der Drei Schwestern sind aus Triasdolomit aufgebaut. Charakteristisch sind die mächtigen Schutthalden. Die Drei Schwestern ruhen auf einem Polster von penninischem Wildflysch und zählen zu den „Nördlichen Kalkalpen", speziell zur oberostalpinen Lechtaldecke. Aufnahme Eberle

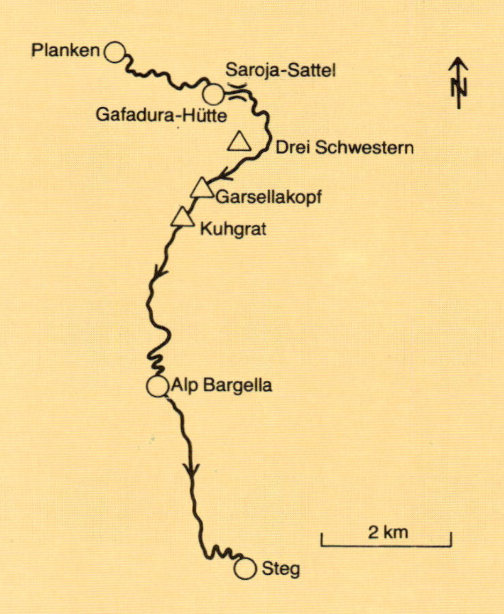

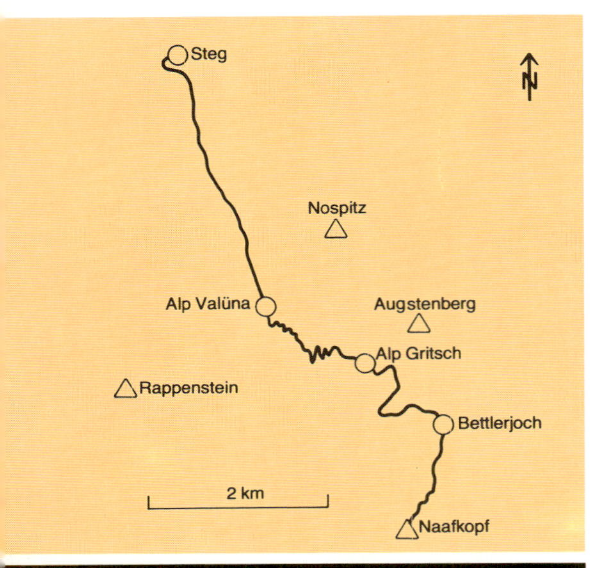

Naafkopf
(2570 m; Liechtensteiner Alpen)

Die „Dreiländerspitze" – Grenzberg Österreich/Schweiz/Liechtenstein – im westlichen Rätikon ist aus Kreidekalken der hochpenninisch-unterostalpinen Falknis-Decke aufgebaut, die hier einheitlich gegen Norden einfallen. Man erhält von diesem Gipfel aus einen guten Einblick in die Berge des zentralen Graubündens, in den Rätikon, in die Liechtensteiner, Ostschweizer und Vorarlberger Höhen in der Grenzzone Helvetikum/Penninikum/Ostalpin.
Ausgangs- und Endpunkt: Steg (1300 m), Postauto oder Auto ab Vaduz.
Marschzeit: 7 Stunden.
Verpflegung und Unterkunft: Pfälzerhütte auf dem Bettlerjoch (2108 m).
Von Steg aus gehen wir zur Brücke hinab und wandern links des Stausees durch das Saminatal südwärts bis zur Alp Valüna-Säss (1409 m). Wenig südlich der Alphütten zweigt ein Pfad nach links hinauf ab und windet sich im Zickzack steil hinauf zum Plateau der Alp Gritsch (1897 m). In weitem Bogen zieht sich der Weg zu einer markanten Rippe hinüber und schließlich mit wenig Steigung zum Bettlerjoch (2108 m) hinauf.
Wir halten rechts, südwärts und steigen auf einem Wiesenrücken auf. Bei der Gabelung wählen wir den Weg rechts und gelangen über Grashänge, leichte Felsstufen und Geröllhalden auf den Gipfel des Naafkopfs.
Rückweg gleich wie Aufstieg.

Links: Ungarischer Enzian *(Gentiana pannonica),* auch Brauner Enzian genannt. Hier in Liechtenstein, einem ihrer westlichsten Standorte, findet man die seltene Pflanze in lichten Föhrenwäldern und auf Alpwiesen. Blütezeit August/September. Aufnahme Kohlhaupt

Rechts: Auf dem Bettlerjoch. Das Bettlerjoch mit der Pfälzerhütte von unserem Wanderweg aus. Nach rechts führt uns der leichte Anstieg hinauf zum Gipfel des Naafkopfs. Im Hintergrund die Berggruppe des Scesaplana, des höchsten Berges des westlichen Rätikons. Wir befinden uns in Triasdolomiten der Lechtaldecke. Aufnahme Eberle

Piz Mundaun (2064 m; Graubünden)

Auf dem Bergsporn zwischen dem Vorderrheintal und dem Lugnez, auf der „Bündner Rigi", genießen wir eine schöne Aussicht auf die Grenzgebirge zu Glarus und St. Gallen mit dem dominierenden Tödi – autochthone Zentralmassive mit Sedimentbedekkung –, auf die Bündnerschiefer-Berge der Umgebung (penninisches, metamorphes Mesozoikum) und auf das gewaltige Bergsturzgebiet von Films. Auf der Wanderung können wir die mächtige, stark verfältete penninische Bündnerschiefer-Serie, metamorphe Kalkschiefer und Phyllite, studieren.
Ausgangs- und Endpunkt: Villa im Lugnez (1244 m), Postauto ab Ilanz.
Marschzeit: 5 Stunden.
Verpflegung: Berghaus Bündner Rigi (1618 m).
Von Villa aus steigen wir über Weiden den Hang nordwärts auf zum Dorf Morissen (1346 m) und weiter zur Kapelle San Carli (1604 m) auf dem Ostgrat des Piz Mundaun. Hier wendet sich der Pfad gegen Westen zum Berghaus Bündner Rigi (1618 m). In leichtem Anstieg über Alpweiden erreichen wir den Gipfel des Piz Mundaun (2064 m).
Auf dem Bergkamm wandern wir weiter in südwestlicher Richtung, stets die Rundsicht genießend, zur Kuppe von Hitzeggen (2112 m, Luftseilbahn nach Villa). Über die Alp Lavadinas steigen wir ab nach Villa.

Oben: Im Vorderrheintal. Blick von Obersaxen, im Aufstieg zum Piz Mundaun, über das Vorderrheintal hinweg auf den Cavistrau, mit den Ortschaften Schlans und Dardin an seinem Fuß. Die Berggruppe des Cavistrau zeigt typisch kristalline Verwitterungsformen; sie gehört dem Zentralmassiv mit herzynischen Graniten und präherzynischen Gneisen an. Aufnahme Gensetter

Unten: Der Piz Mundaun. Von der Sonnenterrasse von Breil schweift unser Blick hinüber zum Piz Mundaun und zu den Weilern der Hochebene von Obersaxen. Juragesteine der mesozoischen Hülle des Gotthard-Massivs bauen den Piz Mundaun auf, dessen Oberfläche glazial überprägt wurde. Aufnahme Geiger

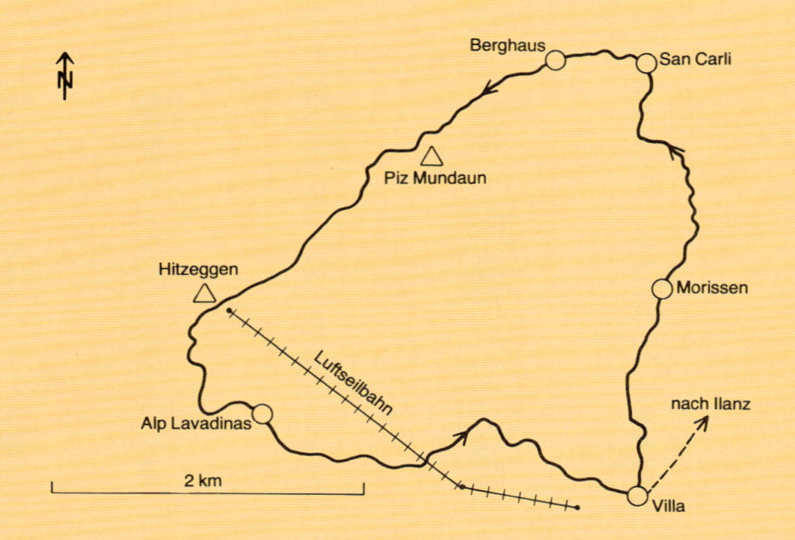

Es-cha-Hütte (Chamanna d'Es-cha, 2594 m; Graubünden)

Diese leichte Rundwanderung gibt uns einen Einblick ins untere Oberengadin, erfreut uns aber auch durch die reiche Flora. Wir wandern zumeist in Dolomiten und Rauhwacken der Trias und in plattigen und mergeligen Liaskalken (Allgäu-Lias) der oberostalpinen Ortler-(Ela-)Decke. Bei der Es-cha-Hütte treffen wir auf die überschobenen Gneise des oberostalpinen Silvretta-Kristallins, des Stamm-Kristallins der „Nördlichen Kalkalpen", die von mächtigen Moränenzügen der Lokalgletscher bedeckt sind.

Ausgangs- und Endpunkt: Zuoz (1716 m), Bahn, Straße.

Marschzeit: 7 Stunden.

Verpflegung: Es-cha-Hütte SAC (2954 m). (Nicht immer bewirtschaftet.)

Vom Dorfplatz Zuoz aus steigen wir, links haltend, über Alpweiden auf, entlang dem Hang und treten in das Val d'Es-cha ein. Kurz nach den Alphütten der vorderen Es-cha-Alp, bei etwa 2140 m, zweigen wir auf einem Bergwanderweg nach rechts ab und erreichen nach steilem Anstieg die Kuppe des Muot Ot (Kreuz), hinter dem die beiden Hütten der Chamanna d'Es-cha (2594 m) auf einem Moränenkamm liegen. Von hier führt ein gut ausgebauter Fußweg, ziemlich genau den Höhenlinien folgend, durch das hintere Val d'Es-cha zur Fuorcla Gualdauna (2470 m). Ein kurzer Abstecher auf den Gualdauna zur Linken (2620 m) lohnt sich wegen der Aussicht. Von der Fuorcla steigen wir in westlicher Richtung ab zur Albula-Straße und wenden uns auf dem alten Albulaweg (südlich des Baches) talauswärts. Bei der obersten Spitzkehre der Fahrstraße, die wir bei der Alp Alesch wieder erreichen, zweigen wir nach links auf einen prächtigen Höhenweg („Segantiniweg") ab, der uns durch lichte Lärchenwälder zurück nach Zuoz führt.

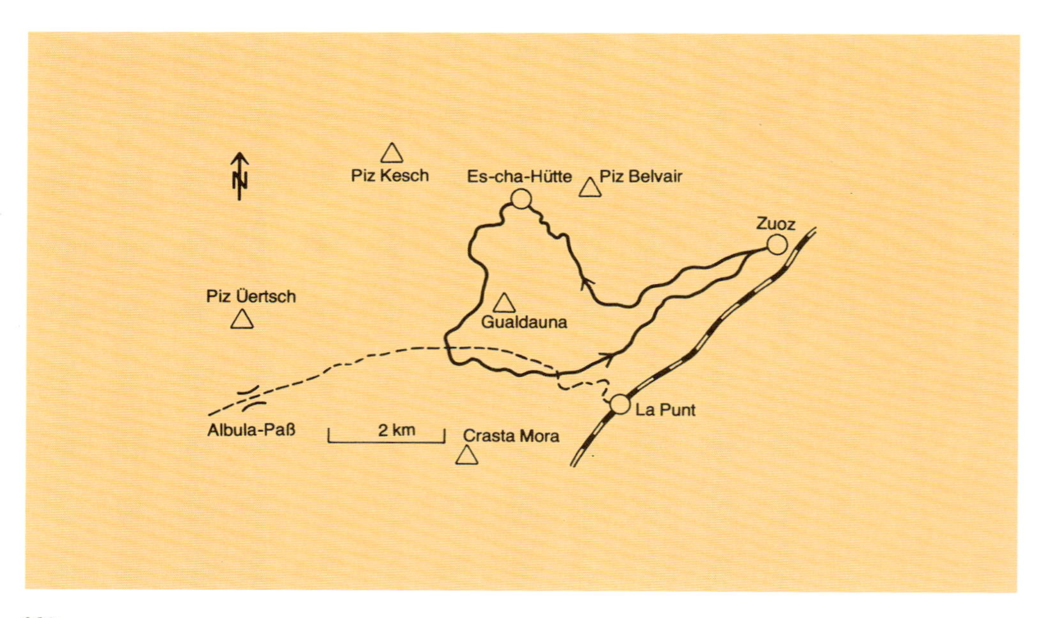

Oben: Bei der Es-cha-Hütte. Die Es-cha-Hütte (SAC) im Morgenlicht, überragt von der Kesch-Nadel, einem bekannten Kletterberg im Kesch-Massiv. Die Hütte steht auf einer mächtigen Mittelmoräne. Im Mittelgrund die Stirnmoräne eines Lokalgletschers. Das Keschmassiv zählt zum Kristallin der oberostalpinen Silvrettadecke. Aufnahme Heierli

Rechts: Blick über den Albulapaß. Auf dem Albulapaß (Pass d'Alvra), einem der Übergänge ins Engadin. Der weite Paß liegt in einer geologisch komplexen Zone von unter- bis oberostalpinen mesozoischen Schuppen. Im Hintergrund der Piz Blaisun, wo im schiefrigen Lias prachtvolle Kleinfalten zu entdecken sind. Aufnahme Heierli

Piz Lunghin (2780 m; Graubünden)

Die landschaftlich und geologisch wohl lohnendste Tour auf der Hauptwasserscheide der Alpen führt uns auf den markanten Piz Lunghin, von dem aus die Gewässer ihren Weg in drei verschiedene Weltmeere nehmen: Der Rhein in die Nordsee, der Inn zum Schwarzen Meer, die Maira zum Po und zur Adria. In einmaliger Klarheit liegen die Oberengadiner Seen und die vergletscherte Bergwelt um den Piz Bernina einerseits, die südalpinen Gebirge mit dem bizarren Bergeller Granitmassiv anderseits vor uns. Wir wandern im paläozoischen Altkristallin, in Paragneisen und Glimmerschiefern der höchsten penninischen Einheiten (Sella- und Margna-Decke), treffen auf dem Lunghin-Paß aber auch linsenförmige Züge von Trias-Dolomiten und Radiolariten der Sella-Decke an.

Ausgangspunkt: Malojapaß (1815 m), mit Postauto ab St. Moritz erreichbar.
Endpunkt: Casaccia im Bergell (1458 m).
Rückkehr zum Malojapaß: mit Postauto.
Marschzeit: 6 Stunden.
Verpflegung: Keine Möglichkeit.

Auf Maloja fällt uns nicht nur die Diskrepanz zwischen dem weiten, flachen Oberengadin und dem engen, schluchtartig eingetieften Bergell auf; der Paß als heutige Wasserscheide zwischen Inn und Maira ist auch geprägt von eiszeitlichen Gletschern: Rundgeschliffene Gneisbuckel und zahlreiche besuchenswerte Gletschermühlen auf dem Burghügel am Fuß des Piz Lunghin.

Vom Dorf Maloja (1809 m) gehen wir auf der Straße Richtung Silvaplana. Gegenüber der kleinen Kapelle zweigt unser Weg nach links ab zum Weiler Pila. Nach Überschreiten des wilden jungen Inn steigen wir in vielen Kehren steil an und erreichen nach etwa 2 Stunden den malerischen Lunghinsee, wo der Inn seinen Ursprung nimmt. Über Moränenzüge gelangen wir bald auf den Lunghinpaß (2645 m). Ein Abstecher zum nahen Piz Lunghin lohnt sich wegen der herrlichen Rundsicht und des Tiefblicks auf die Täler von Engadin und Bergell. Vom Paß steigen wir über leichtes Geröll und Weiden ab zum Septimerpaß (2310 m) und wenden uns, vorerst auf römischem Pflaster – der Septimerpaß war in jener Zeit ein bedeutender Alpenübergang –, dann steil hinab ins Val Maroz und nach Casaccia im obersten Bergell.

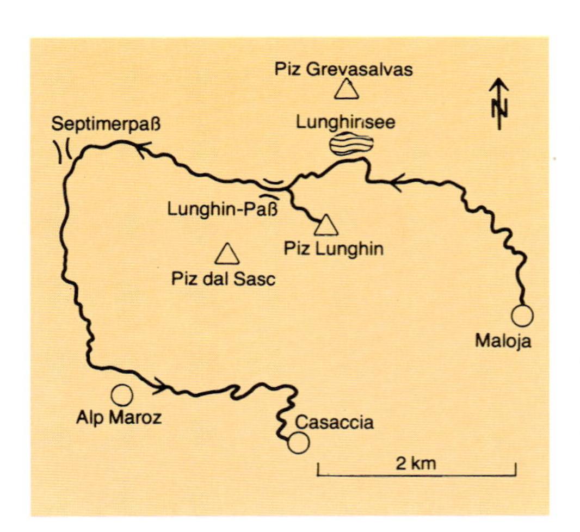

Oben: Im Oberengadin. Der Weiler Grevasalvas am Fuß des Piz Lunghin mit den charakteristischen Steindächern, hoch über dem Silsersee. Gegenüber die Berggruppe des Piz Corvatsch. Deutlich sind die Terrassen in verschiedenen Höhen zu erkennen: Spuren der Eiszeit, verschiedene Gletscherstände des Inngletschers. Die Wälder bestehen aus Lärchen und Arven. Aufnahme Gensetter

Unten links: Beryll. Der glasklare grüne Beryll ist ein typisches Produkt der Kontaktmetamorphose am Rande des im Miozän in die penninischen Sedimentgesteine eingedrungenen Bergeller Batholithen (Bergeller Granit). Aufnahme Grammacioli

Unten rechts: Der Piz Lunghin. Am Lunghinsee entspringt der Inn. Im Hintergrund der Piz Lunghin, Wasserscheide von Flüssen, die in drei Weltmeere führen. Wir befinden uns im tiefsten Stockwerk des Ostalpins, im Kristallin der Errdecke, das durchsetzt ist mit mesozoischen Schuppen. Zur Linken ein prachtvoller Gletscherschliff. Aufnahme Gensetter

Im Schweizerischen Nationalpark
(Graubünden)

Im Nationalpark, dem größten Naturschutzgebiet der Schweiz, darf nur entlang der bezeichneten Pfade gewandert werden. Der Park im bündnerischen Hochgebirge an der Grenze zu Italien wird sich selbst überlassen; die Natur kann sich hier ohne jeglichen menschlichen Einfluß entfalten. So verspricht diese Wanderung auf den Munt La Schera ein besonderes Erlebnis für den Naturfreund zu werden: Alpenblumen und die vielen Alpentiere – Hirsche, Gemsen, Murmeltiere, Steinböcke, Adler und viele andere – sind in großer Zahl vertreten. Helle Trias-Dolomite und plattige Allgäu-Liaskalke des Oberostalpins (Sedimentbedeckung des Silvretta-Kristallins) bauen die wuchtigen Bergformen mit ihren ausgedehnten Schutthalden auf. Der Blick öffnet sich gegen den Ofenpaß und ins italienische Livigno.

Ausgangs- und Endpunkt: Il Fuorn (1794 m), mit Postauto oder Auto ab Zernez erreichbar.
Marschzeit: 5½ Stunden.
Verpflegung: Il Fuorn (1794 m), Stradin (1968 m).
Vom Parkplatz Nr. 5 bei Il Fuorn steigen wir gegen Süden an durch den Wald von God la Drossa, uns stets an den markierten Pfad haltend, hinauf zur Alp la Schera (2091 m). Beim Parkwächterhaus wenden wir uns nach links hinauf, bei der Weggabelung nochmals nach links und steigen zum weiten Gipfelplateau des Munt la Schera (2586 m) hinauf, wo wir den Rundblick genießen.
Vom Ostende des Gipfelplateaus wandern wir gegen Südosten hinunter auf die Einsattelung (2370 m) und dann ostwärts, zuletzt leicht absteigend zur Alp Buffalora (2038 m). Über eine Stufe hinunter erreichen wir bei Stradin (1968 m) die Ofenpaß-Straße. Von hier aus können wir in einer Stunde auf Wegen entlang der Straße nach Il Fuorn zurückgelangen.

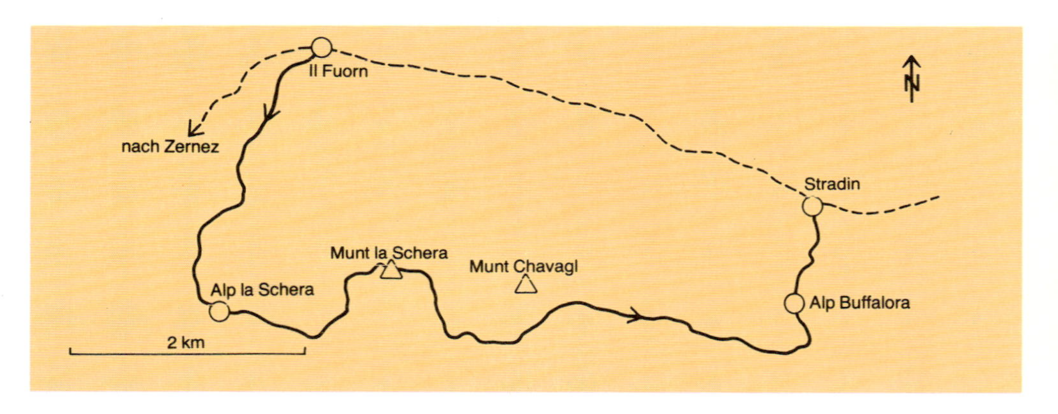

Oben: Im Val Mingèr. Arven in der Kampfzone im Val Mingèr im Schweizerischen Nationalpark. Im Hintergrund der Piz Madlain. Die Natur ist hier völlig sich selbst überlassen; der Wanderer darf nur den markierten Wegen folgen. So hat sich hier in wenigen Jahrzehnten eine schätzenswerte Oase inmitten der hektischen Zivilisation entwickelt. Aufnahme Gensetter

Unten links: Mont Cenis-Glockenblume *(Campanula cenisia).* Die Mont Cenis-Glockenblume findet auch im Nationalpark günstige Verhältnisse. Man findet sie, allerdings selten, in dolomitischen Geröllhalden und Blockschutt über 2000 m. Aufnahme Müller

Unten rechts: Im Scarltal. Der berühmte Arvenwald von Tamangùr wird überragt vom Piz Starlex. Dolomite und Gneise der oberostalpinen Scarl-Decke und der Silvrettadecke bauen weite Teile des Nationalparkes auf. Aufnahme Gensetter

Allgäuer Alpen und Vorarlberg

Im Westen und Süden begrenzt durch die Staatengrenze Österreichs gegen die Schweiz und Liechtenstein, ist die Abgrenzung gegen Osten gegeben durch die Linie Piz Buin (Silvretta)–Arlbergpaß–Lech–Füssen. Die Region umfaßt den nördlichen Alpenraum von den niedrigen Kalkbergen bis zu den vergletscherten Hochalpen in der Silvretta und im Rätikon.

Geologie. Mehrere bauliche Einheiten überlagern sich, von Süden her überschoben. Die einzelnen Decken bilden eine Schar paralleler Zonen, deren tektonisch tiefste die helvetische Säntis-Decke ist, die in Form einer Aufwölbung in der Hohen Kugel, an der Canisfluh und im Hohen Ifen gipfelt und die Strukturen des Säntismassivs jenseits des Rheintal-Grabens vereinfacht gegen Osten fortsetzt. Zu den vorherrschenden Kreide-Gesteinen gesellen sich um die Canisfluh auch Kalke und Mergel aus Malm und Dogger. Auf die steilgestellten Molasseplatten ist die Säntis-Decke auf einem ultrahelvetischen Flyschpolster (Sigriswanger Decke) aufgefahren. Östlich von Oberstdorf wird die Säntis-Decke ihrerseits von höheren Elementen überfahren und zieht als nur mehr schmales Band, oft als isolierte Schürfpakete aus Kreide-Gesteinen über Sonthofen zum einsam ragenden Felszahn des Grünten, um am Forggensee gegen Osten auszukeilen. Südlich schließt ein breites Band von weichem penninischem „Vorarlberger Flysch" an, die Üntschen- und die Feuerstätter-Decke, in die das Große Walsertal mit seinen rundlichen Bergformen eingebettet liegt. Die oberostalpinen Sedimente, die „Nördlichen Kalkalpen", sind auf breiter Front über diese Flyschmassen aufgefahren. Deren mesozoische Kalkserien – vom Buntsandstein über triadische Dolomite, fossilreiche Kössenerschichten des Rät, Allgäuer Fleckenmergel, roten Radiolarit bis zu den hellen Flyschmergeln der Oberkreide – haben sich ihrerseits in mehreren Paketen (Teildecken) gegen Norden und Nordwesten überschoben und sind östlich der Iller weit vorgeprellt bis nahe dem Alpenrand. Sie gliedern sich in die tiefere Allgäu-Decke und die höhere Lechtal-Decke, die beide in sich verfaltet sind. Südlich einer Linie Schruns–Arlbergpaß stößt das Ötztal-Silvretta-Kristallin mit steiler Anschiebungsfläche an die Sedimente der Nördlichen Kalkalpen an. In dieser kristallinen ursprünglichen Basis der oberostalpinen Sedimentserien finden wir Ortho- und Paragneise, Glimmerschiefer und Phyllite vorherzynischen Alters sowie Amphibolite. Die Rätikonkette ihrerseits ist aus Malm- und Kreideschollen der penninischen Sulzfluh- und Falknis-Decke aufgebaut, die arg gequetscht an der Basis der oberostalpinen Schubmasse vorgeschleppt wurden.

Oben: Im Stillachtal. Im Hinterland von Oberstdorf im Allgäu stehen wir auf dem Himmelschrofen und blicken hinüber gegen Westen zum Fellhorn. Weiche Juragesteine der Nördlichen Kalkalpen dominieren. Aufnahme Vogler

Links: Über dem Seealpsee. Nahe bei Oberstdorf liegt der malerische Seealpsee. Wir stehen auf dem Zeiger und blicken gegen Südwesten auf die Grenzkette zum Vorarlberg mit – von links – Mädelegabel, Hohes Licht und Biberkopf. Der letztere Gipfel ist der südlichste Punkt Deutschlands. Die Region liegt in den Liaskalken der oberostalpinen Nördlichen Kalkalpen. Aufnahme Vogler

Allgäuer Alpen und Vorarlberg

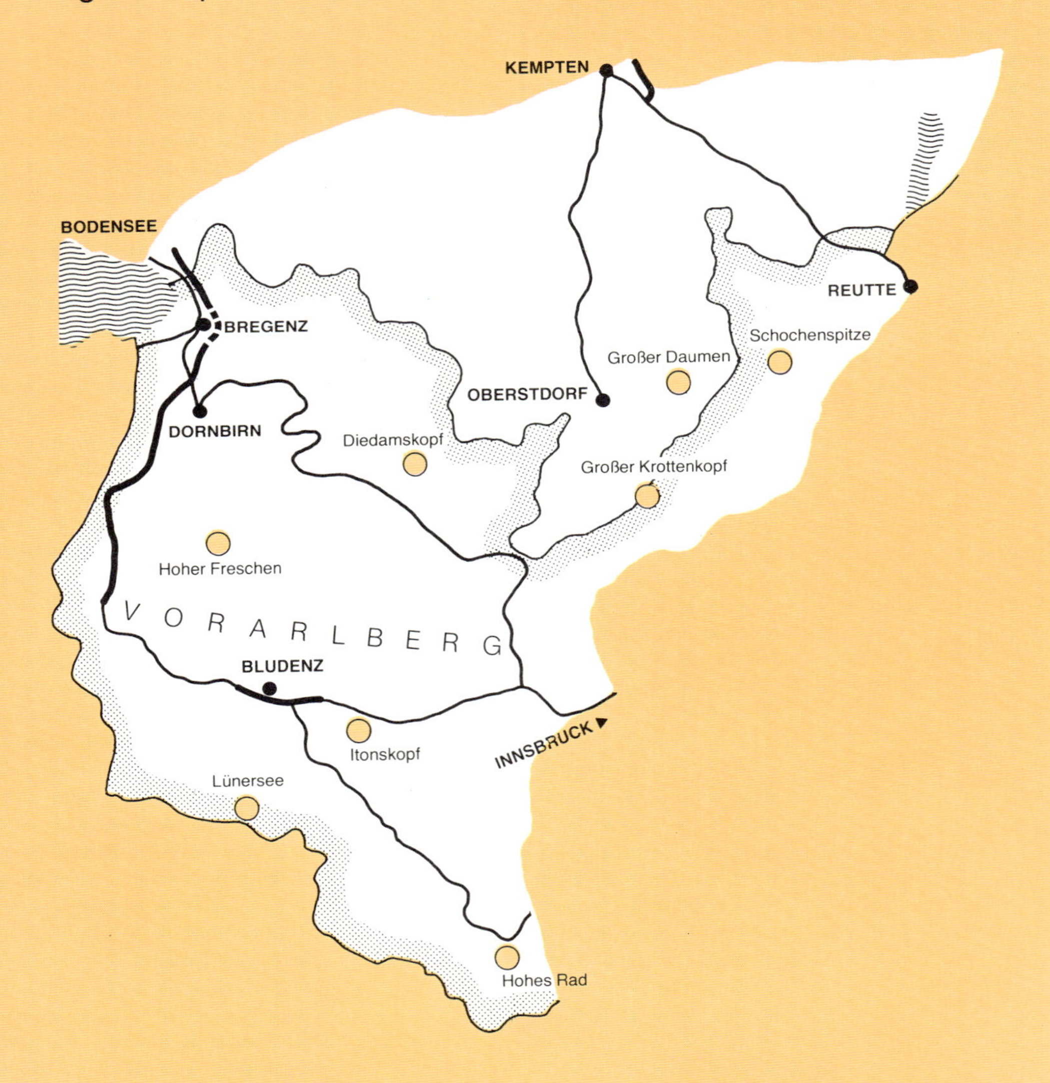

Der Haldensee bei Tannheim. Im Tiroler Tannheimer Tal, in der Stirnzone der oberostalpinen Allgäu-Decke gelegen, genießen wir die herbstliche Stimmung und erkennen in der Ferne gegen Osten die Rothenfluh. Aufnahme Vogler

Am Rappensee. Hoch überragen der Hochrappenkopf und das Rappenköpfle den Gebirgssee im Allgäu. Gut läßt sich die Aufschiebung der hellen Jurakalke auf die dunklen Mergelkalke des Rappenköpfle und die Verfaltung erkennen. Aufnahme Vogler

Oberflächengestaltung. Von den vergletscherten Hochgebirgen in der Silvretta senkt sich das Gelände stetig gegen Norden ab. In drei Hauptrichtungen entwässern die Flüsse: Ill, Alfenz und Lutz gegen Westen zum Rhein hin; die Iller gegen Norden und die Lech nach Nordosten zum Forggensee. In tiefer Furche durchzieht die Bregenzer Ache den Bregenzer Wald. Die großen Gebirgszüge verlaufen, übereinstimmend mit den geologischen Strukturen, in Ost-West-Richtung und schwenken im östlichen Abschnitt gegen Nordosten ab. Die hochalpine, kristalline Silvrettagruppe gipfelt im 3399 m hohen Fluchthorn und im Piz Buin (3312 m). Zahlreiche Gletscher umsäumen diese Grenzberge zur Schweiz. Ihre westliche Fortsetzung im Rätikon ist ganz anderer Natur: Abweisende, an die Südtiroler Dolomiten erinnernde Kalkmauern mit ausgedehnten Schutthalden überragen die Alpweiden. In der hier dominierenden Scesaplana (2965 m) erreicht der Rätikon seine größte Breite. Jenseits des Vorarlberger Haupttales bildet die Kette der Roten Wand (2704 m) den Abschluß gegen Norden. Vom Hohen Freschen zum markanten Hohen Ifen zieht sich eine weitere, die Zweitausendergrenze nur knapp überschreitende Berggruppe, in der Karrenfelder über weite Strecken vorherrschen, vom Rheintal gegen Osten. Die eigentlichen Allgäuer Alpen schließlich trennen die Flußgebiete von Iller und Lech. Zahlreiche Seen säumen den Alpenrand und geben Zeugnis von den Wirkungen der Eiszeiten, wie auch in den Haupttälern immer wieder Moränenzüge und Terrassen sowie die zahlreichen Wasserfälle der Nebentäler an die Vergletscherung erinnern. Den Wanderer überrascht die Vielgestalt der Landschaft, von den lieblichen weiten Almen der Flyschzone über die dunklen Wälder des Bregenzer Waldes zu den hellen

Kalkbergen bis hin zu bizarren Gebirgsformen der kristallinen Hochalpen im Süden. Den besten Überblick gewinnt man von der mit der Seilbahn erreichbaren Valluga (2809 m) am Arlbergpaß aus. Besuchenswert sind auch die Rappenloch-Schlucht an der Dornbirner Ach, die Breitach-Klamm bei Tiefenbach und die Sturmannshöhle bei Obermaiselstein.

Klima. Im westlichen Abschnitt unserer Region wirkt sich die große Wasserfläche des Bodensees in einem ausgeglichenen, ausgesprochen milden Klima aus. Der warme und trockene Föhn, der durch das Rheintal nordwärts braust, tut noch ein weiteres, um die Vegetationsdauer zu verlängern. Mit 200–300 cm Jahresniederschlag zählt der gegen das Vorland hin offene Bregenzer Wald zu den regenreichsten Gebieten der Ostalpen; hier stauen sich die feuchten West- und Nordwinde an den Gebirgshängen. Kaltlufteinbrüche können auch im Sommer den Hochalpen Schnee bringen. Das südliche Vorarlberg wie auch das Lechtal sind dagegen von den kalten Winden, aber auch gegen den Föhn abgeschirmt. Dabei wirkt die wuchtige Silvretta-Rätikon-Kette als bedeutende Wetterscheide.

Pflanzenwelt. Die Zweiteilung des Gebietes nach Gesteinen in Kalk-Mergel-Voralpen und kristalline Hochalpen spiegelt sich auch im Pflanzenkleid: Kalkliebende Blumen findet man nördlich des Klostertales, kalkfliehende dagegen in Silvretta- und Verwallgruppe. Im übrigen gleicht die Flora derjenigen der Ost- und Zentralschweiz, aber mit vermehrtem Einfluß von ostalpinen Elementen. Die unterste Stufe ist beherrscht von Buchenwäldern mit Christrosen *(Helleborus niger)*, die in den Zentralalpen fehlen, oder mit dem Hainsalat *(Aposeris foetida)*. Darüber folgt der subalpine und montane Fichtenwald. Ausgedehnte Krummholzbestände (Latschen, Legföhren) siedeln an den Steilhängen. Die montanen Lärchenwälder sind nur spärlich von der Arve durchsetzt. Im Strauchgürtel treten die Bewimperte Alpenrose *(Rhododendron hirsutum)* und die Zwergalpenrose *(Rhodothamnus chamaecistus)* auf.

Pflanzen- und Tierschutzgebiete finden wir am Hoch Ifen/Gottesacker, in der Kette der Allgäuer Alpen vom Schrofenpaß bis Hindelang, auf der Vilsalpe in den Lechtaler Alpen und am Hochtannbergpaß.

Links (S. 232): Die Scheienfluh im Rätikon. Malmkalke der hochpenninischen Sulzfluh-Decke bauen das Massiv auf. Prächtig sichtbar sind die komplizierten Verfaltungen und die Klüfte in den massigen Kalken. Intensive Verwitterung hat aus der Sulzfluh-Kette bizarre Bergformen herausmodelliert. Aufnahme Gensetter

Oben links: Die Höfatspitzen. Hoch über dem Oytal im Allgäu erheben sich die bizarren Kletterberge aus dünnbankigem Jurakalk des Oberostalpins. Mächtig hat die Verwitterung gewirkt und das Massiv entlang von Klüften zerlegt. Aufnahme Vogler

Oben rechts: Bei Einödsbach. Im reizenden Stillachtal bei Oberstdorf blicken wir gegen Osten auf den Grenzkamm mit – von links – Trettachspitzen, Mädelegabel, Hochfrottspitze und Bockkarkopf. Aufnahme Vogler

Unten: Auf dem Hohen Licht. Auf dem felsigen, aber mit der nötigen Ausrüstung gut begehbaren Grenzkamm zwischen Allgäuer und Vorarlberger Alpen blicken wir gegen Nordosten zur Mädelegabel und auf die Trettachspitzen. Rechts hinten ragt der Hochvogel auf. Die Liaskalke der oberostalpinen Allgäu-Decke sind arg verfaltet. Aufnahme Vogler

Oben: In der Silvretta. Das Silvrettamassiv bildet die höchste Erhebung im Grenzkamm zwischen Österreich und der Schweiz. Von der Roten Furka blicken wir auf Seehorn und Groß Litzner. Die altpaläozoischen Paragneise der oberostalpinen Silvretta-Decke weisen eine eigenartige Schlingenstruktur auf. Aufnahme Gensetter

Unten: Die Drusenfluh. Als Grenzberg zwischen Österreich und der Schweiz ragt die Drusenfluh, aus Malmkalken der hochpenninischen Sulzfluh-Decke aufgebaut, besonders bizarr und weithin sichtbar auf. Charakteristisch für die Zerrüttung des Gesteins sind die mächtigen Schutthalden. Aufnahme Gensetter

Rechts oben: Im Val Lavinuoz. Chapütschin und Verstanklahorn schließen das stille Hochtal im Grenzgebiet zwischen Vorarlberg und Unterengadin ab. Schön sichtbar ist die Bänderung der alten Gneise der Silvretta-Decke. Aufnahme Gensetter

Rechts unten: Samnaun. Unmittelbar an der Grenze zu Österreich zweigt das Samnauntal ab, von der übrigen Schweiz nur über eine schmale Straße erreichbar. Im Winter stark frequentiert, ist das stille Bergtal im Silvretta-Kristallin sommers ein ideales Wandergebiet. Aufnahme Gensetter

Hoher Freschen (2004 m; Vorarlberg)

Der Hohe Freschen ist einer der lohnendsten Aussichtsberge in Vorarlberg, der leicht begangen werden kann. Der Gipfelkopf ist eine ultrahelvetisch-penninische Flysch-Klippe auf dem unterliegenden Helvetikum (Kreidekalke) der Säntis-Decke. Der Rundblick reicht vom Alpstein (Säntismassiv) im Westen bis zu den Allgäuer Alpen im Nordosten. In einem Alpengarten können wir viele Vertreter der Alpenflora kennenlernen.

Ausgangs- und Endpunkt: Bad Innerlaterns (1147 m) im Laternser Tal. Auto und Bus von Rankweil aus.

Marschzeit: 6½ Stunden.

Unterkunft und Verpflegung: Freschen-Haus (1840 m).

Von Bad Innerlaterns wandern wir etwa 300 m auf dem Fahrsträßchen gegen Norden, dann nach links hinauf (Wegweiser) durch den Wald zur Garnitzer Alpe und im Tal hinauf zur unteren Saluver Alpe. Nun halten wir nach links auf den Grat (Lusbühel) zu und wandern auf ihm über Wiesen zur oberen Saluver Alpe und zum Freschen-Haus. Bei der Kapelle liegt der Alpengarten. Den Hohen Freschen besteigen wir auf markiertem Weg über Geröllhalden und leichte Felsschrofen.

Rückweg wie Aufstieg.

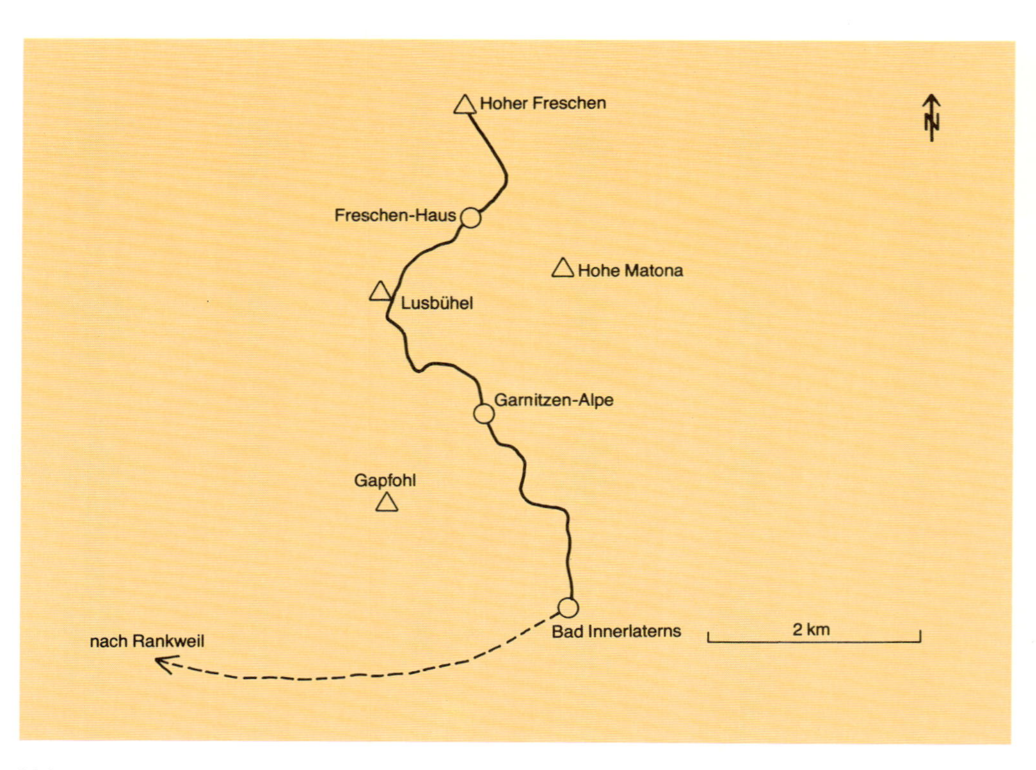

Oben: Auf dem Hohen Freschen. Man genießt einen umfassenden Rundblick auf die Ostschweizer und Vorarlberger Höhen und auf das Rheintal. Im Westen grüßt das Säntisgebirge herüber – die durch den Rheintalgraben unterbrochene Fortsetzung der helvetischen Unterlage des Hohen Freschen. Gegen Süden blicken wir auf die Liechtensteiner Berge und den Rätikon. Die Berge um den Arlbergpaß sind auf unserem Bildausschnitt auch sichtbar. Und gegen Osten erstrecken sich die Allgäuer Alpen. Aufnahme Landesfremdenverkehrsamt Vorarlberg

Rechts: Mont Cenis-Veilchen *(Viola cenisia).* Im Hochsommer erfreut uns diese Blume, die in Vorarlberg mit ihren östlichsten Vertretern auf kalkigem Schuttboden auftritt. Die schmal eiförmigen Blätter an der niedrig liegenden Pflanze sind ganzrandig und leicht behaart. Aufnahme Bechtle

Itonskopf (2089 m; Vorarlberg)

Eine prächtige Rundsicht in den Rätikon und über das Klostertal hinweg auf die Berge um das Große Walsertal belohnt die Mühe dieser Bergwanderung. Der Itonskopf liegt in der oberostalpinen Lechtal-Decke und führt Gesteine der mittleren und oberen Trias (Kalke, Dolomite, Rauhwacken und bunte Schiefer), während Bartholomäberg in Gneisen der Silvretta-Decke liegt. Am Itonskopf wurde während Jahrhunderten (bis 1783) Silber- und Kupfer-Bergbau betrieben. Ein geologischer Lehr-Wanderweg führt über den Kamm des ganzen Bartholomäberges.

Ausgangs- und Endpunkt: Bartholomäberg (1087 m). Mit Bus oder Auto ab Schruns (15 Min.).

Marschzeit: 5 Stunden.

Von der Sonnenterrasse Bartholomäberg, mit Blick über das Montafon hinweg auf den Rätikon, führt uns der Weg in Kehren steil hangaufwärts, über Wiesen und durch Wald vorbei am Fritzensee und an Monteneu. Nun wandern wir nahe dem breiten Grat gegen Nordosten, über Alpweiden und Latschen, das Wannaköpfle rechts umgehend, zuletzt über Schutthalden und Felsbänder leicht hinauf zum aussichtsreichen Itonskopf.

Wir wandern weiter gegen Osten, umgehen das Schwarzhorn, halten uns rechts und steigen nach Innerberg ab. Von hier leicht zurück nach Bartholomäberg.

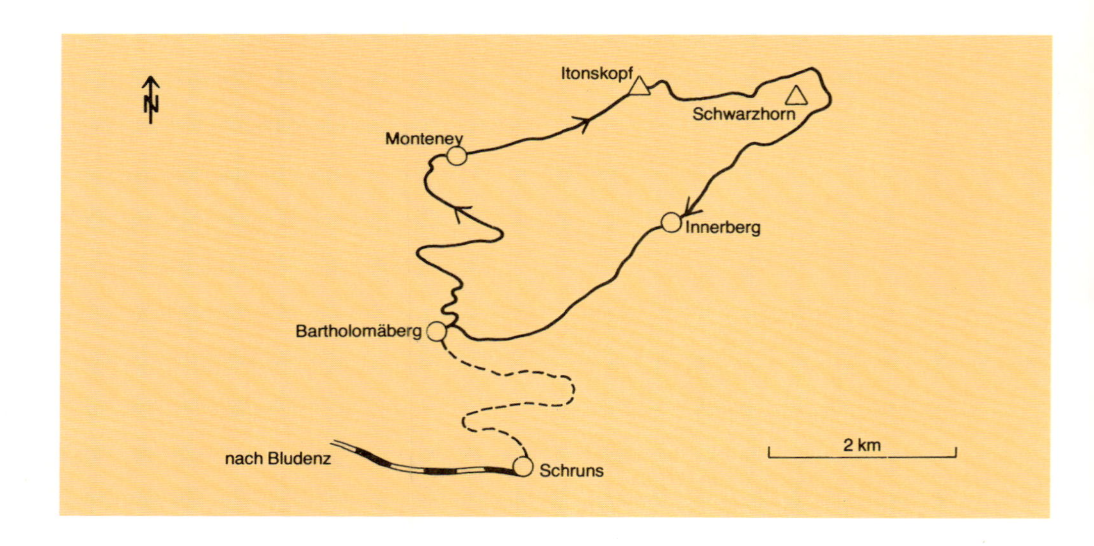

Rechts oben: Auf dem Itonskopf. Von diesem Aussichtsberg blicken wir gegen Osten ins Klostertal und hin zum Arlbergpaß. Zur Linken das Quellgebiet des Lech, dessen Höhen zu den oberostalpinen Nördlichen Kalkalpen zählen, die über die Kristallinmassen der Silvrettadecke (rechts vom Klostertal in der Verwallgruppe) hinweggeschoben wurden. Aufnahme Zurkirchen

Rechts unten: Der Bartholomäberg. Er ist ein alleinstehender Inselberg in der Itonskopf-Gruppe. Silvretta-Kristallin (vorwiegend Paragneise) bauen ihn auf, während wir sonst in Kalken und Dolomiten der oberostalpinen Lechtal-Decke wandern. Im Hintergrund die Silvrettaberge. Aufnahme Zurkirchen

Lünersee (1970 m; Vorarlberg)

Diese Bergwanderung vermittelt uns einen einmaligen Einblick in die bizarren Felsformen des Rätikon, des Grenzgebirges zwischen Österreich und dem schweizerischen Prätigau. Der Rätikon ist aus Kalken der unterostalpinen Sulzfluh-Decke aufgebaut. Der Wanderweg führt durch ein Naturschutzgebiet mit reicher Alpenflora und Fauna.
Ausgangspunkt: Douglashütte (1979 m) am Lünersee. Zufahrt von Bludenz mit Auto oder Bus durch das Brandner Tal und mit Kabinenseilbahn zur Hütte.
Endpunkt: Schruns.
Rückkehr zum Ausgangspunkt: Nach Bludenz mit Bahn, weiter wie oben mit Bus oder Auto.
Marschzeit: 5 1/2 Stunden.
Verpflegung und Unterkunft: Douglashütte (1979 m), Lindauer Hütte (1744 m).
Von der Douglashütte aus umwandern wir den See im Gegenuhrzeigersinn bis zur Lünersee-Alp. Nun auf gut markiertem Pfad hinauf zum Verajöchle. Unter den steil abstürzenden Nordwänden der markanten Drusenfluh hinüber zum tief eingeschnittenen Schweizertor und hinauf zum Öfapaß. Nun wieder absteigend zur Sporen-Alm. Zur Rechten leuchten die hellen Kalkmauern der Sulzfluh. Auf einem Fahrsträßchen zur Lindauer Hütte und auf der Straße durch das Gauertal weiter hinunter nach Latschau und nach Schruns.

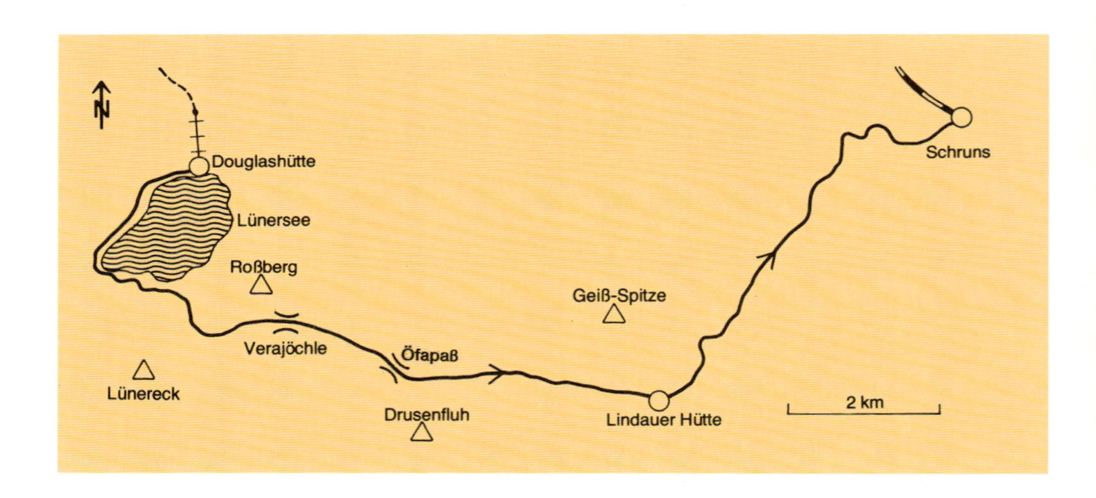

Oben: Auf dem Sareiser Joch. Der Blick vom Grenzkamm zwischen Liechtenstein und Österreich geht gegen Osten, hinunter in den vorarlbergischen Nenzinger Himmel. Über das Silvrettakristallin sind die Sedimentmassen der Nördlichen Kalkalpen vorgeschoben worden. Aufnahme Eberle
Unten links: Am Lüner See. Triasgesteine – Kalke, Dolomiten und Mergel – säumen den malerischen See zu Füßen der Scesaplana an der Nordflanke des Rätikon. Der Lüner See ist in eine Karmulde eingetieft. Aufnahme Verkehrsamt Brand
Unten rechts: Die Totalphütte. Hoch über Brand gelegen, ist die Totalphütte Ausgangspunkt lohnender Bergwanderungen in der Rätikongruppe. Die Hochregion ist durch eine Reihe von bewirteten Alpenvereinshütten und durch ausgebaute Wanderwege gut erschlossen. Prächtig sind die Faltenbilder im Triasdolomit. Aufnahme Verkehrsamt Brand

Rundwanderung um das Hohe Rad
(Vorarlberg)

Umrahmt von den vergletscherten Dreitausendern der Silvretta-Gruppe, in metamorphen Gneisen und Glimmerschiefern des Kerns der oberostalpinen Silvretta-Decke, bietet diese Wanderung für den Pflanzenfreund auch eine reiche Vielfalt an kalkfliehenden Blumen.

Ausgangs- und Endpunkt: Bieler Höhe (2038 m) am Silvretta-Stausee. Erreichbar mit Bus oder Auto von Landeck oder Bludenz aus.

Marschzeit: 5½ Stunden.

Verpflegung: Wiesbadener Hütte (2443 m).

Von der Bieler Höhe (Hotel Silvrettasee) wandern wir nach Osten und dem östlichen Dammweg entlang. Beim Wegweiser halten wir nach links hinein ins Bieltal, zur Wasserfassung. Weiter geht es taleinwärts, stets leicht ansteigend, zum malerischen Radsee und steil hinauf zum Radsattel, mit 2625 m höchster Punkt unserer Wanderung. Hier genießen wir das Panorama der Gletscherberge, allen voran der Piz Buin (3312 m) im Süden. Nun hinunter zur Wiesbadener Hütte. Von hier aus lohnt sich ein kurzer Abstecher zur Stirn des nahen Vermuntglet

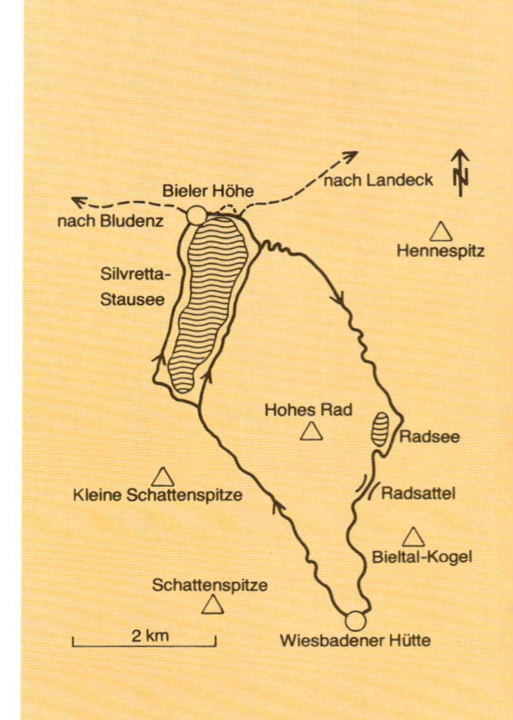

schers. Durch das Ochsental wandern wir hinaus zum Südende des Silvretta-Stausees, dem wir rechts oder links folgen zur Bieler Höhe.

Oben: Auf dem Kronenjoch. Wir wandern hinunter zur Jamtal-Hütte. Vor uns, eingebettet ins Silvretta-Kristallin, ein Schwemmkegel, gestaut und abgeschlossen durch eine harten Querriegel. Gut erkennbar sind die Terrassierungen der Hänge, Zeugen der vergangenen eiszeitlichen Gletscherwirkung. Aufnahme Schwarz

Rechts: Am Silvrettasee. Der Silvretta-Stausee, Ausgangspunkt lohnender Bergwanderungen in die kristallinen Hochalpen im Grenzkamm Schweiz – Österreich, ist durch Bergstraßen gut zugänglich. Im Hintergrund der Kamm des Hohen Rades. Aufnahme Zurkirchen.

Links: im Val Tuoi. Mächtig überragt der Piz Buin in der Silvretta-Gruppe das stille Hochtal auf seiner Südflanke. Gut sichtbar ist die Bänderung der Paragneise der oberostalpinen Silvretta-Decke. Aufnahme Gensetter

Großer Krottenkopf
(2657 m; Allgäuer Alpen)

Dieser höchste Gipfel der Allgäuer Alpen, aus oberostalpinem Hauptdolomit aufgebaut, bietet bei klarem Wetter eine einmalige Sicht auf die Alpenkette von der Jungfrau bis zu den Hohen Tauern.
Ausgangs- und Endpunkt: Oberstdorf (815 m). Erreichbar mit Auto oder Bahn. Fahrt ab Oberstdorf (Kirchplatz) bis Spielmannsau (1004 m) mit Bus.
Marschzeit: 9 Stunden (ab und nach Spielmannsau).
Verpflegung und Unterkunft: Kemptner Hütte (1846 m).
Trittsicherheit ist Voraussetzung.
Ab Spielmannsau führt die Route zunächst im Tal der Trettach leicht ansteigend, dann dem Osthang folgend auf einem Waldpfad bis zu dem von links her mündenden Sperrbachtobel, das auf einem Steg gequert wird. Südlich dieses Tobels steigt der Weg in Kehren im Allgäuer Lias steil an, um dann bei Punkt 1367 den Sperrbach wieder zu überschreiten. Der weitere Weg ist ein in den Fels gehauener Steig und führt uns auf die Obere Mädelealp und in weitem Bogen zur Kemptner Hütte (1846 m).
Nun steigen wir gegen Süden auf und zweigen nach etwa einer Viertelstunde nach links ab, hinauf zum Obermädelejoch (2033 m). Nun geht es zuerst leicht absteigend und die Hänge gegen Osten querend zur Rinne des Kelletales und dann steil hinauf auf einem Zickzackweg zur Scharte (2350 m). Der letzte Aufstieg zum Gipfel des Großen Krottenkopfs führt über Schutt und leichte Felsstufen, links vorbei am Kleinen Krottenkopf.
Der Rückweg verläuft gleich wie der Aufstieg.
Da wir die Landesgrenze nach Österreich überschreiten, nehmen wir den Reisepaß mit.

Rundwanderung um das Hohe Rad
(Vorarlberg)

Umrahmt von den vergletscherten Dreitausendern der Silvretta-Gruppe, in metamorphen Gneisen und Glimmerschiefern des Kerns der oberostalpinen Silvretta-Decke, bietet diese Wanderung für den Pflanzenfreund auch eine reiche Vielfalt an kalkfliehenden Blumen.

Ausgangs- und Endpunkt: Bieler Höhe (2038 m) am Silvretta-Stausee. Erreichbar mit Bus oder Auto von Landeck oder Bludenz aus.

Marschzeit: 5½ Stunden.

Verpflegung: Wiesbadener Hütte (2443 m).

Von der Bieler Höhe (Hotel Silvrettasee) wandern wir nach Osten und dem östlichen Dammweg entlang. Beim Wegweiser halten wir nach links hinein ins Bieltal, zur Wasserfassung. Weiter geht es taleinwärts, stets leicht ansteigend, zum malerischen Radsee und steil hinauf zum Radsattel, mit 2625 m höchster Punkt unserer Wanderung. Hier genießen wir das Panorama der Gletscherberge, allen voran der Piz Buin (3312 m) im Süden. Nun hinunter zur Wiesbadener Hütte. Von hier aus lohnt sich ein kurzer Abstecher zur Stirn des nahen Vermuntglet

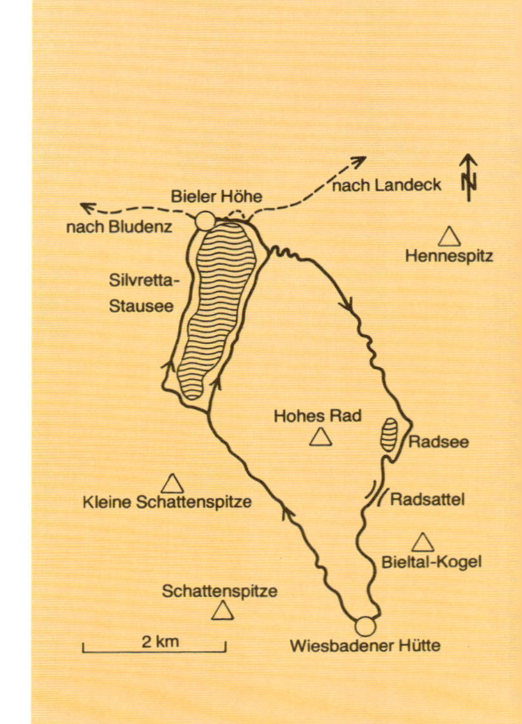

schers. Durch das Ochsental wandern wir hinaus zum Südende des Silvretta-Stausees, dem wir rechts oder links folgen zur Bieler Höhe.

Oben: Auf dem Kronenjoch. Wir wandern hinunter zur Jamtal-Hütte. Vor uns, eingebettet ins Silvretta-Kristallin, ein Schwemmkegel, gestaut und abgeschlossen durch eine harten Querriegel. Gut erkennbar sind die Terrassierungen der Hänge, Zeugen der vergangenen eiszeitlichen Gletscherwirkung. Aufnahme Schwarz

Rechts: Am Silvrettasee. Der Silvretta-Stausee, Ausgangspunkt lohnender Bergwanderungen in die kristallinen Hochalpen im Grenzkamm Schweiz – Österreich, ist durch Bergstraßen gut zugänglich. Im Hintergrund der Kamm des Hohen Rades. Aufnahme Zurkirchen.

Links: im Val Tuoi. Mächtig überragt der Piz Buin in der Silvretta-Gruppe das stille Hochtal auf seiner Südflanke. Gut sichtbar ist die Bänderung der Paragneise der oberostalpinen Silvretta-Decke. Aufnahme Gensetter

Großer Krottenkopf
(2657 m; Allgäuer Alpen)

Dieser höchste Gipfel der Allgäuer Alpen, aus oberostalpinem Hauptdolomit aufgebaut, bietet bei klarem Wetter eine einmalige Sicht auf die Alpenkette von der Jungfrau bis zu den Hohen Tauern.
Ausgangs- und Endpunkt: Oberstdorf (815 m). Erreichbar mit Auto oder Bahn. Fahrt ab Oberstdorf (Kirchplatz) bis Spielmannsau (1004 m) mit Bus.
Marschzeit: 9 Stunden (ab und nach Spielmannsau).
Verpflegung und Unterkunft: Kemptner Hütte (1846 m).
Trittsicherheit ist Voraussetzung.
Ab Spielmannsau führt die Route zunächst im Tal der Trettach leicht ansteigend, dann dem Osthang folgend auf einem Waldpfad bis zu dem von links her mündenden Sperrbachtobel, das auf einem Steg gequert wird. Südlich dieses Tobels steigt der Weg in Kehren im Allgäuer Lias steil an, um dann bei Punkt 1367 den Sperrbach wieder zu überschreiten. Der weitere Weg ist ein in den Fels gehauener Steig und führt uns auf die Obere Mädelealp und in weitem Bogen zur Kemptner Hütte (1846 m).
Nun steigen wir gegen Süden auf und zweigen nach etwa einer Viertelstunde nach links ab, hinauf zum Obermädelejoch (2033 m). Nun geht es zuerst leicht absteigend und die Hänge gegen Osten querend zur Rinne des Kelletales und dann steil hinauf auf einem Zickzackweg zur Scharte (2350 m). Der letzte Aufstieg zum Gipfel des Großen Krottenkopfs führt über Schutt und leichte Felsstufen, links vorbei am Kleinen Krottenkopf.
Der Rückweg verläuft gleich wie der Aufstieg.
Da wir die Landesgrenze nach Österreich überschreiten, nehmen wir den Reisepaß mit.

Oben: Auf der Hammerspitze. Das Ziel unserer Wanderung, der Große Krottenkopf, grüßt herüber. Rechts die Trettachspitze. Ausgebaute Bergpfade, die allerdings eine gewisse Trittsicherheit verlangen, erschließen diese Grenzberge im südlichen Allgäu. Aufnahme Vogler

Links: Auf dem Hochrappenkopf. Wir blicken gegen Norden auf den Rappensee und erkennen im Hintergrund das Nebelhorn und Oberstdorf. Blumenreiche Wiesen säumen die gefältelten Trias- und Juragesteine der ostalpinen Allgäu-Decke. Aufnahme Vogler

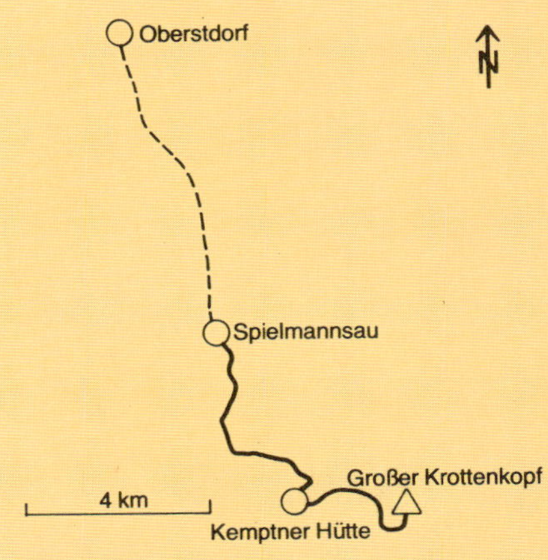

Diedamskopf (2090 m; Vorarlberg)

Eine einmalige Rundsicht belohnt diese Bergwanderung. Der geologisch Interessierte kann auf dem Gipfel den Schrattenkalk und den Brisisandstein des Gault (Mittlere Kreide) der helvetischen Säntis-Decke studieren. Im Abstieg durchwandern wir besonders blumenreiche Weiden.
Ausgangs- und Endpunkt: Schoppernau (852 m), erreichbar ab Bregenz oder Dornbirn mit Auto oder Bus. Parkplatz bei der Bergbahn-Talstation.
Marschzeit: 3½ Stunden.
Wir fahren mit dem Sessellift in zwei Sektionen bis zum Gipfel des Diedamskopfes (Restaurant). Nach Überwindung der letzten 75 m Höhendifferenz stehen wir auf dem Gipfel. In nächster Nähe liegen die markante Platte des Hohen Ifen, der Widderstein, der Zitterklapfen und die Kanisfluh. Im Nordwesten grüßt die Winterstaude herüber.
Im Abstieg, der vorerst im Zickzack dem Skilift folgt, überqueren wir die vor allem im Frühsommer blütenreichen Alpweiden. Am unteren Ende des Lifts wenden wir uns leicht nach links und folgen nun dem Steilabfall bis zum Wegweiser „Breitenalpe". Nach einer Viertelstunde leichten Abstiegs erreichen wir auf blau-roter Markierung diese Alp. In einem kurzen Anstieg, teils durch Wald, gewinnen wir den Falzer Sattel. Ein Abstecher nach links führt uns zum Alpengasthof Neuhornbach. Für den weiteren Abstieg geht man zurück zur Falz-Alp und hinunter zur Stockenderboden-Alp, von wo uns ein Fahrweg hinunter nach Schoppernau zurückführt.

Oben: Von der hinteren Bregenzer Ache öffnet sich das Tal gegen Westen. Nach rechts steigt der bewaldete Hang zum Diedamskopf an. Die von den diluvialen Gletschern überprägte Landschaft gehört der Säntis-Decke an und umfaßt Kalke und Mergel der Kreidezeit. Aufnahme Landesfremdenverkehrsamt Vorarlberg

Links: Schoppernau und Canisfluh. Wir befinden uns auf dem Weg zum Diedamskopf und blicken auf das Tal der Bregenzer Ache. Die Kreidekalke der helvetischen Säntis-Decke sind hier, wie im Alpstein, zu mehreren überschobenen Falten zusammengestaucht. Aufnahme Häusle

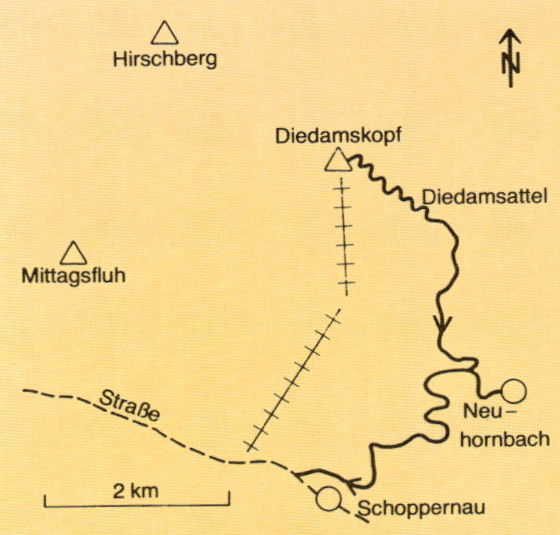

Großer Daumen
(2280 m; Allgäuer Alpen)

Dieser Gipfel, mitten in den Allgäuer Alpen, belohnt uns mit einer weiten Rundsicht von der Zugspitze über die Hohen Tauern, die Stubaier, Ötztaler und Lechtaler Alpen bis hin zum Hohen Ifen. Die Bergwanderung im Hauptdolomit, in den Kössener Schichten des Rät und im Lias bietet uns eine Vielfalt von Bergblumen, besonders im frühen Sommer.
Ausgangspunkt: Oberstdorf (815 m).
Endpunkt: Hinterstein im Ostrachtal (865 m).
Rückkehr nach Oberstdorf mit Bus bis Sonthofen, dann mit Bahn.
Marschzeit: 7½ Stunden (einschließlich Bergfahrt mit Nebelhornbahn).
Verpflegung: Nebelhornhaus (1929 m).
Mit der Nebelhorn-Seilbahn lassen wir uns hinauf zum Nebelhorn-Haus tragen. Ein kurzer Aufstieg führt uns auf das aussichtsreiche Nebelhorn (2224 m) mit Restaurant. Nun folgen wir dem Ostgrat des Nebelhorns, steigen bald südlich hinab zum steinigen Koblat, wandern unterhalb des Wengenkopfes, vorbei an den Laufbichel Seen und über Alpweiden zum Gipfel des Großen Daumens: Eine eindrucksvolle Höhenwanderung.
Für den Abstieg nach Hinterstein folgen wir vorerst dem Daumen-Ostgrat, steigen dann über felsdurchsetzte Abhänge zum malerischen Engeratsgunder See hinunter, den wir links umgehen, stets auf blumenreichen Wiesen. Nun den Tösenbach entlang hinab zur Nicken-Alpe. Wenig unterhalb der untersten Alphütten queren wir den Bach nach links und steigen im Wald ab zur Mösle-Alp und wandern weiter, stets links haltend, zuletzt im Talboden auf der Straße nach Hinterstein.

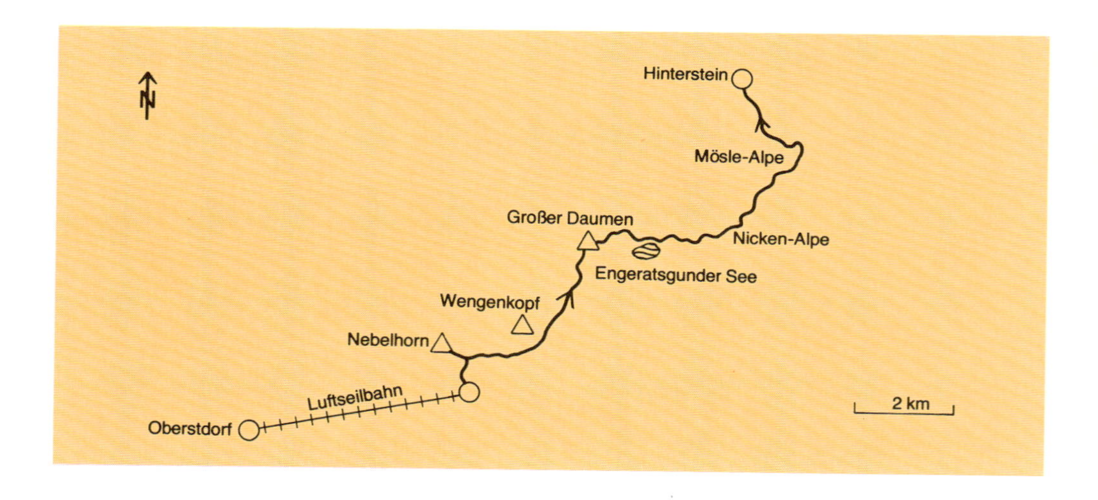

Oben: Auf der Käsealp. Das Panorama umfaßt das Himmelhorn links und den Schneck rechts. Im Hintergrund links der Grat des Nebelhorns hoch über Oberstdorf. Wir befinden uns in den mesozoischen Kalken und Mergeln der oberostalpinen Allgäu-Decke. Aufnahme Vogler
Unten: Auf dem Nebelhorn. Das Nebelhorn, Ausgangspunkt unserer Wanderung, bietet eine prachtvolle Rundsicht. Dominierend beim Blick nach Südosten ist der Hochvogel. Die blumenreichen Weiden sind eingebettet in Kalke der oberen Trias und des Lias der oberostalpinen Allgäu-Decke. Aufnahme Vogler

Schochenspitze (2069 m) und **Sulzspitze** (2085 m; Allgäuer Alpen)

Die Berggruppe um den Vilsalpsee vermittelt einen Eindruck von der typisch oberostalpinen Berglandschaft der Nördlichen Kalkalpen mit ihrer von Legföhren geprägten Vegetation, mit ihren bizarren Dolomitbergen und den riesigen Geröllhalden.
Ausgangs- und Endpunkt: Vilsalpsee (1168 m, Parkplatz). Zufahrt von Tannheim (1097 m) aus mit dem Auto. Nach Tannheim ab Sonthofen oder Reutte mit Auto oder Bus.
Marschzeit: 5½ Stunden.
Trittsicherheit ist erforderlich.
Verpflegung und Unterkunft: Landsberger Hütte (1810 m).

Entlang dem Ostufer des Vilsalpsees geht es in den Allgäuerschichten des Lias zur unteren Traualp, dann steil durch den Wald und in mehreren Kehren hinauf zum Traualpsee. An seinem Südende über eine Felsstufe führt die Tour zur Lache und zur nahen Landsberger Hütte.
Nach einer Stärkung umgehen wir die Lache nördlich und steigen hinauf zum Lachenjoch und über den breiten Wiesenrücken zur Schochenspitze. Etwas nach Osten absteigend, gelangen wir auf einen Weg, der dem Hang entlang hinüber zum Grappenfeldsattel führt. Die Sulzspitze erreicht man, indem man sie rechts umgeht und schließlich in weitem Bogen von Norden her aufsteigt. Beide Gipfel liegen im Hauptdolomit.
Der Rückweg erfolgt auf dem gleichen Pfad.

Unten: Auf der Lachenspitze. Gleich alle drei Seen, die wir auf unserer schönen Wanderung passieren, sind auf diesem Bild sichtbar: Vorne die Lache mit der Landsberger Hütte, dahinter der Traualpsee und knapp sichtbar der Vilsalpsee. Trias- und Juragesteine der oberostalpinen Decken bilden die Unterlage. Aufnahme Gehring

Rechts oben: Die Schochenspitze aus Norden. Auf dem Weg zur Sulzspitze blicken wir zurück auf die steile Nordwand der Schochenspitze. Der Pfad führt links des Gipfels durch. Arg verfaltet sind hier Trias, Lias, Dogger und Malm der Lechtaldecke. Links hinten die Lailachspitze. Aufnahme Gehring

Links: Die Schochenspitze. Wir können unseren Wanderweg von der Landsberger Hütte im Vordergrund hinauf zur Schochenspitze erkennen. Für den Pflanzenfreund ist diese Tour ein besonderes Erlebnis. Aufnahme Gehring

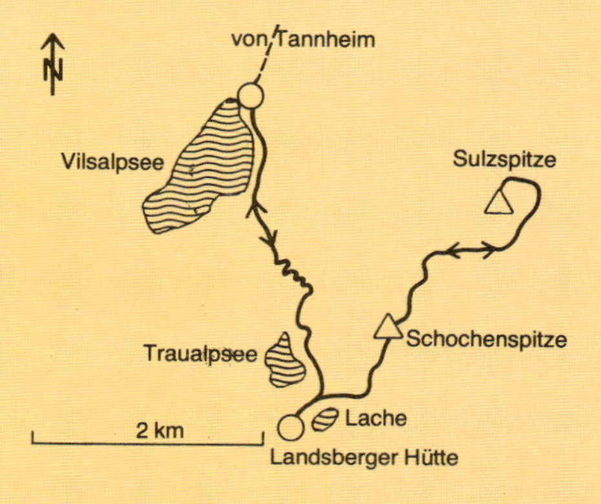

Oberitalienische Alpen

Vom Comersee bis ins Friaul an der Grenze gegen Jugoslawien, vom Vintschgau und Pustertal bis an den Rand der weiten Po-Ebene erstreckt sich diese Region. Mehrere Gebirgsmassive laden zum Besuch ein: Die Bergamasker Alpen, das Trentino, die Ortler-Gruppe, die Sarntaler Alpen, die berühmten Südtiroler Dolomiten mit ihrer Fortsetzung bis an den Tagliamento.

Geologie. Eine tiefgreifende Vertikalverstellung – die Grenzfuge zwischen Nordalpen und Südalpen – durchzieht unser Gebiet: Die insubrische Linie zwischen Comersee und Edolo, als Tonale-Linie gegen Nordosten abbiegend, sich überschneidend mit der Judikarien-Linie vom Lago d'Idro über Meran bis zum Penserjoch, schließlich die Puster-Linie in Pustertal und Gailtal. Diese Trennungslinie, auch als periadriatische Naht oder als alpin-dinarische Linie bezeichnet, versetzt mit großer Sprunghöhe – bis über 10 km – die Südalpen gegenüber dem Hauptkörper der Alpen in die Tiefe. Hier wurzeln die penninischen, die ostalpinen und die südalpinen Dekken; hier machte sich der Druck aus Süden am stärksten bemerkbar, stellte die eng gepreßten Schichten steil, wandelte sie um zu Gneisen und Myloniten. Hier auch drangen im mittleren Tertiär an mehreren Stellen granitische Magmen von unten her in die saigeren Strukturen ein, schmolzen sie auf und erstarrten zu mächtigen Granit-Plutonen: Die periadriatischen Intrusiva im Bergeller Massiv, in der Gruppe Adamello-Presanella, am Kreuzberg im Vintschgau, im Brixener Granitstock bei Franzensfeste, aber auch am Riesenferner. Granite, Tonalite und Diorite sind die Gesteine dieser spätalpinen Intrusivkörper, die randlich begleitet werden von mineralreichen kontaktmetamorphen Zonen. Im Ortler-Massiv und in den nordwestlichen Sarntaler Alpen um den Jaufenpaß treffen wir, nördlich und nordwestlich der periadriatischen Naht, den oberostalpinen Kristallinkern mit Gneisen und Glimmerschiefern und mit ausgedehnten Zügen von Phylliten (Vintschgauer Phyllit, Schneeberger Zug zwischen Texel und Sterzing). Der Hauptteil unserer Region aber zählt zu den Südalpen, die im Norden am stärksten herausgehoben wurden und gegen Süden zu bruchtreppenartig entlang von steilstehenden Längsverwerfungen zur Po-Ebene hin absacken und schließlich abtauchen.

Links: Am Karerpaß (Passo di Costalunga). An diesem herrlichen Herbstmorgen auf dem Karerpaß tritt uns die Silhouette der Rosengarten-Gruppe in den Dolomiten besonders schön entgegen. Anisische und permische Gesteine unterlagern die nahezu horizontal liegenden Mitteltrias-Dolomite der Gebirgsgruppe. Eine Seilbahn führt hinauf zum Rifugio Paolina, von wo eine Rundwanderung um den Rosengarten begonnen und beendet werden kann. Aufnahme Gensetter

Oben: Höhlenbärenreste *(Ursus spelaeus).* Im Adamello-Massiv fristen die letzten Braunbären, Relikte einer einst in den Alpen weit verbreiteten Art, ihr verborgenes Dasein. Während der Zwischeneiszeiten des Pleistozäns lebte der Höhlenbär – von dem auf dem Bild ein Backenzahn und Krallen aus der Drachenhöhle bei Mixnitz in der Steiermark abgebildet sind – im ganzen Alpenraum. Aufnahme Richter

Oberitalienische Alpen

Die Tofana. Vom Passo di Falzarego, auf dem Weg nach Cortina d'Ampezzo, bietet sich ein prächtiges Panorama von zahllosen bizarren Dolomittürmen, von denen im Bild der Dosso di Tofana erscheint. Dickbankige triadische Dolomite, nahezu horizontal geschichtet, sind durch Regen und Frost stark ziseliert worden. Aufnahme Gensetter

Im allgemeinen herrscht ein einfacher und weitgespannter Faltenbau vor, mit oft schüsselartig verbogenen Schichten. Kompliziert wird dieses Bild durch mehrere gegen Süden zu gerichtete Überschiebungen (Rückfaltungen), so besonders ausgeprägt – wie am Monte Generoso im Tessin – an der Grigna in den Bergamasker Alpen. Das kristalline Grundgebirge (der Sockel, das Basement) mit Gneis und herzynischen Graniten ist entlang der periadriatischen Naht in wechselnder Breite aufgeschlossen; ihm gliedern sich Quarzphyllite (besonders mächtig um Brixen) sowie paläozoische Kalke und Sandsteine an. Die Schichtreihe der auflagernden Sedimentbedeckung reicht vom Perm bis ins Miozän. Der rote permische Quarzporphyr, ein Ergußgestein, ist besonders um Bozen mit gegen 2000 m Dicke mächtig vertreten; er tritt auch in den Bergamasker Alpen neben gleichaltrigen Trümmergesteinen (Verrucano) auf. In der Trias, der gesteinsmäßig dominierenden Epoche, finden sich ebenfalls in verschiedenen Niveaus vulkanische Erscheinungen. Dolomite und Kalke, oft in Riff-Ausbildung, bauen mit zwischengelagerten Sandsteinen und Mergeln die wuchtigen Gebirge der Bergamasker Alpen und der eigentlichen Dolomiten auf. Im Flachmeer abgesetzte Gesteine, besonders Kalke, beherrschen aber auch das jüngere Mesozoikum in den südlicheren Abschnitten, wo ebenso der Flysch und – zwischen Verona und Bassano – dunkle Ergußgesteine des älteren Tertiärs zutage treten. Gegen die Po-Ebene hin fallen die Schichten, flexurartig abgebogen, plötzlich steil in die Tiefe, unter die Molasse.

Mineralien. Die Südalpen sind, speziell im kristallinen Bereich, reich an Mineralien. Das Val Malenco ist bekannt für seinen Asbest, der mit Demantoid, Andradit, Ilmenit, Chlorit, Granat, Magnetit, Spinell und vielen anderen auftritt. In den Brembo- und Serio-Tälern, ebenfalls in den Bergamasker Alpen, finden sich Bergkristalle, Fluorit, Bleiglanz, Zink-

Links: Die Marmolata. Vom Passo di Pordoi, in der Tiefe sichtbar, sind wir mit der Seilbahn auf die Pordoi-Spitze hinaufgefahren und genießen den Blick auf die mächtige Gruppe der Marmolata mit ihren Gletschern. Mitteltriadische Dolomite, unterteuft von Untertrias und Perm, bauen das Massiv auf. Aufnahme Schwarz

Mitte: Die Sella-Gruppe. Vom Sellajoch aus können einige leichte Wanderungen entlang dem Fuß dieses mächtigen Dolomit-Massivs ausgeführt werden. Sie lohnen auch botanisch, kommen doch im recht milden Südklima manche insubrische Pflanzen vor. Aufnahme Schwarz

Unten: Auf dem Grödner Joch (Passo di Gardena). Wuchtig erheben sich die Tschierspitzen über diesem landschaftlich reizenden Paß, der ein überwältigendes Panorama auf Sella- und Langkofel-Gruppe sowie gegen Osten bietet. Dolomite der mittleren Trias sind arg verwittert. Aufnahme van Hoorick

blende u. a. Der Basalt von Montecchio im Trentino führt neben anderen schöne Amethyste, Aragonite, Coelestin, Desmin und Natrolith. Mineralfündig ist auch die Umgebung von Recoaro und Schio im Trentino. Besuchenswert ist der Marmorsteinbruch bei Pedescala im Val d'Astico (Trentino) mit Brucit, Aragonit und Thomsonit. In den Dolomiten seien etwa genannt: Buffaure an der Marmolata (Heulandit, Thomsonit), die Alpe Monzoni (Monzonit, Spinell, Augit, Vesuvian und viele weitere Mineralien), die Seiser Alm (Analcim, Apophyllit, Chabasit, Zeolithe). Auch in den Sarntaler Alpen können Mineralien aufgesammelt werden.

Oberflächengestaltung. Die periadriatische Naht, die gewaltige Vertikalverstellung zwischen Nord- und Südalpen, wirkt sich auch in der Oberflächengestaltung nachhaltig aus: Längstäler wie das Veltlin, das Val di Sole, das Pustertal und das Gailtal sowie niedrige Längspässe folgen dieser Linie, an der die erosiven Kräfte die zerrütteten und saiger stehenden Schichten angreifen konnten. Desgleichen spiegelt sich die in nordnordöstlicher Richtung verlaufende Judikarien-Linie in einer Talflucht, zu der auch das Etschtal in seiner Struktur parallel verläuft. Vom südalpinen Hauptkamm aus führen langgestreckte Täler die Wässer gegen Süden zur Po-Ebene hin. Das steile Gefälle äußert sich in vielen schluchtartigen Partien. Ortlergruppe, Adamello und östliche Bergamasker Alpen sind, ihrer Höhenlage entsprechend, vereist. Doch im ganzen tritt die Vergletscherung wegen der südlichen Lage und dem Einfluß des insubrischen Klimas stark zurück. Doch sind die Zeugen der diluvialen Eiszeit sehr zahlreich: Seen, Moränenzüge, Hänge- und Stufentäler finden sich in der ganzen Region. Auffällig sind auch die in verschiedenen Höhen liegenden Verebnungsflächen, die als Überreste ehemaliger Landoberflächen zu deuten sind.

Klima. Das oberitalienische Alpengebiet gehört zum insubrischen Klimabereich, mit hohen Temperaturen und großen Niederschlagsmengen. Dieses Klima setzt sich zusammen aus dem von der Adria her wirkenden subtropischen Klima mit feuchten und milden Wintern sowie trockenen Sommern und aus dem mitteleuropäischen Klima mit sommerlichem Regenmaximum. Eine wichtige Funktion übt auch der Südföhn aus, der sich bei Hochdrucklagen über der Adria entwickelt: Die an den Alpen anbrandenden feuchtwarmen Luftmassen entladen sich in der Form von Steigungsregen, so daß auch im Sommer große Regenmengen fallen, die die Flüsse gefährlich anschwellen lassen. Der seltenere Nordföhn dagegen bringt Trockenheit und milde Temperaturen in die südalpinen Täler. Gegen Osten zu wirkt sich der Einfluß des Kontinents mehr und mehr aus: Das Friaul besitzt ein ausgesprochen rauhes Klima.

Die **Pflanzenwelt** des Ortlermassivs ist vergleichbar derjenigen des Ötztals (siehe dort). Der insubrische Einfluß ist besonders im unteren Veltlin deutlich zu verspüren; die Buche reicht bis vor Tirano. In höheren Lagen an der italienisch-schweizerischen Grenze finden sich Blumeneschen-Hopfenbuchen-Gebüsche. Im Adamello ist der Wald oft zerstört durch Überweiden und durch Herabdrücken der Waldgrenze (Roden). Die Arve ist hier fast gänzlich verschwunden. Am Alpensüdrand, etwa am Gardasee, stehen Vorposten der mediterranen Vegetation wie die Steineiche *(Quercus ilex)*, der Erdbeerbaum *(Arbutus unedo)* oder der Judasbaum *(Cercis siliquastrum)*, gefolgt von Flaumeichen *(Quercus pubescens)*. Oliven werden kultiviert. Über der Flaumeichen-Stufe folgen in ozeanischeren Tälern die Buchen-Tannenwälder, in kontinentaleren Tälern

Die Drei Zinnen (Tre Cime di Lavàredo). Einsam erheben sich die von der Verwitterung herausgearbeiteten Dolomitberge über ihre Umgebung. Ein Rundwanderweg, an dem mehrere Hütten des italienischen Alpenclubs liegen, führt um das imposante Massiv herum. Aufnahme Schwarz

Am Gardasee. Wir blicken gegen Riva am Nordende des langgestreckten Sees am Monte Baldo. Liaskalke bilden eine dominierende Bastion; die Judikarischen Alpen krönen den Hintergrund. Die Vegetation mit den vielen Zypressen ist typisch südalpin. Aufnahme Raab

Am Dürrensee. Von Toblach (Dobbiaco) aus wandern wir durch das Höhlensteintal zum Dürrensee (auch mit dem Auto erreichbar), von wo aus sich der Monte Cristallo präsentiert. In der Nähe liegen auch die berühmten Drei Zinnen (Tre Cime de Lavàredo). Aufnahme Raab

(z.B. im Val Camonica) die Fichten-Lärchen-Wälder. Es finden sich auch reliktische Föhrenwälder mit dem Gemeinen Zwergrösl *(Rhodothamnus chamaecistus)* und der Schnee-Heide *(Erica carnea)*. Die Waldgrenze wird oft durch strauchförmige Buchen gebildet. Die südöstlichen Regionen, während des Diluviums nicht vergletschert, sind Zufluchtstätten für Endemiten gewesen, von denen die Wiederbesiedelung des Alpenraumes ausgegangen ist: Spinnweben-Steinbrech *(Saxifraga arachnoidea)*, Karst-Steinbrech *(Saxifraga petraea)*, Schopf-Rapunzel *(Phyteuma comosa)*, Südalpines Rindsauge *(Buphthalmum speciosissimum)*, Monte-Baldo-Segge *(Carex baldensis)* und viele andere. Die mediterrane Gebirgssteppe über kalkreichen Böden führt den Goldschwingel *(Festuca spadicea)*, die Paradieslilie *(Paradisea liliastrum)*, den Affodill *(Asphodelus albus)*, die Riesenflockenblume *(Rhaponticum scariosum)* und die Pfingstrose *(Paeonia)*.

Mehrere **Naturparks** mit absolutem Jagd- und Pflückverbot bieten dem Wanderer die unverfälschte Naturlandschaft dieser bevorzugten südlichen Regionen der Alpen: Der Stilfserjoch-Nationalpark am Ortler, der Adamello-Brenta Park (mit wenigen Braunbären), der Paneveggio-Naturpark bei Bozen, der Schlern-Nationalpark in der südlichen Seiseralm mit reicher Flora und zahlreichen endemischen Arten, der im Werden begriffene Sarntaler Alpenpark, die Texel-Gruppe und der Naturpark Puez-Geisler bei Gröden.

Rechts: Rosengarten. Vom Vajolet-Tal aus, beim Aufstieg zur Vajolet-Hütte, bietet sich ein überwältigender Blick auf die Rosengarten-Gruppe mit den bizarren Vajolet-Türmen, einem gesuchten Ziel für Extremkletterer in den mitteltriadischen Dolomiten der Südalpen. Aber auch der Wanderer kann auf gut ausgebauten Wegen die Reize dieser Landschaft genießen. Aufnahme van Hoorick

Unten: Am Rollepaß. Mächtig erhebt sich der Cimone della Pala, mittlere Trias mit Eruptivgesteins-Einschlüssen, über die Paßlandschaft, die gerade aus dem Winterschlaf erwacht. In den Kalkschiefern am Fuß des Massivs sind prächtige Falten zu erkennen. Aufnahme Gensetter

Links außen: Im Val Cavargna. Die Hügellandschaft dieses sich nach Porlezza am Luganersee öffnenden norditalienischen Tales an der Grenze zur Schweiz ist geprägt von der typisch südländischen Vegetation mit dichtem niedrigem Buschwald. Der obere Teil des Tales liegt im insubrischen Kristallin mit Gneisen und Glimmerschiefern, während wir beim Abstieg in das südalpine Mesozoikum treten. Aufnahme van Hoorick

Links: Auf der Marmolata. Herrlich ist der Blick vom Gipfel dieses höchsten Gipfels der Südtiroler Dolomiten gegen Nordosten, über den gestauten Lago di Fedaia und den Col di Lana hinweg auf die Dolomitgruppe der Tofane am Falzàregopaß. Weit in der Ferne grüßen an diesem klaren Tag die Hohen Tauern herüber. Aufnahme Schwarz

Links: Die Larsec-Gruppe. Dem Rosengarten benachbart und von ähnlichem Bau und gleichen Gesteinen, präsentiert sich die Larsec-Gruppe aus dem Vajolet-Tal. Charakteristisch sind die mächtigen Schutthalden dieses Dolomits, Zeichen der intensiven mechanischen Verwitterung. Aufnahme van Hoorick

Oben: Auf dem Passo di Pordoi. Hier startet der berühmte Dolomiten-Höhenweg durch die Sella-Gruppe. Wir blicken gegen Nordwesten auf die Langkofel-(Sasso Lungo-)Gruppe, zu deren Füßen der nahe Sellapaß liegt. Dolomite der mittleren Trias, stark zerklüftet und verwittert, bauen das Massiv auf, das beinahe in den mächtigen Schuttkegeln ertrinkt. Aufnahme Gensetter

Hintere Schöntaufspitze
(3324 m; Ortler)

In den altpaläozoischen Quarzphylliten der oberostalpinen Basis gelegen, bietet dieser unschwer zu ersteigende Gipfel einen einmaligen Blick auf das nahe Dreigestirn der Ortlergruppe: Ortler–Zebrù–Königsspitze, auf die zahlreichen Gletscher, aber auch auf die Gruppe des Monte Cevedale und die Careser Gletscherwelt.

Ausgangspunkt: Schaubach-Hütte (2581 m), von Sulden aus mit der Suldner Gletscherschwebebahn erreichbar.

Endpunkt: Enzian-Hütte (2050 m) im hinteren Martell-Tal.

Rückkehr nach Sulden: Bus bis Goldrain (Coldrano) im Vintschgau, Bahn bis Sponding (Spondigna), Bus nach Sulden.

Marschzeit: 5 Stunden.

Verpflegung und Unterkunft: Schaubach-Hütte, Enzian-Hütte.

Von der Schaubach-Hütte aus steigen wir ostwärts gleichmäßig in vielen Kehren auf bezeichnetem Pfad auf über blumenreiche Weiden und über Geröll. Zur Rechten der kleine Ebenwand-Ferner, darüber die Butzenspitze und die Madritschspitze. Wir erreichen das Madritsch-Joch (3123 m), wo sich der Blick auf die Zufritt-Gruppe öffnet. Nun nach links auf gutem Weg über den Südgrat hinauf zur aussichtsreichen Hinteren Schöntaufspitze.

Der Abstieg führt uns zuerst auf demselben Weg zurück zum Madritsch-Joch, dann nach links hinab durch das Madritsch-Tal, stets dem nördlichen Hang entlang, zuletzt in Kehren durch den Wald zur Enzian-Hütte.

Oben links: Auf der Hinteren Schöntaufspitze. Herrlich ist der Blick von unserem Gipfel hinein in die wuchtige Ortlergruppe. Im Bild links die Königspitze (Gran Zebrù), rechts der Ortler, beide aus Hauptdolomit der oberen Trias aufgebaut (Ortler-Decke). Wir stehen auf Altkristallin der ebenfalls oberostalpinen Campo-Decke, der Basis der Ortler-Sedimente. Aufnahme Höhne

Oben rechts: Im Madritschtal. Vor uns der Höhepunkt unserer Bergwanderung, die Hintere Schöntaufspitze. Die altpaläozoischen Gneise und Glimmerschiefer sind stark verwittert und von den eiszeitlichen Gletschern überprägt worden. Aufnahme Höhne

Unten: Die Ortler-Gruppe. Mächtig heben sich der breite Ortler und die Königspitze aus der Gebirgswelt um das Stilfserjoch heraus. Gut ist die Schichtung der obertriadischen Kalke und Dolomite der Ortler-Decke sichtbar. Eine gut zugängliche Gletscherwelt lädt auch im Sommer zum Skisport ein. Aufnahme Schwarz

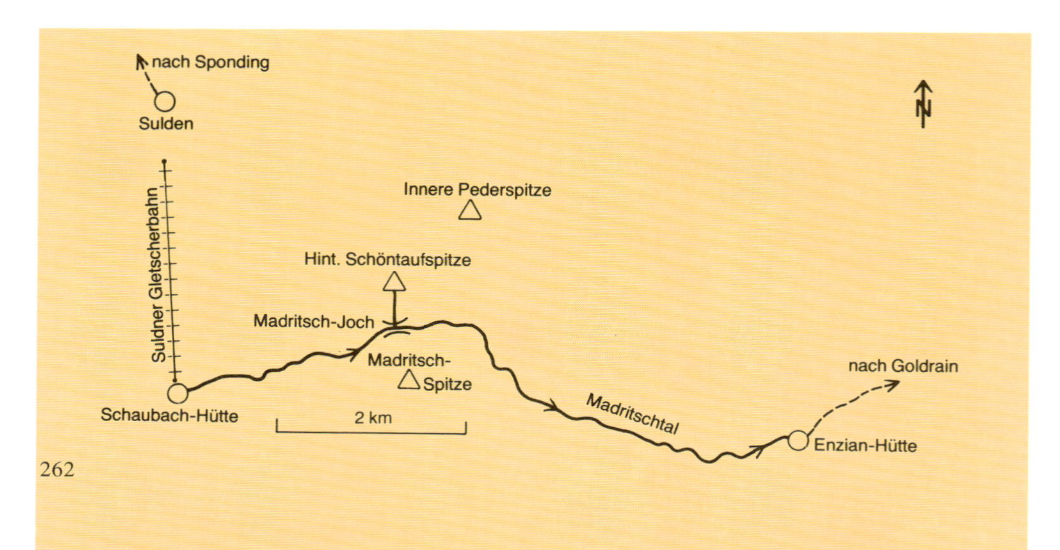

Weißhorn (Corno Bianco, 2705 m; Sarntaler Alpen)

Dieser Gipfel ist vom Penserjoch aus leicht erreichbar. Er bietet, im Herzen der Sarntaler Alpen gelegen, eine schöne Rundsicht nicht nur auf diese Berggruppe, sondern auch auf die Ötztaler, Stubaier und Zillertaler Alpen des Hauptkammes und im Osten auf die Dolomiten. Glimmerschiefer des oberostalpinen Ötztal-Kristallins, oft mit Granat, Disthen und Staurolith sowie Paragneise mit dunklen Amphibolitzügen begleiten uns.
Ausgangs- und Endpunkt: Penserjoch (2214 m) an der Straße Bozen–Sterzing.
Marschzeit: 4 1/2 Stunden.
Verpflegung: Alpenrose auf dem Penserjoch.
Wir wenden uns vom Penserjoch westwärts, leicht ansteigend entlang der Südflanke der Gänsekragenspitze. Man überquert, teils auf Geröll, teils über Weiden wandernd, eine Runse und steigt auf den Bergkamm auf. Nach kurzem Abstieg geht es in eine Mulde und wieder hinauf im Steilhang, stets auf gutem Pfad. Bei den drei Seen führt uns der Weg aufwärts über Schutt zum Gröller Joch (2500 m). Im Zickzack geht es nun die Südflanke des Weißhorns hoch, mehrmals eine Rinne querend, auf den Gipfelgrat.
Rückweg gleich wie Aufstieg.

Unten links: Auf dem Penser Joch (Passo di Pennes). Mitten in den Sarntaler Alpen gelegen, bietet das Penser Joch einen angenehmen Übergang von Sterzing (Vipiteno) nach Bozen (Bolzano). Wir befinden uns im Ötztal-Kristallin, nahe der alpin-dinarischen Linie, der Grenze zu den Südalpen, die wir bei der Fahrt gegen Bozen bald kreuzen. Aufnahme Tappeiner
Unten rechts: Beim Aufstieg zum Weißhorn (Corno Bianco). Bei unserer Wanderung über den leichten Grat belohnt uns eine reiche Flora zwischen den Blöcken aus oberostalpinem Altkristallin. In der Ferne grüßen die Südtiroler Tribulaune herüber. Aufnahme Höhne
Rechts oben: Das Weißhorn. Hier erkennen wir den ganzen Wanderweg zum Gipfel des Weißhorns, der uns über blumige Weiden führt. Das Weißhorn liegt unmittelbar an der wichtigen insubrischen Linie, der markanten Trennfuge zwischen Nord- und Südalpen. Aufnahme Tappeiner

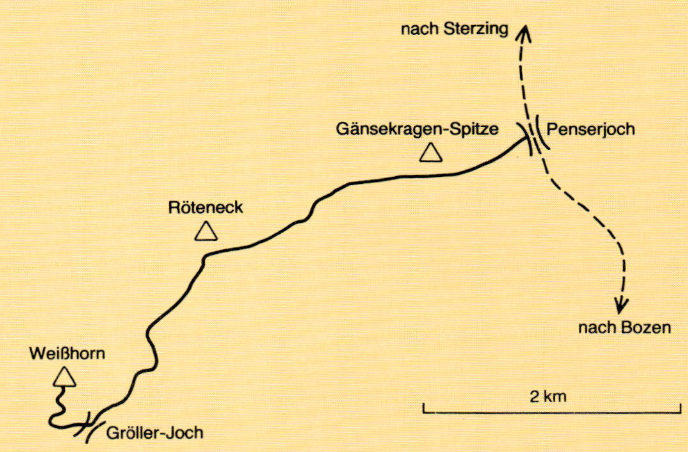
N
nach Sterzing
Gänsekragen-Spitze
Penserjoch
Röteneck
nach Bozen
Weißhorn
2 km
Gröller-Joch

Seiser Alm und Schlern (Dolomiten)

Die Seiser Alm ist mit etwa 50 km² eine der ausgedehntesten Hochflächen der Alpen, auf welcher sich besonders im Frühsommer ein wahrer Blumenteppich ausbreitet. Auf einer mittleren Höhe von 2000 m sind Hunderte von Alphütten und Stadeln weit gestreut. In der Runde blicken wir auf die bizarren Felstürme der Dolomiten. Im Westen hebt sich das Schlern-Dolomitmassiv hell über die weite Alm. Die südalpine Gesteinsserie umfaßt Perm (roter Bozener Quarzporphyr) und Trias, insbesondere den ladinischen Schlerndolomit.

Ausgangs- und Endpunkt: Schönblick (1870 m), mit dem Auto von Bozen aus erreichbar.

Marschzeit: 5 1/2 Stunden.

Verpflegung: Gasthaus Joch (2020 m), Saltner Hütte (1800 m), Schlern-Häuser (2461 m).

Vom Schönblick (Parkplatz) steigen wir auf einem Fahrsträßchen hinauf gegen Südosten zum Gasthaus Joch. Nun wandern wir leicht absteigend über die wellige Hochfläche (Markierung „S“), nach rechts haltend, schließlich über eine Bachrunse zur Saltner Hütte. Über einen weiteren Graben erreichen wir den Seiser Weg, dem wir nun steil aufwärts in vielen Kehren folgen. Wir gelangen wieder auf eine Hochfläche mit den Schlern-Häusern. Der Petz, mit 2564 m höchster Gipfel des Schlern-Massivs, ist in 20 Minuten leicht ersteigbar. Die Aussicht auf Rosengarten, Langkofel und Sella, aber auch gegen Westen in die Berge um Bozen ist einmalig. Rückweg gleich wie Aufstieg.

Quarzporphyr. Eine mächtige Masse von permischem vulkanischem Quarzporphyr (dem „Bozener Porphyr“, als Pflasterstein weitherum verwendet) unterteuft den Schlern. Das Gestein zeigt in einer ziegelroten bis violettroten Grundmasse oft gut ausgebildete Orthoklas-Kristalle. Aufnahme Crespi

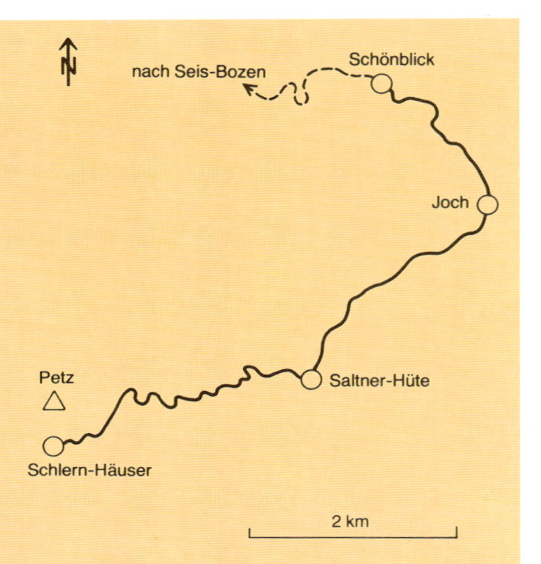

Rechts: Auf der Seiser Alm. Gekrönt vom mächtigen Schlern-Massiv, dem Ziel unserer Bergwanderung, weitet sich die Hochfläche der Seiser Alm (Alpe di Siusi) mit zahlreichen Hochmooren und einer reichen Blumenwelt – besonders nach der Schneeschmelze. Aufnahme Raab

Am Seekofel (Coda di Becco)

Diese Höhenwanderung in den nördlichen Dolomiten, hoch über dem Pustertal, bietet vor allem dem Blumenfreund im Frühsommer eine reiche Ausbeute. In der Ferne grüßen aber auch die mächtigen Massive der Dolomiten, im Norden die Riesenfernergruppe und die Zillertaler Alpen herüber. Triasdolomite südalpiner Prägung bauen die durchwanderten Alpen auf. Der Weg ist als Dolomiten-Höhenweg gut markiert.

Ausgangspunkt: Praxer Wildsee (1494 m), mit Bus oder Auto ab Niederdorf im Pustertal erreichbar.
Endpunkt: Pederü (1545 m) im Rautal.
Rückkehr nach Niederdorf: Mit dem Auto nach St. Lorenzen, mit der Bahn durch das Pustertal.
Marschzeit: 6½ Stunden.
Verpflegung und Unterkunft: Seekofel-Hütte (Rifugio Biella, 2300 m), Sennes-Hütte (Rifugio Sennes, 2116 m).

Vom Parkplatz beim Hotel am Praxer Wildsee aus wandern wir im Anblick der schroffen Nordwand des Seekofels dem Westufer des malerischen Praxer Wildsees entlang und biegen dann nach links von der Straße ab, die ins Grünwaldtal führt. Wir überqueren die Talaue südlich des Sees gegen Osten bis an den Fuß des Kleinen Apostels, dann gehen wir nach rechts aufwärts durch das Tal, durch niedrige Latschen und über Geröllhalden zu einem ebenen Talboden. Über eine Schutthalde führt der Pfad rechts hinauf zum felsigen Ostgrat des Seekofel, den wir links umgehen und in ein weites Kar, den Ofen, gelangen. Von Osten her grüßen die Drei Zinnen herüber. Bald erreichen wir, westwärts wandernd, die Porta Sora al Forn (2380 m) mit schönem Blick auf die zentralen Dolomiten (Tofana, Kreuzkogel). Zur Seekofel-Hütte ist es nur mehr ein kurzer Abstieg. Auf einem Sträßchen wandern wir vorerst westwärts über die Hochfläche, später, stets auf dem Weg im Bogen um den Hügelzug des Col di Siòres herum zur Sennes-Hütte, die rechts oberhalb der Naturstraße liegt. Über die wellige Hochfläche steigen wir auf dem Fahrweg, zuletzt durch den Wald, hinab zum Gasthof Pederü.

Oben: Die Hohe Gaisl (Croda Rossa) in den Pragser Dolomiten, vom Dürrenstein aus gesehen. Der höchste Gipfel der Gebirgsgruppe zeigt eine intensive Verfaltung der südalpinen Obertrias in Annäherung an die insubrische Linie im Pustertal(Puster-Linie). Aufnahme Beer

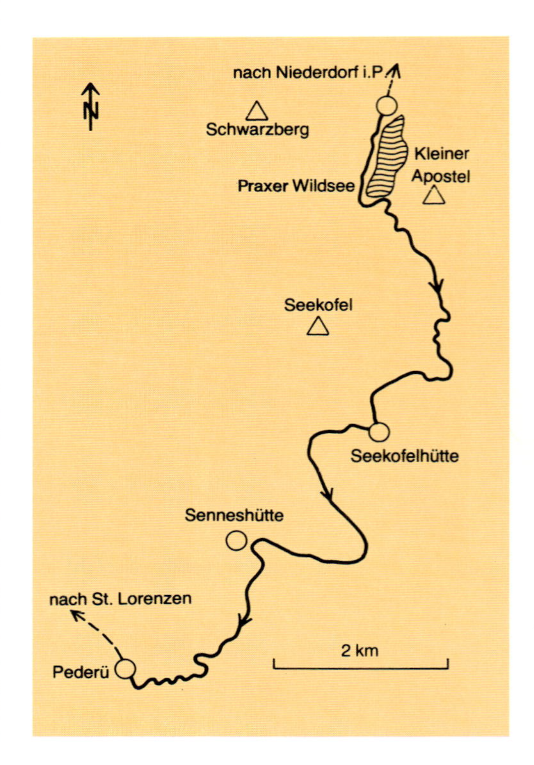

Unten links: Der Seekofel (Coda di Becco). Von der Sennesalp aus kommen die dünnbankigen und stark verfalteten obertriadischen Kalke, die plattig abwittern, gut zur Geltung. Im Vordergrund glazial geschliffene Buckel aus Hauptdolomit. Aufnahme Höhne

Unten rechts: Am Praxer Wildsee. Vom Ausgangspunkt unserer Wanderung können wir den Seekofel aus Norden bereits erkennen. Die Kalke und Dolomite der Obertrias sind intensiv zerbrochen und geklüftet worden. Aufnahme Hiebeler

Oben: Auf dem Passo della Mauria. Über der krokusübersäten Frühlingswiese erheben sich die Vorberge des Monfalcon-Massivs als stark zerklüftete Obertrias-Lias-Berge. Mächtige Schuttkegel dieser nördlichen Venetianer Alpen säumen die Berggipfel. Aufnahme Raab

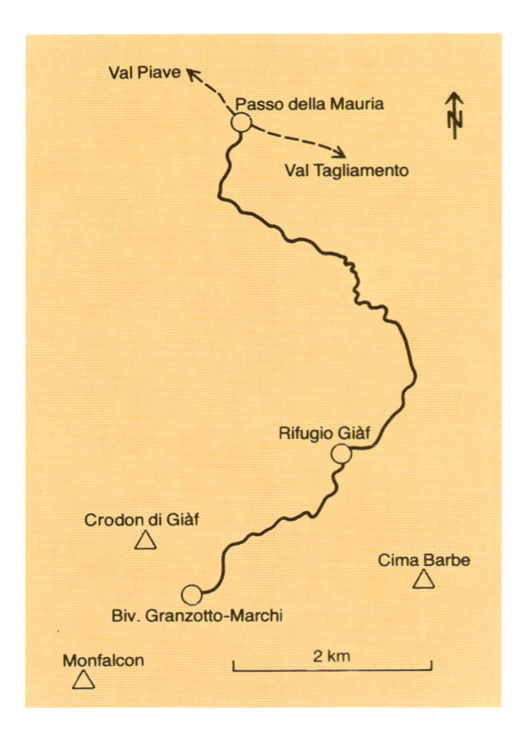

Unten links: Weißer Affodill *(Asphodelus albus).* Diese Lilie trägt als Blütenstand eine dichte Traube von über 20 Einzelblüten und kann bis über 1 Meter hoch werden. Sie ist eine typische südalpine Blume, die kalkreichen, besonnten Boden liebt. Aufnahme Kohlhaupt

Unten rechts: Der Campanile di Val Montanaia. Ein gut begehbarer Höhenwanderweg führt im südlichen Monfalcon-Gebiet an diesem bizarren Felsturm vorbei, dessen Liaskalke zu einem eigenartig flammenähnlichen Felsgebilde verwittert sind. Aufnahme Hiebeler

Am Monfalcon (Veneto)

Diese markante Berggestalt vermittelt einen nachhaltigen Eindruck von den östlichen Dolomiten. Horizontal gelagerte Triasdolomite und -kalke sind durch die Verwitterung zu kühnen Felstürmen und tiefen Schluchten mit lotrechten Flanken herausmodelliert worden. Neben diesen geologischen Sehenswürdigkeiten bietet aber die Wanderung in diesem klimatisch begünstigten südlichen Alpenabschnitt auch dem Pflanzenfreund viele Kostbarkeiten.

Ausgangs- und Endpunkt: Passo della Mauria (1295 m).

Marschzeit: 7 Stunden.

Trittsicherheit und Schwindelfreiheit sind Voraussetzung.

Verpflegung: Passo della Mauria (1295 m), Rifugio Giaf CAI (1434 m).

Unterkunft (ohne Verpflegung): Bivacco Granzotto-Marchi (2200 m).

Vom Passo della Mauria aus wenden wir uns südwärts durch Wald, leicht ansteigend in eine Geröllrunse, dann gegen Osten auf die Hügelkante, von wo wir durch Büsche absteigen in das Val Fossiana. Durch den Wald geht es jenseits wieder aufwärts und um den Monte Boschèt herum zum Rifugio Giaf. Hier öffnet sich bereits der Blick auf die mächtigen Felstürme der Monfalcon-Gruppe.

Auf markiertem Pfad gehen wir nun zuerst hinab zum Parkplatz (Zufahrt für Autos vom Val Tagliamento aus möglich), dann zunächst südwärts durch niedrige Sträucher ansteigend zu einer Weggabelung. Hier führt unsere Route nach rechts und entlang des Ostgrates des Torrione und durch eine Rinne steil hinauf zur Forcola del Cason (2280 m). Über die geröllerfüllte Karmulde erreichen wir bald das Bivacco Granzotto-Marchi (2200 m). Wir erklimmen noch die nahe Forcola del Leone (2290 m) über eine Rinne, um das überwältigende Panorama zu genießen.

Rückweg gleich wie Aufstieg.

Im Adamello-Massiv (Trentino)

Die Wanderung führt uns ins Herz des größten tertiären Granitstocks der sogenannten periadriatischen Intrusiva. Im nördlichen Teil der Gebirgsgruppe finden wir vorwiegend hellen Quarzdiorit mit Biotit und Hornblende (Tonalit, nach dem nahen Tonalepaß benannt), der in bizarren Felstürmen herausgewittert ist. Die Adamello-Gruppe ist stark vergletschert. Der Pflanzenfreund findet eine reiche silikatische Flora mitten im Adamello-Naturpark.
Ausgangs- und Endpunkt: Temù (1155 m) im Val Camonica (Auto).
Marschzeit: 5 1/2 Stunden (bei Benützung der oberen Seilbahn 4 Stunden).
Trittsicherheit ist Voraussetzung.
Verpflegung: Rifugio Carcano (2555 m).
Von der Straße bei Temù fahren wir mit dem Auto gegen Süden, über den Fluß, hinein ins Valle dell'Avio. Nach etwa 3 km erreichen wir die Talstation der unteren Seilbahn (Parkplatz), die uns zum Laghetto dell'Avio (1904 m) hinaufträgt. Nun wandern wir leicht dem westlichen Ufer der beiden Stauseen (Lago d'Avio und Lago Benedetto) entlang. Am Südende des letzteren Sees halten wir rechts und steigen über Weiden, dann über Geröll, zuletzt steil im Zickzack hinauf zum Lago Pantano dell'Avio (2378 m). (Dieser Aufstieg kann mit der oberen Seilbahn abgekürzt werden.) Nun nordöstlich auf dem Sentiero Adamello, auf einem Gebirgspfad leicht absteigend, kreuzen wir die Nordflanke des Adamello, mit 3597 m höchster Gipfel des Massivs. Stets im Anblick der nahen Gletscher und der ziselierten Felsgrate, steigen wir schließlich durch das Val di Veneròcolo hinauf zum Stausee und zum Rifugio Carcano (2555 m).
Der Abstieg führt uns auf der Nordseite des Val di Veneròcolo in Kehren hinab zu den beiden großen Stauseen und zurück zur Bergstation der unteren Seilbahn.

Auf dem Passo di Premassone. Zu unseren Füßen liegt der oberste Stausee der Avio-Gruppe, der Lago Pantano dell'Avio. Von der Staumauer weg führt uns der Weg hinauf zum Lago di Veneròcolo, den man am Fuß des Cima Garibaldi erkennen kann. Granite und Tonalite tertiären Alters bauen das Massiv auf. Aufnahme Povinelli

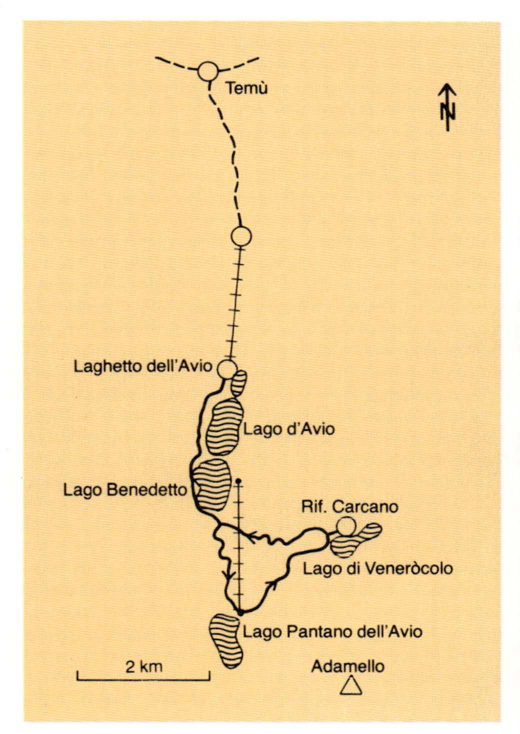

Links: Am Lago del Mandrone. Wir erblicken im Süden die Gruppe der Lobbie (Lobbia Bassa, Lobbia di Mezzo und Lobbia Alta), deren Kamm zum höchsten Gipfel des Adamello-Massivs hinaufführt. Aufnahme Povinelli

Rechts: Braunbär *(Ursus arctos).* Noch fristen einige dieser scheuen Tiere ihr Dasein in der Brenta-Gruppe und im Adamello. Tagsüber im dichten Unterholz versteckt, geht der Bär nachts auf Nahrungssuche. Aufnahme Czimmeck

Tirol und Osttirol

Das Wandergebiet umfaßt das österreichische Bundesland Tirol sowie Osttirol und den Südabfall der Zillertaler Alpen. Gegen Norden schließt die Staatengrenze gegen Deutschland (Bayern) die Region ab. Im Süden bilden der Bogen von Etsch- und Passeiertal, die Rienz und die Drau, gegen Osten die Grenze zum Land Salzburg den Abschluß. Das Land Tirol ist landschaftlich sehr abwechslungsreich und eines der lohnendsten Wandergebiete Österreichs. Lechtaler Alpen, Wetterstein, Karwendel und Rofan stehen entlang dem Inntal den Hochgebirgen der Ötztaler, Stubaier und Zillertaler Alpen gegenüber, denen die Tuxer Voralpen, die Kitzbühler Alpen und das Kaisergebirge nördlich vorgelagert sind.

Geologie. Zur Hauptsache befinden wir uns im Bereich der oberostalpinen Sedimenthülle, der „Nördlichen Kalkalpen", die im wesentlichen durch die tiefe Talung des Inn gegen Süden begrenzt ist und sich östlich vom Zillertal auch jenseits des Inntales im Kaisergebirge fortsetzt. Diese Serie von Ablagerungsgesteinen – vom Buntsandstein bis zur oberen Kreide – ist in mehrere Pakete zerteilt, die sich gegen Norden überschoben und in sich verfaltet und verschuppt haben: von unten nach oben die Allgäu-, Lechtal-, Inntal-, Staufen- und Kaiser-Decke. Eine Folge von parallelen Sätteln und Mulden zieht sich von Westen nach Osten, wobei im allgemeinen im Süden die älteren Schichten (untere und mittlere Trias), im Norden mehr der Hauptdolomit und jüngere Gesteine dominieren. An steiler Fläche taucht südlich des Inn oberhalb von Innsbruck das Ötztal-Kristallin – Gneise und Glimmerschiefer mit Amphibolitzügen und Keilen von metamorphen jüngeren Gesteinen – als die kristalline oberostalpine Basis auf und baut die vergletscherten Hochgebirge der Ötztaler und Stubaier Alpen auf. Das Wipptal zwischen Innsbruck und Brenner stellt eine bedeutsame tektonische Linie dar, indem östlich derselben in den Tuxer Voralpen die unterostalpinen Quarzphyllite auftauchen, südlich davon gar das Penninikum am Westende des Tauern-Fensters. In dieser Aufwölbung von den Zillertaler Alpen bis zum Katschberg ist die penninische Basis bis zum Kristallinkern durch die Erosion freigelegt worden; der herzynische Zentralgneis beherrscht hier die Szenerie. Allseitig ist dieser Gneis von einer metamorphen, zweigeteilten Schieferhülle umschlossen, die in Form von Phylliten, Marmoren und Glimmerschiefern das Paläozoikum bzw. von einheitlichen Bündnerschiefern mit ophiolithischen Ergüssen das tiefere Mesozoikum repräsentieren. Anderseits setzt etwa ab Wattens gegen Osten die oberostalpine „Nördliche Grauwackenzone" ein, eine metamorphe paläozoi-

Oben: Adular. Im Kristallin der Zillertaler Alpen, im Ahrntal, fand sich dieser schön ausgebildete Adular, ein Feldspat (Orthoklas), ein typisches Mineral alpiner Zerrkluftlagerstätten. Aufnahme Grammacioli

Links: Herbst im Pitztal. Von Imst aus erreichen wir mit dem Auto die reizvollen Blumenalmen im hintersten Pitztal, das dominiert wird von der gletscherumrahmten Wildspitze – im Bild der Mittelsbergferner. In den Schiefergneisen und Granitgneisen des altpaläozoischen Kristallins der oberostalpinen Ötztal-Masse lassen sich häufig Mineralien der metamorphen und der Zerrkluft-Paragenese finden. Aufnahme Federer

Tirol und Osttirol

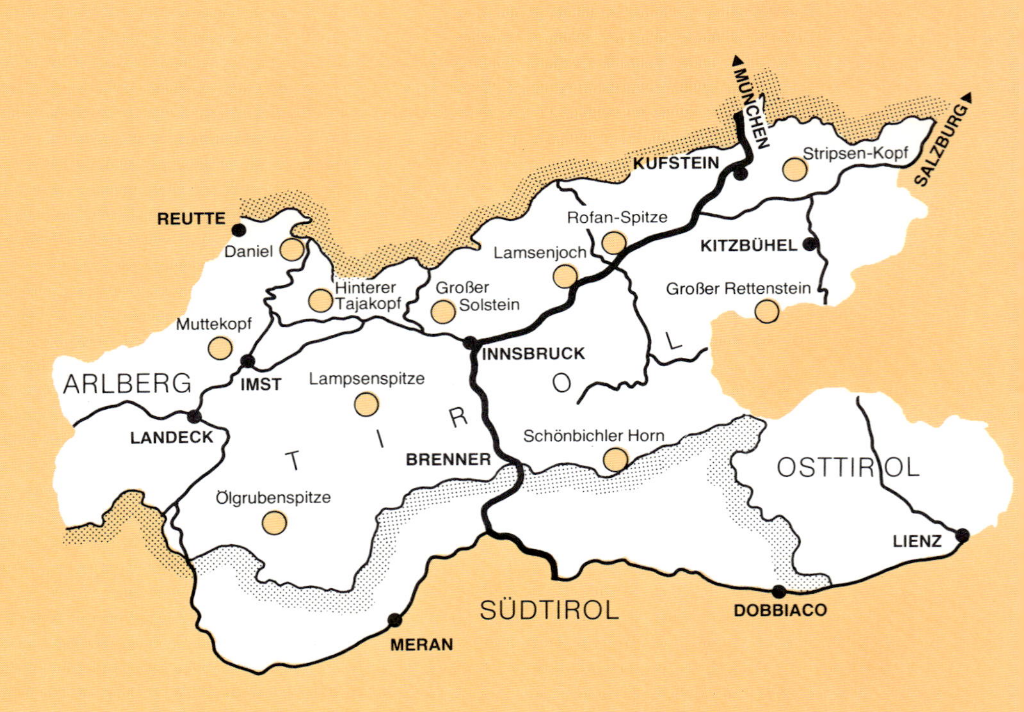

In den Stubaier Alpen. In düsterer Herbststimmung präsentiert sich der Winnebachsee mit der Larstig-Spitze im dunklen Paragneis des Ötztal-Kristallins. Aufnahme van Hoorick

sche (vorherzynische) Sedimentserie mit Phylliten, Kalken, Sandsteinen und Konglomeraten als die ursprüngliche Basis der Nördlichen Kalkalpen und als Hülle des oberostalpinen Kristallins, die in den Tuxer Voralpen und in den Kitzbüheler Alpen eine beträchtliche Ausdehnung in Form der „Schieferalpen" erlangt.

Mineralien. Während die Nördlichen Kalkalpen arm an Mineralien sind, häufen sich die Fundstellen naturgemäß in den Kristallinmassiven der Ötztaler und Stubaier Alpen. Eine Aufzählung aller Fundorte würde viel zu weit führen. Es können u. a. Andalusit, Sillimanit, Cordierit, Muskovit, Granate (Granatkogel!), Hornblenden, Turmaline, Disthen und Staurolith, aber lokal auch prächtige Hämatit-Eisenrosen (bei der Starkenburger Hütte und am Hohen Burgstall) sowie Pyrit (im Lüsental) in den Gneisen, Glimmerschiefern, Graniten und Pegmatiten aufgesammelt werden. Die Zillertaler Alpen ihrerseits sind berühmt für schöne alpine Zerrkluftmineralien in Ortho- und Paragneisen. Bei Schwaz und Brixlegg wurden früher im Untertagebau Silber- und Kupfererze gewonnen, am Schneeberg beim Timmelsjoch wird Bleiglanz abgebaut.

Gestaltung der Oberfläche. Die abwechslungsreiche Tiroler Landschaft – ausgenommen Osttirol – ist morphologisch ganz zum breiten Inntal hin orientiert. Diese markante Talfurche von Landeck bis zum Achensee ist vorgezeichnet als steilstehende Fuge zwischen den Nördlichen Kalkalpen einerseits, dem Ötzkristallin, den Innsbrucker Quarzphylliten und der Nördlichen Grauwackenzone andererseits. Nur im äußersten Norden entwässern einige Flüsse direkt ins bayerische Alpenvorland, zur Donau hin. Mehrere geschlossene Gebirgsmassive überragen beidseits das Inntal. Im Westen sind es die Lechtaler

Oben links: Im Pustertal (Osttirol). Vom Iselsberg bei Lienz blicken wir gegen Südwesten auf die Lienzer Dolomiten. Kalke der oberen Trias, des Rät und des Lias bauen diese Berge auf, die bereits zum südalpinen Mesozoikum zählen. Aufnahme Gaggl

Unten links: Bei Matrei (Osttirol). Auf der Brenner-Route bewegen wir uns in der Grenzzone zwischen dem Ötztal-Kristallin und den Innsbrucker Quarzphylliten. Auf dem Bild sichtbar ist auch die mesozoische Bedeckung des oberostalpinen Ötz-Kristallins. Aufnahme Raab

Unten rechts: Im Karwendel. Das westliche Karwendel-Massiv – auf dem Bild die Brunnsteinspitze – gehört zur oberostalpinen Inntal-Decke. Die hellen Kalke der mittleren und oberen Trias leuchten weithin über die sattgrünen Weiden hinweg. Aufnahme Beer

Rechts: Die Tribulaune. Hoch über dem Gschnitztal, im Grenzkamm gegen Oberitalien, erheben sich die bizarren Dolomitberge der Tribulaune. Sie gehören dem normal aufliegenden Mesozoikum der oberostalpinen Ötztal-Masse an. Gut sichtbar ist der Unterschied zwischen den hellen Dolomiten der Gipfelpartie und den unterliegenden dunklen Paragneise des Kristallinkerns. Aufnahme Federer

Alpen – helle Gipfel aus Wettersteinkalk, Hauptdolomit und Dachsteinkalk mit mächtigen Schutthalden und weiten Latschenhängen, steil zum Inn abfallend, mit zahlreichen Schluchten und Seen – und die kristalline Verwallgruppe zwischen dem Arlbergpaß und dem Paznauntal. Wetterstein- und Mieminger-kette mit der überragenden Zugspitze sind durch die wuchtigen Felswände im triadischen Wettersteinkalk charakterisiert. Zahlreiche Seen, meist eiszeitlich bedingt, zieren die Landschaft. Nur wenige kleine Gletscher konnten sich auf den nördlichen Höhen halten. Durch weite Paßmulden (Fernpaß und Scharnitzpaß) sind die beiden letztgenannten Massive gegen Westen und Osten hin abgeschlossen. Die abweisende „Nordkette" hoch über Innsbruck läßt die Breite des Karwendelgebirges, eines Wanderparadieses mit mehreren mauerartigen Kalkketten und breiten Längstälern, kaum erahnen. Viele Kare erinnern hier an die Eiszeit. Östlich über dem Achensee erhebt sich mit steiler Flanke das Sonnwendgebirge, der Rofan, der über das Inntal hinweg seine Fortsetzung in den Kalkgebirgen von Wildem und Zahmem Kaiser findet. Die weichen Bergformen der Tuxer Voralpen und der Kitzbüheler Alpen leiten gegen Süden über zu den bizarren Hochgebirgen. In den Ötztaler Alpen mit 90 Gipfeln über 3000 m ist die Vergletscherung sehr ausgeprägt; von den über 200 Eisfeldern ist der Gepatsch-Ferner mit 18 km Länge der größte; die Wildspitze ist mit 3772 m zweithöchster Gipfel Österreichs. Gegen Osten nimmt die Gipfelhöhe leicht ab; immerhin erreicht der Hochfeiler in den Zillertaler Alpen noch 3510 m. Die Gletscherwelt ist durch mächtige Moränenzüge und zahlreiche Seen bereichert. Eiszeitlich bedingte Stufenmündungen der Nebentäler sind besonders in den Bergen südlich des Inntales anzutreffen. Das Ötztal zum Beispiel weist im ganzen fünf Talstufen auf. Die Stubaier Gletscherbahn bei der Dresdner Hütte führt mitten in eine Gletscherwelt mit all ihren morphologischen Besonderheiten.

Das **Klima** Nordtirols ist gekennzeichnet durch die Niederschlagsarmut der Täler, die im Regenschatten der feuchten Westwinde hinter der Arlbergscheide liegen. Besonders das obere Inntal zwischen Landeck und Imst stellt eine eigentliche Trockeninsel dar, ähnlich dem Vintschgau und dem Unterengadin. Auch gegen Norden halten die hohen Gebirgszüge die kalten Bisen weitgehend ab. Nur über die niederen Pässe zum bayerischen Alpenvorland vermögen sie etwas kühlend zu wirken. Vom Grenzkamm gegen Italien, besonders über den Brenner, stürzen die warm-trockenen Föhnwinde ins Inntal herab, so das Klima weiter begünstigend. Frühjahr und Herbst sind die wetterbeständigsten Jahreszeiten. Besonders die Lechtaler Alpen, aber auch die übrigen Nordgebirge sind dagegen stark beregnet; hier bleibt der Schnee auch, wie in den südlichen Tiroler Alpen, lange liegen. Osttirol steht bereits unter dem Einfluß des insubrischen Klimaregimes, ist aber wegen des Ost-West-Verlaufs der Haupttäler regenärmer als die den Föhn-Staulagen exponierten Trentiner und Bergamasker Alpen.

Die **Pflanzenwelt** der Nordtiroler Alpen ist derjenigen des Allgäus und Vorarlbergs vergleichbar. Kalk- und dolomitliebende Pflanzen herrschen vor. Die Buche, in höheren Lagen Ahorn, Fichte, Tanne und Lärche bilden ausgedehnte Wälder. Im Inntal wirkt sich die Trockenheit auf den Pflanzenbestand aus. Das Ötztal ist das längste inneralpine Trockental. Dem Erika-Kiefernwald in den kalkreichen tieferen Lagen folgt in der Höhe bis auf 2400 m hinauf der Lärchen-Arvenwald. Dank der klimatischen Gunst gedeihen Berberitzen-Rosengebüsche bis über 2000 m und reichen Strauchweiden wie die Seidenhaarige Weide *(Salix glauca),* die Schweizerische Weide *(Salix helvetica)* und die Spießblättrige Weide *(Salix hastata)* gar bis auf 2550 m Höhe. Typische Vegetationsform der höheren Lagen ist die flechtenreiche Zwergstrauchheide oder die durch Rodung der Latschen entstandene Grasheide. An Südhängen trifft man Buntschwingel *(Festuca varia)* und Borstgrasgesellschaften (Nardeten), die nach oben von kleineren Schwingeln *(Festuca violacea, Festuca halleri)* abgelöst werden. An lange schneebedeckten Orten gedeiht der Blaue Speik (Klebrige Primel, *Primula glutinosa*). Über 3000 m finden wir nur mehr offene Polsterpflanzengesellschaften mit dem Gletscherfingerkraut *(Potentilla frigida)* und dem Flattnitzer Hungerblümchen *(Draba fladnizensis).* Die Täler der Zillertaler Alpen sind mit Buchenwäldern bestanden, die in tieferen Lagen von Birken und Eichen, darüber von Bergahorn durchsetzt sind. In der Krautschicht treffen wir kontinentale Arten wie die Niedrige Segge *(Carex humilis).* Arven-Fichtenwald und Arven-Alpenrosenbestände bevölkern die subalpine Zone. Die Vegetation der Alpregion gliedert sich in die „Zetten" (Zwergstrauchheide mit Krähenbeere, Heidelbeere und Alpenrose), die „Pleissen" (wenig geneigte Flächen mit dem Gemsbinsenrasen, einer kontinentalen Form des Krummseggenrasens, mit Polstermoosen und Erdflechten) und die „Planggen" (steile Wildheumähder mit Alpenstraußgras und Reitgras). An Wasseraustritten aus Schutthalden wächst das Hochalpenmoos *Hydrogrimmia mollis,* meist zusammen mit dem Gletscherhahnenfuß *(Ranunculus glacialis).* In der nivalen Stufe schließlich finden wir zahlreiche ostalpine Fingerkraut- und Hungerblümchen-Arten.

In zahlreichen **Naturschutzgebieten** kann der Naturfreund die reiche Pflanzen- und Tierwelt Tirols bewundern: Im ganzen Karwendelgebirge (alter Ahornbestand bei Hinterriß), am Vilsalpsee bei Tannheim, in der italienischen Texelgruppe, im hinteren Gschnitztal, an der Saile und am Olperer. Besuchenswert sind auch die Hundalmhöhle bei Wörgl, die Höhenbachschlucht bei Holzgau im Lechtal und die Rosengartenschlucht bei Imst. Eine Fahrt auf die 2809 m hohe Valluga am Arlbergpaß bietet eine einmalige Einsicht auch in die Tiroler Alpenwelt. Osttirol ist wesentlich beteiligt am werdenden großen Nationalpark Österreichs in den Hohen Tauern (siehe unter Kärnten). Hier findet sich im hinteren Virgental, nahe der Pebell-Alm, ein Lehrpfad entlang der Iselfälle (Umballfälle). Der Gletscherschaupfad Innergschlöß ist vor kurzem eröffnet worden.

Rechts: In den Stubaier Alpen. Der Weißkogl dominiert das wilde Bergtal im Hinterland des Sellraintales. Das Gebiet liegt im Kristallin der oberostalpinen Ötztal-Masse. Gut sichtbar ist die Gletscherwirkung mit mächtigen Moränenzügen. Aufnahme Federer

Links oben: Im Karwendel. Von Mittenwald-Scharnitz aus bietet sich der Karwendel besonders wuchtig dar. Gut sichtbar ist der Unterschied zwischen den bizarr herausmodellierten hellen Bergspitzen und der bewaldeten Basis, die der mittleren Trias angehört. Aufnahme Beer

Links unten: Der Wilde Kaiser. Wuchtig bricht die Südwand des Wilden Kaisers mit der Ellmauer Halt als höchster Erhebung gegen die satten Weiden des Sölland bei Going ab. Die Kalke und Dolomite der mittleren Trias, dem überschobenen Tirolikum der Nördlichen Kalkalpen zugehörig, sind in Falten gelegt und stark verwittert (Kaiser-Decke). Aufnahme Roth

Rechts: Im Gschnitztal. Im großen Naturschutzgebiet des hinteren Gschnitztales liegen die Feuersteine, im Ötztal-Kristallin, nahe den Tribulaunen. Im Vordergrund sind Gletscherschliffe zu erkennen. Aufnahme Federer

Unten: Der Achensee. Vom Zwölferkogel blicken wir hinunter auf den Achensee, der dominiert wird vom Sonnwendgebirge (Rofan). Dessen südliche Partien sind aus Juragesteinen, der nördliche Teil aus Triasdolomiten der oberostalpinen Staufen-Decke aufgebaut. Aufnahme Roth

Muttekopf-Berge (Lechtaler Alpen)

Der „Imster Höhenweg“ ist eine recht anspruchsvolle Höhenwanderung, belohnt uns aber mit vielen Naturschönheiten, mit blumenreichen Wiesen, Alpentieren und einer prächtigen Sicht auf die Lechtaler Alpen, ins Inntal und hinüber zu den vergletscherten Ötztaler und Stubaier Alpen. Wir wandern in Dolomiten, Kalken und Schiefern der Trias, des Jura und der Kreide, die leicht verfaltet sind und der oberostalpinen Inntal-Decke zugehören.
Ausgangs- und Endpunkt: Imst (828 m).
Marschzeit: 7 Stunden.
Trittsicherheit ist Voraussetzung.
Verpflegung: Muttekopf-Hütte (1932 m).

Vom Dorfkern von Imst wandern wir auf einer Fahrstraße zur Talstation des Sesselliftes, der uns zum Drischlhaus (2050 m) hinaufträgt. Auf einem gesicherten Felspfad entlang der Nordflanke des Alpjochs erreichen wir bald die Muttekopf-Hütte (1932 m). Nun weiter auf markiertem Weg gegen die Muttekopf-Scharte hinauf. Bei der Weggabelung halten wir links (Markierung 622) und wandern um das Sebrigkar herum und dem Westfuß von Pleiskopf und Ödkarlekopf entlang auf aussichtsreichem Pfad über den Larsenngrat. Die Kuppe des Laggersberges überschreitend, steigen wir in vielen Kehren steil hinab, durch den Wald und auf einer Forststraße zurück nach Imst.

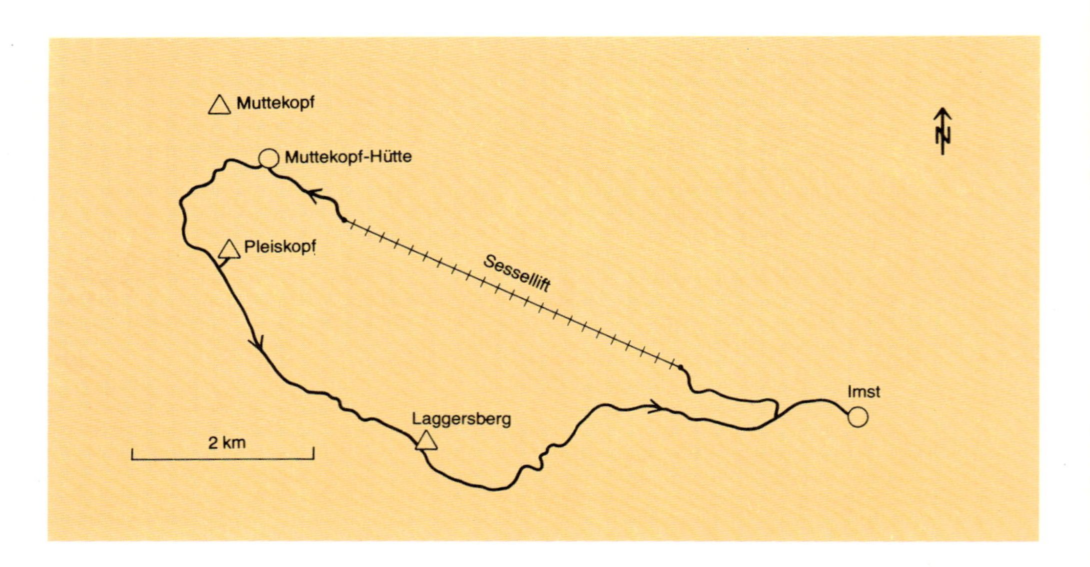

Oben: Auf der Plattenwiese. Wir gewinnen von hier aus einen Überblick über den ersten Teil unserer Wanderung. Von links nach rechts erkennen wir Alpjoch, Pleiskopf, Rotkopf, Seebrigkopf und den dominierenden Muttekopf, unten die Muttekopfhütte. Wir durchwandern die gesamte Schichtreihe der oberostalpinen Inntal-Decke von Trias bis Kreide. Aufnahme Schwaiger

Unten: Rückblick auf den Muttekopf. Vom Alpjoch aus präsentiert sich der Muttekopf besonders eindrucksvoll. Wir erkennen die stark gefalteten Jurakalke, die von dunklen Rätschichten unterteuft sind. Aufnahme Schwaiger

Hinterer Tajakopf
(2409 m; Mieminger Kette)

Die westliche Mieminger Kette, aus mitteltriadischem Wettersteinkalk der oberostalpinen Inntal-Krabachjoch-Decke aufgebaut, bietet ein Bergerlebnis besonderer Art: Mitten in den bizarren Felstürmen lassen sich etliche leichte Bergwanderungen durchführen. Das brüchige Gestein und die ausgedehnten Schutthalden gestalten zwar das Wandern etwas mühsam. Die Aussicht auf die nahen Südwände des Wettersteingebirges und die malerischen Seen, aber auch die reiche Pflanzen- und Tierwelt entschädigen aber die Mühsal.
Ausgangs- und Endpunkt: Ehrwald (996 m).
Marschzeit: 7½ Stunden.
Verpflegung und Unterkunft: Coburger Hütte (1917 m).
Vom Bahnhof Ehrwald geht es in einer halben Stunde nach Oberdorf. Bei der Kuhmühle nahe der Talstation des Sesselliftes zur Ehrwalder Alm zweigen wir nach rechts ab über den Bach und steigen durch den Wald aufwärts bis an den Fuß einer Felsstufe (Hoher Gang). Nach Erklimmen dieser Stufe (gesichert) gelangen wir in den Almkessel mit dem reizenden Seebensee. Bereits ist die Coburger Hütte sichtbar, die wir in kurzem Anstieg über die geröllldurchsetzten Weiden erreichen. Vor uns öffnet sich die Mulde des Drachensees; zur Rechten grüßt die Sonnenspitze, das „Tiroler Matterhorn".
Nun links am Drachensee vorbei, steigen wir schräg hinauf gegen die Grieß-Spitze, wenden uns bei der Weggabelung nach links und gelangen zur Scharte beim Hinteren Tajatörl. Über den felsdurchsetzten Südgrat erklimmen wir den Gipfel des Hinteren Tajakopfs (2409 m).
Für den Rückweg wählen wir die gleiche Route. Von der Coburger Hütte aus lohnt sich auch ein Abstecher von etwa einer Stunde auf die Biberwierer Scharte, mit Ausblick auf die Lechtaler Alpen mit dem Loreakopf und dem Roten Stein.

Ammonit Calliphyllocera nilssoni. Ein Ammonit aus dem Toarcian (Lias), Durchmesser ca. 5,5 cm. Ein Leitfossil des unteren Jura mit ausgeprägten Lobenlinien. Aufnahme Richter

Rechts: Am Seebensee. Von diesem malerischen See am Weg zum Tajakopf genießen wir den Ausblick auf das Wetterstein-Massiv mit der Zugspitze. Stark verfaltete Wettersteinkalke der mittleren Trias bauen die Berge auf, die zur oberostalpinen Inntal-Decke gehören. Aufnahme Beer

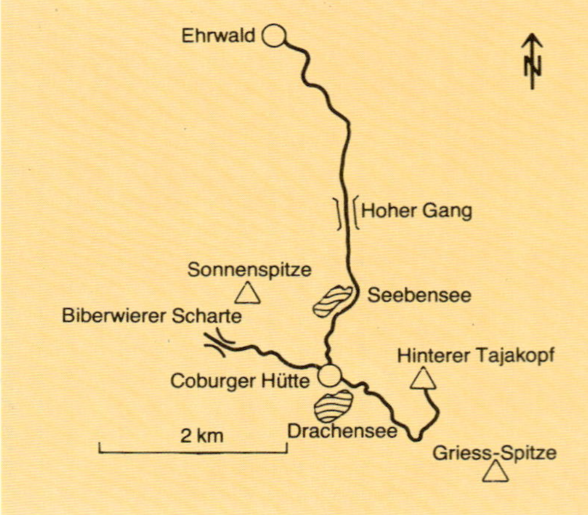

Daniel (2342 m; Lechtaler Alpen)

Am äußersten Ostende der Lechtaler Alpen gelegen, einsam hoch über Ehrwald, bietet der Daniel eine prächtige Rundsicht. Direkt gegenüber im Osten die Zugspitze und der Schneefernerkopf mit ihren wuchtigen, über 1000 m hohen Felswänden gegen Westen und Norden. Im Süden grüßt die Mieminger Kette herüber, im Westen ragen die Lechtaler Alpen auf, während hinter dem Törle der blaue Eibsee leuchtet. Kalke und Dolomite der oberen Trias des Oberostalpins bauen die Gebirgsgruppe auf.

Ausgangspunkt: Lermoos (995 m).
Endpunkt: Ehrwald (996 m) oder Lermoos.
Marschzeit: 6 Stunden.
Trittsicherheit ist Voraussetzung.
Verpflegung: Duftel-Alpe (1420 m).

Bei der Bahnstation Lermoos überqueren wir die Bahnlinie gegen Norden und steigen auf markiertem Fußweg durch Wälder steil hinauf, vorbei am Kohlberg, zur Duftel-Alpe (Lermooser Alm). Nun weiter nordwärts haltend, durch Legföhren und schließlich über Geröll hinauf unter den Grat zwischen Upsspitze und Daniel. Nach rechts führt der Pfad auf den Gipfel des Daniel (2342 m).

Für den Abstieg wählen wir den Weg über den Nordkamm hinab zum Büchsentaljoch. Nun stets rechts haltend durch den Wald, dann dem Häselgörbach entlang hinunter auf die Talstraße und zum naheliegenden Bahnhof von Ehrwald oder aber über die Ebene zurück nach Lermoos.

Oben: Blick vom Daniel gegen Westen. Der einzelstehende Daniel lohnt sich seiner prächtigen Rundsicht wegen. Wir blicken über unseren Aufstiegsweg hinein in die Lechtaler Alpen. Aufnahme Beer

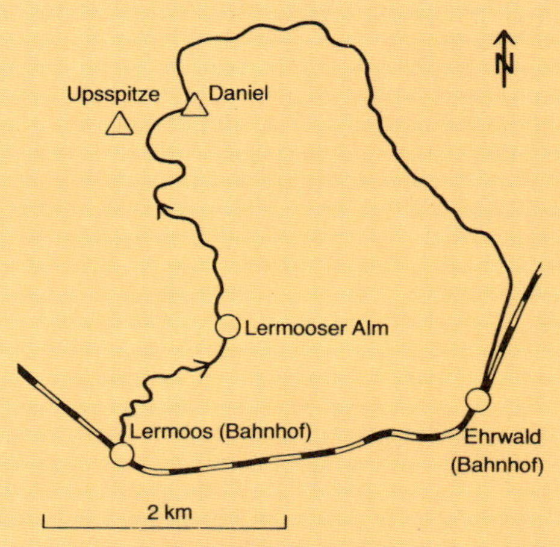

Links: Die Zugspitze. Auf dem Daniel stehen wir direkt gegenüber dem höchsten Gipfel Deutschlands, der Zugspitze im Wetterstein-Massiv. Die gebankten Schichten der mittleren Trias bilden hier eine kaum verbogene Platte innerhalb der oberostalpinen Nördlichen Kalkalpen. Aufnahme Beer

Großer Solstein
(2540 m; Karwendelgebirge)

Dieser leicht besteigbare Aussichtsberg hoch über Innsbruck im Wettersteinkalk der oberostalpinen Inntal-Decke wird viel begangen. Vor allem die Stubaier, Tuxer und Zillertaler Alpen bieten sich dem Auge dar, aber auch das breite Inntal in der Tiefe.
Ausgangs- und Endpunkt: Hochzirl (922 m, Bahn, Straße).
Marschzeit: 7½ Stunden.
Verpflegung und Unterkunft: Solstein-Haus (1805 m).
Vom Bahnhof Hochzirl (Parkplatz) steigen wir durch Wald auf und folgen dem Fahrweg bis nach Oberbach. Nun nach links hinauf in Kehren zur Solnalp und durch Runsen leicht ansteigend zum Solstein-Haus. Durch das Erltal wandern wir weiter zur Erlalm. Bei der Weggabelung halten wir rechts und steigen durch Legföhren steil auf dem Westgrat an, schließlich auf markiertem Pfad über Geröll zum breiten Gipfel.
Für den Abstieg wählen wir die gleiche Route.

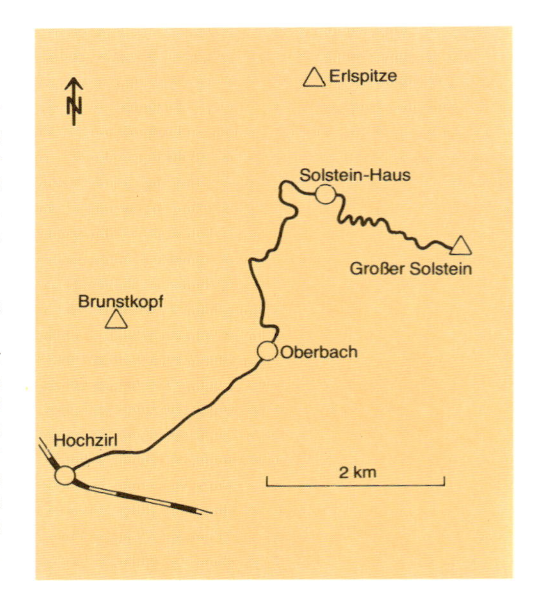

Links: Die Nordkette über Innsbruck. Die südliche Karwendelkette beherrscht das Inntal um Innsbruck, deren einer Eckpfeiler der Große Solstein ist. Herrliche Höhenwanderwege erschließen das Gebirge im Wettersteinkalk der Inntal-Decke. Aufnahme Federer

Oben: Der Karwendel. Vom Schmalensee aus erscheint der Karwendel besonders markant. Wir stehen bei Mittenwald und blicken auf die Tiefkarspitze. Aufnahme Beer

Lampsenspitze
(2875 m; Stubaier Alpen)

Diese hochalpine Bergtour in den Schiefergneisen und Glimmerschiefern des Ötztal-Kristallins (Oberostalpiner Kristallinkern der Nördlichen Kalkalpen) in den nördlichen Stubaier Alpen, für die wir zweckmäßigerweise zwei Tage reservieren, führt uns in die imposante, von Gletschern gestaltete Bergwelt des hinteren Gleirschtales. Alle glazialen Formen – Moränen, Gletscherseen, Rundhöcker, Gletscherschliffe u. a. – lassen sich hier leicht beobachten.

Ausgangspunkt: St. Sigmund im Sellraintal (1516 m, Bus, Auto).

Endpunkt: Praxmar im Lüsenstal (1693 m).

Rückkehr nach St. Sigmund: Mit Bus nach Gries und St. Sigmund.

Marschzeit: 7 Stunden.

Verpflegung und Unterkunft: Neue Pforzheimer Hütte (Adolf-Witzenmann-Haus, 2308 m).

Von St. Sigmund aus wandern wir auf dem Fahrsträßchen durch den Wald zu den Gleirschhöfen und weiter über alpenrosenbestandene Hänge links des Gleirschbaches leicht ansteigend taleinwärts gegen Süden. Bei der Kapelle wenden wir uns nach rechts und steil hinauf zur Neuen Pforzheimer Hütte. Die Umgebung der Hütte lädt zum Studium der Gletscherwirkungen ein, besonders auch ein (zusätzlicher) Abstecher zum Gleirschferner (2 Stunden hin und zurück).

Wir steigen von der Hütte zum Talboden der Hinteren Gleirschalm ab und gelangen jenseits in steilen Serpentinen über Weiden hinauf zu einer Verflachung. Nun links des Baches über Geröll zum Satteljoch (2734 m). Über den Südgrat wandern wir, zuerst über Wiesen, dann über leichte Felsschrofen zum Gipfel der Lampsenspitze (2875 m), die uns mit einer weiten Rundsicht in die Stubaier Hauptkette und in die Berge jenseits des Lüsenstales belohnt.

Wir kehren auf gleichem Weg zum Satteljoch zurück. Hier steigen wir nach links ab auf markiertem Weg über eine Runse, über Almen und schließlich durch lichten Wald nach Praxmar hinunter.

Im Stubaier Tal. Von Telfs aus genießen wir den Blick auf die Kalkkögel. Die Gipfelpartie gehört zum oberostalpinen Mesozoikum, das unterlagert wird von den dunklen Gneisen und Glimmerschiefern des oberostalpinen Ötzkristallins. Aufnahme Federer

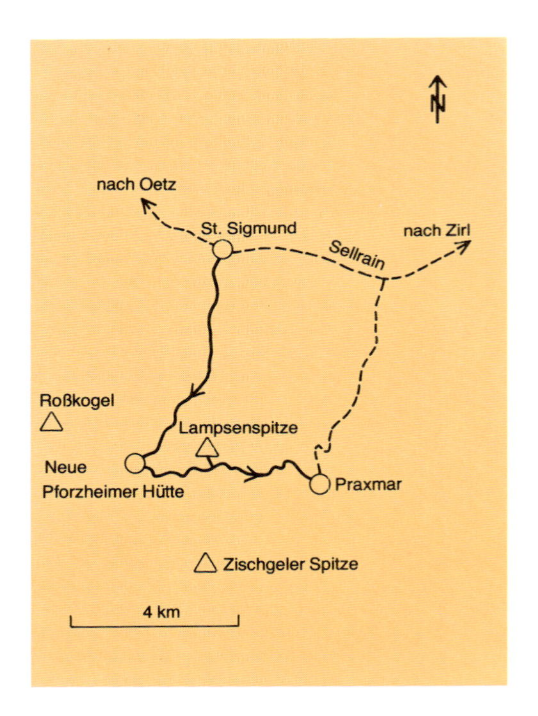

Am Rinnensee. Im Hintergrund des Stubaier Tales ragt die vergletscherte Ruderhofspitze auf. Typisch sind die kristallinen Gebirgsformen im Paragneis der Ötztal-Masse. Aufnahme Federer

Oben: Sagenit in Quarz. Das zur Rutil-Gruppe zählende Mineral Sagenit kristallisiert in dünnen Nadeln, die gitterartig vernetzt sind. In Quarz eingeschlossen, findet man ihn auf alpinen Zerrkluftlagerstätten im Granit. Fundort: Rauris. Aufnahme Rykart

Rechts oben: Hochvernagtspitze. Beim Abstieg von der Hinteren Ölgrubenspitze glänzt uns die Gletscherwelt um die Hochvernagtspitze entgegen. Wir sind auf dem Hang rechts abgestiegen. Gneise und Glimmerschiefer der oberostalpinen Ötztal-Decke liegen am Wege. Aufnahme Federer

Hintere Ölgrubenspitze
(3296 m; Ötztaler Alpen)

Dieser Gipfel, hoch über dem großen Gepatsch-Stausee im Kaunertal gelegen, gestattet nach einem recht anstrengenden Aufstieg einen Überblick über die vergletscherten Ötztaler Hauptberge mit ihren bizarren Felsformen im zerklüfteten Sedimentgneis und Glimmerschiefer des oberostalpinen Ötztal-Kristallins. Besonders eindrücklich ist die von den Gletschern geprägte Morphologie. Es empfiehlt sich, im Taschach-Haus zu übernachten.

Ausgangs- und Endpunkt: Mittelberg im Pitztal (1740 m), mit Auto von Imst aus zu erreichen.

Marschzeit: 9 Stunden.

Fels- und Gletscherwanderung; Trittsicherheit ist Voraussetzung; für Kinder nicht zu empfehlen.

Verpflegung und Unterkunft: Taschach-Haus (2434 m).

Südlich des Gasthauses in Mittelberg überschreiten wir den Taschachbach und erreichen den holperigen Fahrweg, dem wir taleinwärts bis zur Station der Materialseilbahn folgen. In mehreren Kehren auf dem breiten Moränenrücken gelangen wir zum Taschach-Haus.

Auf dem linken der beiden Moränenzüge steigen wir auf in eine flache Wanne am Fuß des Sexertenferners. Nun nach rechts und, nach Querung einer Felsrippe, zu einem kleinen See. Wir betreten den Firn (Vorsicht!) und überwinden die Steilstufe durch eine markante Rinne. Vom Ölgrubenjoch aus (3050 m) blicken wir hinüber zum Glockturm. Nun halten wir gegen Süden und erklimmen zuerst über ein Schneefeld, dann über Felsblöcke den Gipfel der Hinteren Ölgrubenspitze mit einem weiten Gletscherpanorama. Im Südosten grüßt die Hochvernagtspitze (3539 m) herüber, im Süden die Weißseespitze (3526 m) und jenseits des Pitztales die Hohe Geige (3395 m).

Für den Abstieg wählen wir die gleiche Route.

Rechts: Die Wildspitze. Mit 3772 m höchster Gipfel Österreichs, ist die Wildspitze ein Blickfang der Rundsicht von der hinteren Ölgrubenspitze aus. Aufnahme Federer

Schönbichler Horn
(3134 m; Zillertaler Alpen)

Dieser Gipfel wird als lohnender Aussichtsberg häufig besucht. Er bietet einen einmaligen Blick in die Runde der Zillertaler Alpen mit ihren zahlreichen Gletschern. Die Berggruppe liegt am Westrand des penninischen Tauern-Fensters, der gewaltigsten Aufwölbung in den östlichen Alpen. Hauptgesteine sind Granitgneise, Granite und Tonalite. Am Schlegeissee treffen wir Kalkglimmerschiefer der sog. Schieferhülle des Tauernkristallins an.

Ausgangspunkt: Schlegeis-Stausee (1680 m), mit Auto oder Kleinbus ab Mayrhofen.

Endpunkt: Breitlahner Karls-Hütte (1257 m) an der Straße Mayrhofen–Schlegeis-Stausee (Kleinbus).

Marschzeit: 8½ Stunden.

Trittsicherheit ist Voraussetzung.

Verpflegung und Unterkunft: Furtschagl-Haus (2293 m), Alpenrose (1878 m).

Vom Parkplatz am Westende des Schlegeis-Stausees wandern wir dem Südufer entlang zur Schlegeis-Alm und zur Hörberg-Alm. Nach Überschreiten des Baches gegen links steigen wir zu einem Talkessel hinauf, wo sich die zahlreichen Gletscherbäche vereinigen. Nun geht es in vielen Windungen den Steilhang links empor zum Furtschagl-Haus (2293 m).

Auf markiertem Pfad steigen wir über Alpweiden hoch, vorbei am Furtschagl-Kees, hinauf zu einem weithin sichtbaren Steinmann. Auf dem schmalen Felskamm bis unter die Gipfelfelsen des Schönbichler Horns, dann nach rechts und durch eine Runse in die Scharte auf dem Hauptkamm. Nun gelangen wir in kurzer Zeit auf gutem Steig auf den Gipfel (3134 m).

Der Abstieg von der Scharte gegen Osten führt uns zunächst über einen felsigen Steilhang auf gesichertem Weg, dann auf den Ostgrat. Nach rechts geht es steil hinunter in die Alpmulde und im Zickzack auf die markante Seitenmoräne des Waxeck-Kees. Auf dieser Moräne steigen wir hinunter in den Talgrund und zur Alpenrosen-Hütte (1878 m). Auf dem Weg talauswärts wird die Schlucht des Zemmbaches umgangen. An der Grawand-Hütte vorbei (1640 m) erreichen wir über die breite Talaue des Zemmtales und über eine Steilstufe die Straße beim Breitlahner.

Rechts: Über dem Schlegeissee. Hoch über dem Schlegeis-Stausee erhebt sich im Hintergrund der Große Möseler, links davon unser Berg, das Schönbichlerhorn. Während die Gipfel im oberostalpinen Kristallin liegen, gehört die Umgebung des Stausees zur Schieferhülle des Tauernfensters. Aufnahme Federer

Rechts außen: Der Große Möseler. Beim Abstieg zur Alpenrosen-Hütte blicken wir zurück auf den Großen Möseler, einem Hauptgipfel in den Zillertaler Alpen. In der näheren Umgebung Kalkglimmerschiefer des Tauernkristallins. Aufnahme Federer

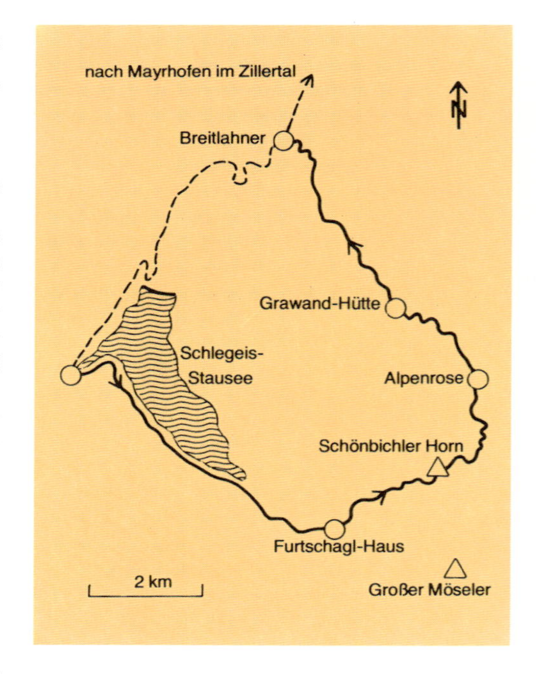

Am Schwarzensee. Von Nordosten aus erkennen wir das Massiv des Großen Möseler, der nach rechts zum Schönbichlerhorn hinüberleitet. Der See ist in einer glazialen Felswanne des Tauern-Gneises gelegen. Aufnahme Federer

Lamsenjoch
(2217 m; Karwendelgebirge)

Diese Wanderung im Naturschutzgebiet des Karwendels bietet dem Naturfreund besondere Leckerbissen. Eine reichhaltige Flora, besonders im Frühsommer, und zahlreiche Alpentiere entschädigen den Bergwanderer für die recht anstrengende Tour, die er auch durch Übernachtung in der Lamsenjoch-Hütte auf zwei Tage ausdehnen kann. Geologisch befinden wir uns in den Triaskalken der oberostalpinen Inntal-Decke.

Ausgangs- und Endpunkt: Vomp bei Schwaz (566 m).

Marschzeit: 9 Stunden.

Verpflegung und Unterkunft: Stallen-Hütte (1328 m), Lamsenjoch-Hütte (1953 m).

Wir wandern in Vomp am Benediktenstift vorbei über Fiecht zum Bauhof. Bis hierher kann auch mit dem Auto gefahren werden. Nun folgen wir dem rot markierten Pfad hinein ins Stallental, zuerst durch Wald, dann über blumenreiche Alpweiden zur Stallen-Hütte. Nun nach links, entlang dem Südfuß des Rauhen Knöll, durch Legföhren und über Schutthalden hinauf zur Lamsenjoch-Hütte (1953 m). Oft können wir in den Hängen über uns Gemsen und Murmeltiere beobachten. Von der Lamsenjoch-Hütte aus wenden wir uns nach Süden und erreichen auf einem gesicherten Felspfad die Lamsenscharte, wo sich der Blick nach Süden auf die Tuxer Voralpen öffnet.

Auf dem rot markierten Wanderpfad steigen wir in Kehren steil ab zum Zwerchloch, halten nach links, vorbei an einer Jagdhütte, zur Melans-Alm. Bald erreichen wir den Wald, in dem wir bis zum Gasthof Karwendelrast absteigen. Über die Hochfläche des Vomperberges gelangen wir schließlich zurück nach Vomp.

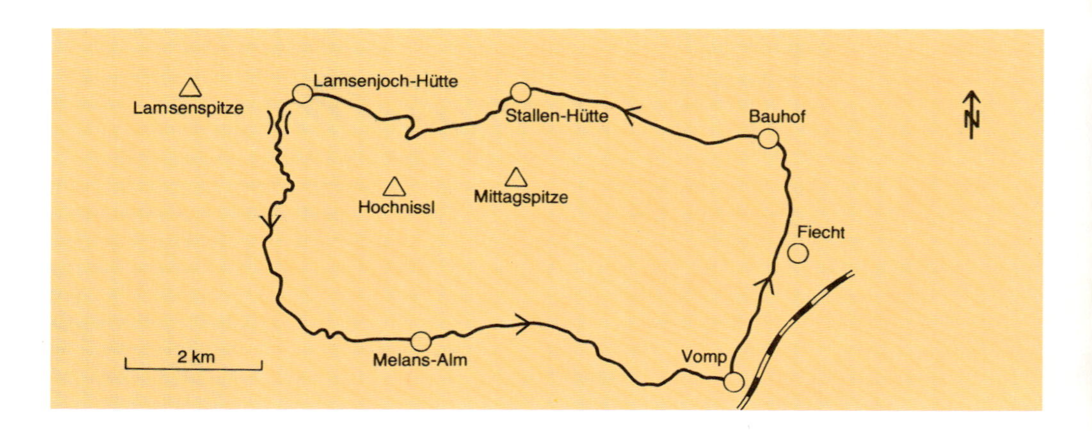

Oben links: Die Lamsenspitze. Wanderungen im östlichen Karwendel sind sehr dankbar, vor allem für den Pflanzenfreund. Aber auch dem Geologen können sie viel Interessantes bieten, durchqueren wir doch nahezu die gesamte triadische Schichtreihe der oberostalpinen Inntal-Decke. Wir befinden uns hier im Falzturntal. Aufnahme Hiebeler

Oben rechts: Bei der Lamsenjoch-Hütte. Mächtig baut sich hinter der Hütte die Große Lamsenspitze, ein Kletterberg im Triasdolomit, auf. Aufnahme Federer

Unten: Hall im Inntal. Der Karwendel überragt das weite Inntal – im Bild der Bettelwurf. Gut ist der Unterschied zwischen den hellen Dolomiten der mittleren Trias in den Gipfeln und der dunklen Basis in Kalken der unteren Trias zu erkennen. Aufnahme Federer

Rofan-Spitze
(2260 m; Sonnwendgebirge)

Es lohnt sich, im isolierten Bergmassiv des Rofan genügend Zeit zu reservieren, können doch von der Erfurter Hütte aus viele leichte Bergwanderungen auf die umliegenden Gipfel ausgeführt werden, die sich alle wegen der reichen Flora und der prächtigen Aussicht hinüber zum Karwendel, zu den Kitzbüheler und Zillertaler Alpen und den Hohen Tauern lohnen. Der Rofan ist aus Jura- und Kreidegesteinen der oberostalpinen Staufen-Höllengebirgs-Decke aufgebaut.

Ausgangs- und Endpunkt: Erfurter Hütte (1884 m).
Zufahrt zur Erfurter Hütte: Mit Luftseilbahn (Rofan-Bahn) ab Maurach am Achensee.

Marschzeit: 7½ Stunden.

Schwindelfreiheit und Trittsicherheit sind Voraussetzung.

Verpflegung und Unterkunft: Erfurter Hütte (1884 m).

Auf rot markiertem Weg steigen wir dem Osthang des Gschöllkopfes entlang leicht an über die Mauritzalp bis zur Weggabelung. Nun nach rechts hinauf gegen das Spieljoch über die Gruberscharte. Nach Queren der breiten Südflanke des Spieljochs geht es wieder in Kehren hinab über Felsschrofen. Unter den Südwänden des Roßkopfs gelangen wir auf den Grat oberhalb der Gruberlacke. Nun wenden wir uns nach links (nördlich) hinauf zum Bettlersteigsattel am Fuß des westlichen Rofan-Gipfels, den wir unschwer über Fels und Schutt erreichen.

Wir wandern auf dem Verbindungsgrat hinüber zum Hauptgipfel des Rofan, über dessen Südostflanke hinab und hinüber zum Schafsteigsattel. Den felsigen Sagzahn rechts umgehend, gelangen wir bald wieder auf den Grat und erreichen das Vordere Sonnwend-Joch (2224 m).

Nun zuerst gegen Osten hinab bis zur Weggabelung. Hier nach rechts um das Sonnwendjoch herum und zur Schermsteinalp. Südlich um die Gruberlackenspitze herum und steil hinauf zum Krahnsattel. Die Erfurter Hütte erreichen wir auf einem Pfad, der dem Fuß der Haidachstellwand folgt.

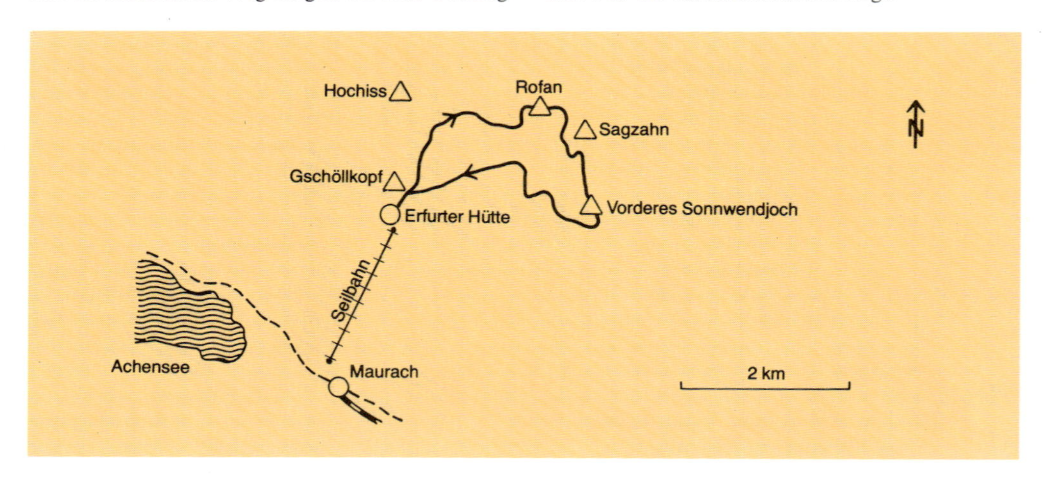

Oben: Am Zireinsee. Wir blicken gegen Westen auf die Rofanspitze, deren gutgebankte Jurakalke steil abstürzen. Der See ist in weiche, undurchlässige Mergel eingeteuft. Zahlreiche Wanderwege und Schutzhütten fordern zu Höhenwanderungen auf. Aufnahme Federer

Unten: Im Rofan. Schon im Frühjahr, nach der Schneeschmelze, kann das Sonnwendgebirge gut begangen werden. Es ist bekannt für seine reiche Tierwelt. Im Vordergrund karrig verwitternde Obertrias-Dolomite. Aufnahme Roth

Stripsenkopf (1809 m; Kaisergebirge)

Auf diesem leicht zugänglichen Gipfel stehen wir mitten im Kaisergebirge. Im Süden türmt sich der Wilde Kaiser mit den ziselierten Felsklötzen aus Wettersteinkalk (Sonneck, Ellmauer Halt, Ackerlspitze), im Norden der niedrige Zahme Kaiser, ebenfalls aus Wettersteinkalk aufgebaut. Gegen Westen und Osten schweift der Blick weit in die Kaisertäler, in eine Mulde von Raiblerschichten, Hauptdolomit und Rätkalken eingeschnitten. Das ganze Kaisergebirge, den oberostalpinen Nördlichen Kalkalpen zugehörig, ist Naturschutzgebiet.
Ausgangs- und Endpunkt: Kufstein (597 m).
Marschzeit: 9 Stunden.
Verpflegung und Unterkunft: Vorderkaiserfelden-Hütte (1389 m), Stripsenjoch-Haus (1580 m), Hinterbärenbad (Anton-Karg-Haus, 831 m).
Von der Sparchenklamm aus (Elektrizitätswerk, Parkplatz, Bus ab Bahnhof Kufstein) steigen wir in Kehren durch den Wald steil empor über die Sparchenstiege (eiszeitlich bedingte Steilstufe) ins Kaisertal zum Veitenhof. Beim Pfandlhof zweigt unser Weg nach links ab und führt uns über die Riezalm hinauf zur Vorderkaiserfelden-Hütte. Nun auf aussichtsreichem, bequemem Höhenweg (Abzweigung etwas unterhalb der Hütte) im Angesicht des wuchtigen Wilden Kaisers entlang der Südflanke des Zahmen Kaisers zur Hochalm. Den Ropanzen umgehen wir rechts (östlich) und erreichen den Feldalmsattel. Den Westgrat des Stripsenkopfes umgehend, gelangen wir zum Stripsenjoch-Haus. Den Gipfel des Stripsenkopfs besteigen wir entweder über den Westgrat oder in Serpentinen vom Stripsenjoch-Haus aus in einer 3/4 Stunde.
Als Rückweg wählen wir die Route durch das Kaisertal. In steilen Kehren und später durch lichten Wald steigen wir ab zum Hinterbärenbad. Nun talauswärts, rechts vom Fahrsträßchen auf einen Fußweg abzweigend, vorbei am Hinterkaiserhof und der Antonius-Kapelle, schließlich ab Veitenhof auf dem Aufstiegsweg zurück nach Kufstein.

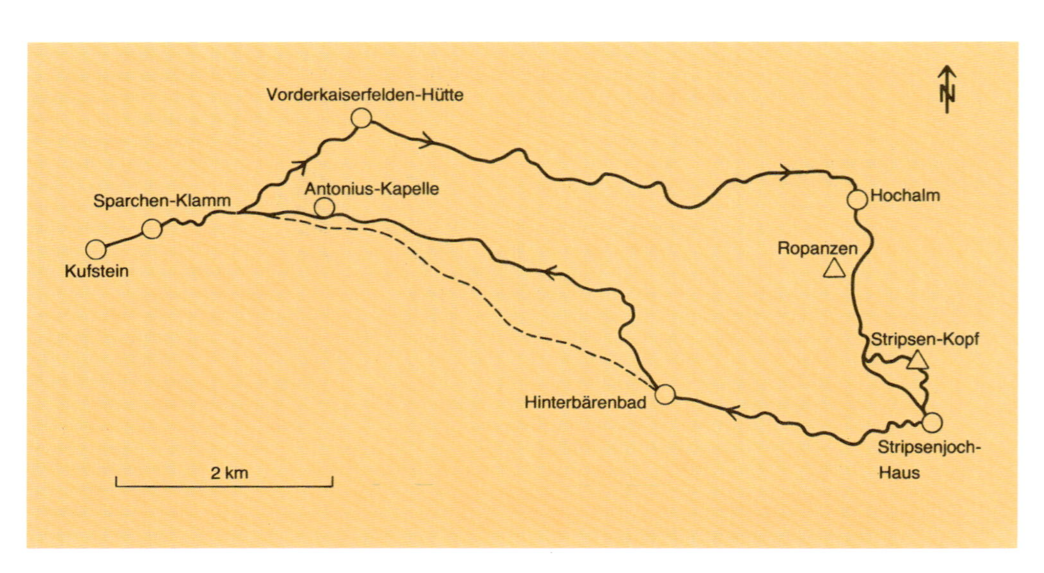

Oben: Im Kaisertal. Auf dem Rückweg nach Kufstein blicken wir zurück auf die Kette des Wilden Kaisers, aus dem flach gefalteten Wettersteinkalk herausmodelliert. Unser Wanderweg durch das Tal führt uns über Raiblerschichten und Hauptdolomit der Kaisertalmulde. Aufnahme Federer

Im Kaisergebirge. Beim Abstieg zum Stripsenjoch blikken wir auf den steil aufragenden Predigerstuhl. Wir wandern im Wettersteinkalk der oberostalpinen Kaiser-Decke. Aufnahme Federer

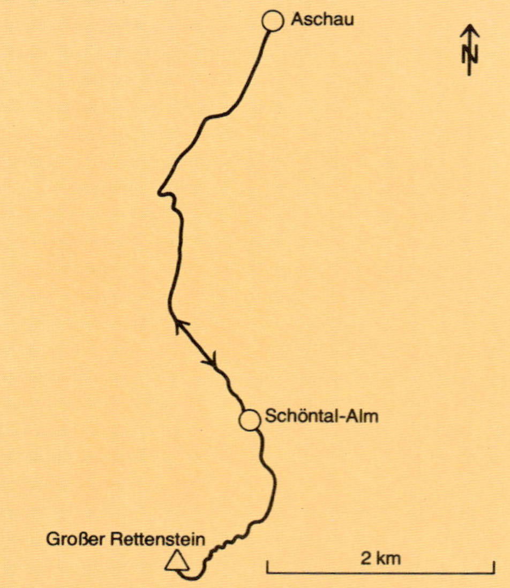

Großer Rettenstein
(2362 m; Kitzbüheler Alpen)

Der „König der Kitzbüheler Alpen" ragt als einsames Felsmassiv aus der umgebenden Almwiesenlandschaft und lohnt mit einer entsprechend großartigen Rundsicht. Wir befinden uns in der Nördlichen Grauwackenzone, im Bereich sehr alter (paläozoischer) metamorpher Sandsteine, die leicht verwittern und der Landschaft einen eher sanften Mittelgebirgscharakter verleihen. Der Große Rettenstein besteht aus härteren und resistenteren Dolomiten („Schwarzer Dolomit") aus Silur/Devon.

Ausgangs- und Endpunkt: Aschau im Spertental (1014 m), Zufahrt mit Bus oder Auto ab Kirchberg.

Marschzeit: 6½ Stunden.

Trittsicherheit ist Voraussetzung.

Verpflegung: Keine Möglichkeit.

Von Aschau aus wandern wir im Talgrund südwärts auf einem Fahrsträßchen, vorbei an der Oberland-Hütte. Bei der Wirts-Grund-Alm (Falkenstein) zweigt unser Weg nach links steil ab zur Sonnwend-Alm. Nun leichter ansteigend zur Schöntal-Alm und in den weiten Talkessel des Schöntal-Scherms. Direkt auf den Großen Rettenstein zuhaltend, erreichen wir den Fuß der Gipfelwände. In vielen Kehren steigen wir nun auf dem Felsenpfad in die Scharte zwischen den beiden Gipfeln auf. Nun wenden wir uns nach rechts und erreichen den Hauptgipfel in kurzer Zeit.

Für den Abstieg wählen wir die gleiche Route.

Links oben: Gletscher-Fingerkraut *(Potentilla frigida).* Im Steinschutt von kalkarmen Böden findet sich diese tiefliegende Pflanze, meist über 2500 m. Der Fruchtstand der winterharten Pflanze bleibt den Winter über meist stehen. Aufnahme Riegg

Rechts oben: Auf dem Großen Rettenstein. Der Hauptgipfel der Kitzbüheler Alpen bietet eine prächtige Aussicht, die die beschwerliche Tour lohnt. Wir blicken vom Ostgipfel auf den Hauptgipfel hinüber. Alte, leicht metamorphe Sandsteine (sog. Grauwacken) umsäumen den Gipfel, der in ebenfalls altpaläozoischen Dolomiten liegt. Aufnahme Höhne

Rechts unten: Am Fuß des Großen Rettensteins. Durch die Lücke zwischen den bizarren Felstürmen aus altpaläozoischem Dolomit erkennen wir den Großvenediger. Aufnahme Höhne

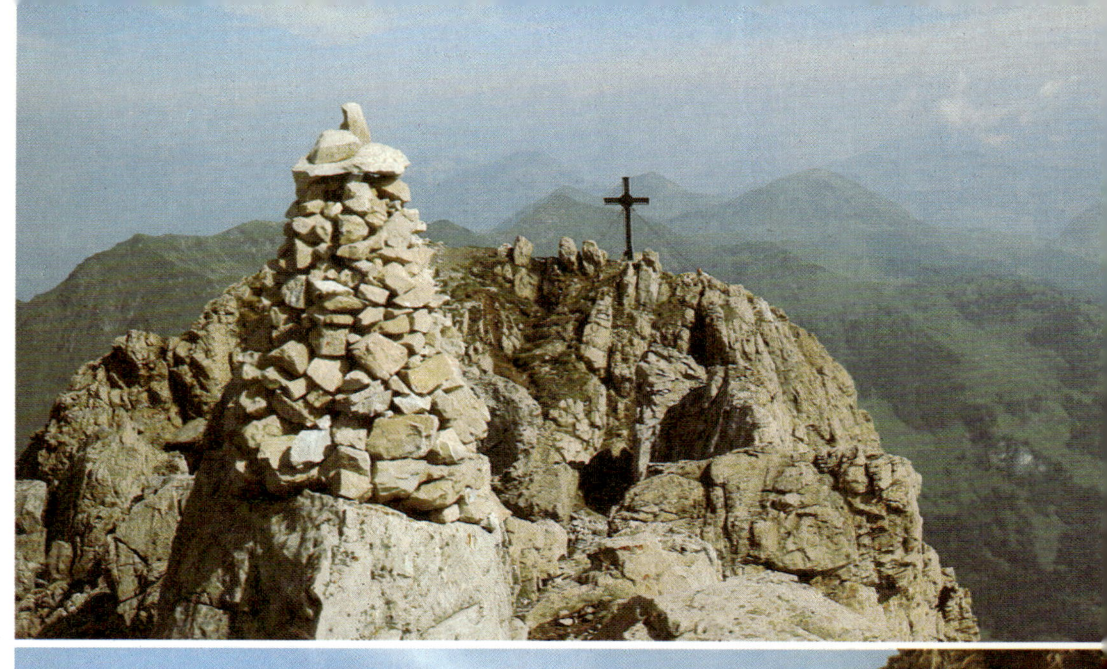

Salzburger Alpen und Salzkammergut

Diese Region umfaßt das Land Salzburg, das Tote Gebirge und den Dachstein sowie die Niederen Tauern (Radstätter, Schladminger und Wölzer Tauern). Im Süden zieht die Begrenzung von Heiligenblut zur Katschberghöhe und durch das Tal der Mur. Gegen Osten schließt das Gebiet an der wichtigen Querverbindung Judenburg–Liezen–Windischgarsten ab, und im Westen ist das Land Tirol der Nachbar. Dominierend ist die vergletscherte Hochgebirgsregion der Hohen Tauern mit Venedigergruppe, Granatspitzgruppe, Glocknergruppe (Großglockner, mit 3797 m höchster Berg Österreichs), Sonnblickgruppe und Ankogelgruppe sowie der Hafnergruppe. Im Norden sind vorgelagert die östlichen Kitzbüheler Alpen, die Loferer und Leoganger Steinberge, das Steinerne Meer, das Hagengebirge und die Dientener Berge. Östlich der Salzach erhebt sich der Tennengau, der Dachstein und das Tote Gebirge. Salzach, Enns und Mur sind die Hauptflüsse.

Die **geologischen Verhältnisse** betrachten wir in einem Querschnitt von Norden nach Süden. Hierbei reihen sich aneinander: Molasse – helvetische Sedimentgesteine – ultrahelvetischer und penninischer Flysch – Sedimente der oberostalpinen Nördlichen Kalkalpen – oberostalpine Grauwackenzone – unterostalpine Phyllite und Sedimente – penninisches Tauernfenster mit Zentralgneis und Schieferhülle. Nördlich einer Linie Bad Reichenhall–Salzburg–Mondsee erstreckt sich eine weite Hügelzone von helvetischer Kreide mit Tertiär, in enge Falten und steilstehende Schuppen gepreßt, sowie von penninisch-ultrahelvetischem Flysch, die die Vorlandmolasse überschoben und zerbrochen haben. Sandsteine und Mergel, vorwiegend von Kreidealter, sind im Flyschland zu engen Falten und Fältchen zusammengestaucht. Der Flysch wurde über weite Strekken seinerseits von den „Nördlichen Kalkalpen“ überfahren, wie die Flysch-Fenster um den Wolfgangsee beweisen. Die von Süden her aufgeschobenen oberostalpinen Kalkalpen führen vor allem mesozoische Ablagerungsgesteine, wobei die Trias mit Kalken, Dolomiten und bunten Schiefern überwiegt (Dachsteinkalk, Hauptdolomit, Ramsaudolomit, Werfener Schichten usw.). Häufig auch tritt das permische „Haselgebirge“ als Basis der oberostalpinen Schichten mit Salz- und Gipslagerstätten zutage. Zahlreiche Salzbergwerke (z. B. Hallstatt, Bad Ischl, Hallein) wie auch die vielen Lokalnamen „Salz-“, „Hall-“ weisen auf den Reichtum an diesem Bodenschatz hin. In der Osterhorngruppe überwiegen die

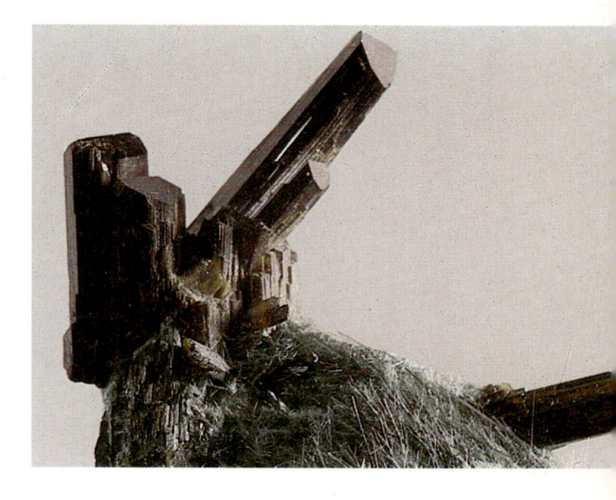

Epidot auf Byssolith von der Knappenwand im unteren Sulzbachtal bei Salzburg. Der dunkelgrüne, langsäulige Epidot ist ein alpines Zerrkluftmineral. Er ist aufgewachsen auf dem zur Tremolit-(Asbest-)Gruppe zählenden faserigen Byssolith. Aufnahme Weninger

Links: Der Höchstein in den Schladminger Tauern. Massige Granite und Tonalite des oberostalpinen Altkristallin-Kerns bauen die Schladminger Tauern auf. Wir blikken vom reizenden Mooralmsee auf einen der Gipfel der Gebirgsgruppe. Hier führt der Tauern-Höhenweg durch. Aufnahme Handl

Salzburger Alpen und Salzkammergut

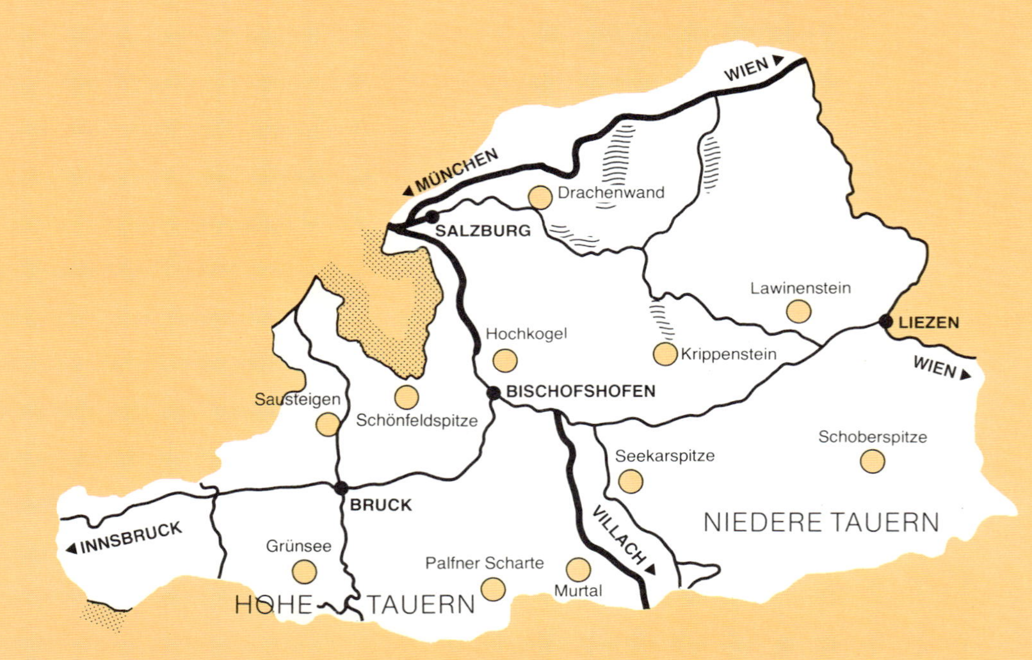

Am Hallstätter See. Wir blicken gegen Nordosten über Hallstatt hinweg auf den Hohen Sarstein. Die oberostalpine Dachstein-Decke (Juvavikum) ist hier mit Hallstätter Kalken der obersten Trias vertreten, abgelagert in geringer Wassertiefe, mit brekziösen Einschwemmungen. In der Nähe liegen große Salzbergwerke, ebenfalls in der Trias gelegen. Aufnahme Roth

Jurakalke, am Wolfgangsee und am Untersberg die Kreide. Die tiefsten Einheiten der Nördlichen Kalkalpen, Allgäu- und Lechtal-Decke (Bajuvarikum) verschwinden bereits westlich der Salzburger Alpen. Es ist vorab die Staufen-Höllengebirgs-Decke (Tirolikum), die die Region beherrscht und eine weitgespannte Schüssel bildet. Im Zentrum dieser Schüssel ruht als isolierte Klippe die Reiteralm-Decke (Berchtesgadener Schubmasse) und die Hallstätter Decke, die beide zu dem höchsten ostalpinen Element, dem Juvavikum, gehören. Östlich der Salzach, besonders aber im Dachstein, macht sich dieses Juvavikum breit, mit weit ausladenden Falten und Mulden der Dachstein- und Hallstätter Decke. Unter Zwischenschaltung der Werfener Schuppenzone schließt südlich an die Kalkalpen die breite oberostalpine Grauwackenzone an, die die „Schieferalpen“ nördlich des Pinzgaus aufbaut. Dies ist der paläozoische Sockel der Nördlichen Kalkalpen, wie letztere weit von Süden her verfrachtet. Schiefer und Sandsteine, mit gelegentlichen Lagen von Kalken, Dolomiten und Ergußgesteinen und mit lokalen Erzlagerstätten bauen die weichgeformten Gebirgszüge auf.

Die Hohen Tauern ihrerseits sind Zentrum eines tektonischen Fensters, einer Aufwölbung im Alpenkörper, die durch die Verwitterung und die Erosion bis auf den penninischen Kristallinkern aufgeschlossen wurde. Das Fenster erstreckt sich vom Brenner bis zum Katschberg, umfaßt also auch die Zillertaler Alpen. Durch den früheren gewaltigen Belastungsdruck sind die Gesteine umgewandelt, metamorphosiert worden. Die „Zentralgneise“ stellen metamorphe Granite und Diorite dar, die im Karbon/Perm (herzynisch) als Magma in die älteren Sedimentgesteine eindrangen und erstarrten. Zu ihnen zählen Zillertaler-, Venediger-, Granatspitze-, Sonnblick- und Ankogel-Gruppe. Die ältere „Schieferhülle“,

Links: Die Liechtensteinklamm. Südlich von St. Johann im Pinzgau im Tal der Großen Arl gelegen, ist die imposante Schlucht ein Anziehungspunkt für Touristen. Der Fluß hat sich hier zwischen Kitzstein und Höllwand ein tiefes Bett gegraben. Ein Fußweg erschließt die Klamm. Aufnahme Sochor

Unten: Die Krimmler Wasserfälle. Bei der Fahrt oder Wanderung über den Gerlospaß zwischen Zillertal und Pinzgau lohnt es sich, die großen Wasserfälle bei Krimml zu besuchen. Die Begehung kann erweitert werden mit einer geruhsamen Wanderung ins Krimmler Achental bis an den Fuß der vergletscherten Venedigergruppe. Aufnahme Sochor

zweigeteilt in eine untere und eine obere Serie, umfaßt altpaläozoische Gneise, Amphibolite, Phyllite, Quarzite, wenig Trias und mächtige Bündnerschiefer mit Ophiolithen aus Jura und älterer Kreide. Diese Schieferhülle macht sich besonders in der Glockner-Gruppe und im Virgental breit. Neben dem Reichtum an Mineralien sind in den Hohen Tauern auch Erze von Bedeutung (z.B. Scheelit im Felbertal, Zink und Nickel bei Schladming). In den Radstätter Tauern kommt das Unterostalpin in mehreren Schuppen mit Quarzphyllit und Trias zum Vorschein.

Gestaltung der Oberfläche. Die Hauptentwässerung der an malerischen Seen reichen Salzburger Alpen folgt weitgehend den geologisch vorgezeichneten Strukturen. Die Salzach fließt über weite Distanz, vom Gerlospaß bis Schwarzach im Pinzgau, in Längsrichtung des Gebirges entlang der Grenze zwischen der Grauwackenzone und der penninischen Schieferhülle. Die Enns verläuft ebenfalls entlang dem Südrand der Dachstein-Decke. Auch die Mur paßt sich in ihrem Verlauf der Längsgliederung des Innenbaues an. Markante Quertäler, wie Saalach- und unteres Salzach-Tal, sind in Depressionen beid-

Oben links: Am St. Pöltener Westweg. Herrliche Höhenwanderwege sind in den Hohen Tauern vor allem auch von Osttirol aus gebaut worden. Wir blicken auf das Schlattenkees, darüber – von links – Kristallwand, Hoher Zaun und Schwarze Wand im Kristallin des zentralen Tauernfensters. Aufnahme Retter

Oben rechts: Der Großglockner. Im penninischen Tauernkristallin gelegen, ragt der Großglockner als höchster Gipfel der Hohen Tauern markant aus seiner Umgebung auf. Die steilstehenden Strukturen der Paragneise sind gut erkennbar. Aufnahme Trenkwalder

seits der Berchtesgadener Schubmasse, die im Watzmann vorherrscht, angelegt worden. Die Alpenfront gegen die Molasse hin, mit den helvetischen Frontalelementen, tritt im Gelände, im Gegensatz zu den Verhältnissen am Allgäuer oder bayerischen Alpenrand, kaum in Erscheinung; die Hügelzone nördlich von Salzburg mit den weichen Flyschformen geht fast unmerklich ins Vorland über. Der Salzachgletscher, der während der Eiszeit weit in die bayerische Ebene hinaus vorgestoßen war, hat überall seine Spuren hinterlassen: Breite Stirnmoränenkämme, zahlreiche Seen und Moore, langgezogene Schutthügel (Drumlins), rundgeschliffene Inselberge und weite Schotterebenen. Die gleichen eiszeitlichen Formelemente finden wir aber auch im oberen Salzachtal und im Ennstal. Die triadischen Kalke und Dolomite sind stark verwittert; die Gipfel ragen in bizarren Formen aus den mächtigen hellen Schutthalden. Versickerungstrichter, Karren und zahlreiche Höhlensysteme sind Zeugen der intensiven chemischen Verwitterung dieser Kalke und Dolomite. In der schiefrigen Grauwackenzone dagegen herrschen weiche Berggestalten („Grasberge“) mit weiten Hochebenen und Almen vor. Die Gipfel der Hohen Tauern weisen, entsprechend dem Gesteinscharakter (Gneise, Glimmerschiefer) meist Pyramidenform auf. Auf verschiedenen Höhenlagen lassen Verflachungen die alten Landoberflächen erkennen. So haben auch die Gletscher eine weite Ausdehnung. Etwa 200 Eisfelder finden wir in den Tauern, deren längstes die Pasterze mit 10 km ist. Kare, Stufentäler, Trogformen und Moränenwälle deuten auf die eiszeitliche Vollvergletscherung hin. Die niedrigeren Radstätter und Schladminger Tauern sind heute nicht mehr vergletschert. Morphologisch interessant ist das Becken des Lungaus an der oberen Mur, auf das die Flüsse allseits radial zustreben. Diese Einsenkung bestand schon im älteren Tertiär; hier wurden Konglomerate, Sandsteine und Braunkohlen abgelagert.

Klimatisch ist das Salzburger Bergland eindeutig gegen Norden ausgerichtet. Die Hohen Tauern bilden eine ausgeprägte Wetterscheide. Besonders die inneren Täler besitzen ein trockenes, kontinentales Klima mit großen Temperaturschwankungen. Der warme und trockene Föhn ist auch hier, besonders in den Tälern der Nordabdachung der Hohen Tauern, ein bestimmendes Wetterelement. Im Winter reicht die Hochnebeldecke von Norden her weit in die Alpentäler hinein. Im Sommer sind vor allem die Westhänge der aufragenden Gebirge Regenfänger.

Die **Pflanzenwelt** zeigt große Ähnlichkeit mit derjenigen des Allgäus und Tirols. Entsprechend dem Untergrund herrschen im Norden kalkliebende, in den südlichen Kristallingebirgen kalkfliehende Bestände vor. Der oft rasche Wechsel im Gesteinscharakter – besonders in den Radstätter Tauern – bewirkt hier einen großen Artenreichtum. Wenige Vertreter des mediterranen und des pannonischen Florengebietes bereichern die alpin-baltische Pflanzengesellschaft. Erika, Zwergalpenrose und Zwergbuchsbaum auf Kalkböden sind voreiszeitliche Relikte. Im Salzburger Becken ist die Mischwaldstufe mit Linden, Weißbuchen, Spitzahorn und Stieleiche vertreten. Rotbuche und Tanne mit der Eibe als Unterwuchs reichen am Alpenrand bis gegen 1500 m hinauf; alpeneinwärts werden sie abgelöst von Lärche und Fichte mit der Hirschzunge *(Phyllitis scolopendrium,* ein Farn) und der Stechpalme mit eingestreuten Bergahornen und Ebereschen. Lärchen, Arven und Krummholzgewächse beherrschen die höchsten Waldpartien (Wiegenwald im Stubachtal). Zwergstrauchheiden finden wir in der alpinen Stufe, neben einer reichen Alpenflora auf den weiten Almen. Lohnend für den Pflanzenfreund sind auch die zahlreichen eiszeitlich bedingten Moore in den nördlichen Salzburger Alpen und im Lungau.

Sehenswürdigkeiten. Besuchenswert sind eine große Zahl von Höhlen in den Nördlichen Kalkalpen des Landes Salzburg; eine Aufzählung aller Schauhöhlen würde den Rahmen sprengen. Zum Teil waren diese Höhlen von altsteinzeitlichen Menschen bewohnt oder benutzt, wie etwa die Salzofenhöhle bei Bad Aussee im Toten Gebirge. Auch die Seisenbergklamm bei Weißbach, die Krimmler Wasserfälle am Gerlospaß, die Goinger Fälle bei Gasteig und die Strulklamm bei Faistenau lohnen eine Besichtigung.

Naturschutzgebiete. Am Fuschlsee kann ein Wildpark besucht werden. Der Ostteil des Toten Gebirges um den Toplitzsee, die Schobergruppe sowie die Ankogel-, Hafner- und Reisseck-Gruppe sind unter Naturschutz gestellt. Größere Landschaftsschutzgebiete finden sich in der Venedigergruppe, entlang der Tauern-Autobahn, in den Schladminger Tauern, im Tennengebirge, im Steinernen Meer. Im Werden begriffen ist der große Nationalpark Hohe Tauern, an dem das Land Salzburg, Osttirol und Kärnten (siehe dort) Anteil haben. Zum Naturpark am Untersberg bei Salzburg gehört auch ein Wildgehege.

Oben links: Auf der Glocknerstraße. Wir blicken auf den Hocharn. Auffallend sind die Verebnungen auf verschiedenen Höhenlagen und die Hochfläche: Eine alte, präglaziale Landoberfläche, welche durch die eiszeitlichen Gletscher stufenweise abgebaut wurde.

Oben rechts: Bei Heiligenblut. Die Südrampe der Großglockner-Hochalpenstraße zeigt uns bereits Anklänge an die mediterrane Vegetation, klimatisch bevorzugt und geschützt durch die Wetterscheide der Hohen Tauern. Im Hintergrund der Großglockner. Aufnahme Raab

Unten links: Am Vorderen Gosausee im Dachstein. Der obertriadische Dachsteinkalk am Hohen Dachstein im Hintergrund – mit dem Hallstätter Gletscher – ist ein typischer Riffkalk, aufgebaut aus den Kalkgerüsten von Schwämmen, Korallen, Kalkalgen und Foraminiferen, also in lagunärer Flachwasser-Ausbildung eines warmen Meeres. Aufnahme Roth

Unten rechts: Am Almsee. Am Nordfuß des Toten Gebirges gelegen, ist der malerische See südlich von Grünau in die oberostalpine Höllengebirgsdecke mit vorwiegend jüngerer Trias eingebettet. Aufnahme Sochor

Unten: Auf dem Fuscher Törl. Die Großglockner-Hochalpenstraße überrascht uns stets wieder mit neuen Ausblicken in die Hohen Tauern um das Großglocknermassiv. Wir sehen auf dem Bild das Große Wiesbachhorn. Glimmerschiefer der sog. Schieferhülle des penninischen Tauern-Fensters bauen die Berge auf. Aufnahme Roth

Rechts: Am Traunsee. Gegenüber von Traunkirchen liegt der massige Traunstein, ein Frontelement der oberostalpinen Inntal-Decke mit jüngerer Trias, welche von Süden her auf penninischen Kreideflysch aufgeschoben wurde. Aufnahme Sochor

Rundwanderung Drachenwand
(Salzkammergut)

Zwischen Fuschlsee und Mondsee türmt sich das Massiv der Drachenwand auf, das gegen Osten steil abbricht. Die abwechslungsreiche Wanderung bringt keine großen Höhenunterschiede. Die Berggruppe gehört der hier nur schmalen Zone der oberostalpinen Allgäu-Decke an (Trias und Jura), die auf die penninische Flyschzone mit ihren weicheren Geländeformen von Süden her aufgefahren ist.
Ausgangs- und Endpunkt: Fuschl (610 m).
Marschzeit: 4 Stunden.
Verpflegung: Berghaus Wartenfels (924 m).
Wir wandern von Fuschl aus auf rot bezeichnetem Weg gegen Norden, zuerst dem Fuschlsee entlang, dann durch Wälder und über Alpweiden hinauf zum Aussichtspunkt Wartenfels. Der Blick öffnet sich nach Norden und Osten, zum Zellersee (Irrsee) und zum Mondsee. Nebenher können wir den nahegelegenen Schober (1328 m) ersteigen (zusätzliche 2 Stunden). Von Wartenfels aus unter den Nordabstürzen von Schatzwand und Drachenwand auf gutem Weg den Hang querend, wenden wir uns oberhalb Plomberg am Mondsee gegen Süden und steigen gegen den Almkogel (1030 m) auf. Der Weiterweg führt rechts am Höllkar vorbei, hinab zum malerischen Eibensee, im Angesicht des Plomberges. Am Südfuß der wuchtigen Drachenwand folgen wir dem Bach und wandern zurück nach Fuschl.

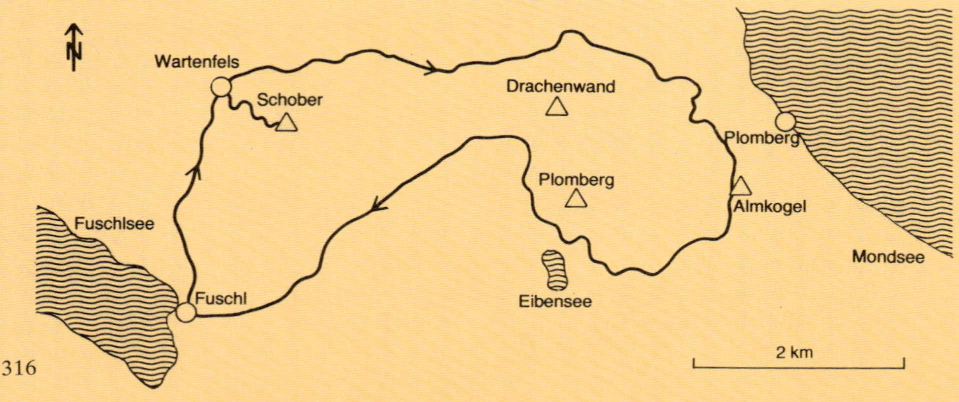

Links: Die Drachenwand aus Osten. In diesem wuchtigen, einzelstehenden Massiv taucht die tiefste Einheit der Nördlichen Kalkalpen unter der Staufen-Decke herauf, ihrerseits überschoben auf den penninischen Flysch. Hier stehen wir an der ausgeprägten Nordfront der Alpen. Wir blicken aus der Gegend von Plomberg auf die Ostbastion. Aufnahme Defner

Oben: Am Mondsee. Wir blicken über die Ortschaft Mondsee gegen Süden. Links der Schafberg, nach rechts ansteigend die Drachenwand, im Hintergrund das Tennengebirge. Wir stehen auf dem weichen Tertiärflysch des Penninikums. Aufnahme Sochor

Eisriesenwelt und Hochkogel
(Tennengebirge)

Mit dieser anspruchsvollen Bergtour, die eine lohnende Aussicht verspricht, kann der Besuch der berühmten Eisriesenwelt im obertriadischen Dachsteinkalk der oberostalpinen Staufen-Höllengebirgs-Decke verbunden werden. Diese über 40 km lange Höhle, auf weite Strecken völlig vereist, bietet dem Beschauer eine Vielzahl von typischen Formen (Eiskaskaden, Eis-Stalagmiten und -Stalaktiten, Eisdom usw.); für den Besuch empfehlen sich warme Kleider.

Ausgangs- und Endpunkt: Werfen (548 m) oder Parkplatz Fallstein (1000 m).

Marschzeit: 8 Stunden ab/nach Werfen; 5 Stunden ab/nach Fallstein.

Trittsicherheit und Schwindelfreiheit sind Voraussetzung.

Verpflegung und Unterkunft: Wimmerhütte (1080 m) und Dr. Friedrich Oedl-Haus (1586 m).

Wir überqueren die Salzach in Werfen bei Kalchau und steigen beim Wirtshaus Zeismann hoch, indem wir teils der Bergstraße, teils Abkürzungen folgen. Oder wir fahren auf der Bergstraße (Kleinbus ab Werfen) bis zum Parkplatz Fallstein. Von hier in 10 Minuten zur Wimmerhütte. Der steile Anstieg zum Dr.-Oedl-Haus (1586 m) kann auch mit der Eisriesen-Seilbahn bewältigt werden. Von hier aus werden laufend Führungen von etwa 2 Stunden Dauer in die nahegelegene Eisriesenwelt organisiert.

Der Gebirgspfad zum Hochkogel zweigt bei der Fuhrich-Gedenktafel vom Weg zur Eisriesenwelt ab nach rechts. Durch eine mit Drahtseilen gesicherte Rinne gelangen wir auf den Grat zwischen Hochkogel und Gamskogel. Nun über felsiges Gelände hinauf zu einer Jagdhütte. Nach links steigen wir auf dem zum Teil begrasten Grat zum Gipfel des Hochkogels (2282 m) auf.

Rückweg gleich wie Aufstieg.

Oben links: Calcit. Die Kalkspat-Rhomboeder sind in der Eisriesenwelt im Tennengebirge zu eigenartigen Kristallmatten verzahnt, deren hexagonale (trigonale) Symmetrie gut zu erkennen ist. Aufnahme Weninger
Oben rechts: In der Schellenberger Eishöhle. Die Gegend um Salzburg und das Salzkammergut sind reich an Höhlen in den Triaskalken, die zum Teil dem Publikum zugänglich gemacht wurden. Es lohnt sich, diesen Höhlen einen Besuch abzustatten, um die typischen Formen der Karstlandschaft zu studieren. Die Schellenberger Eishöhle findet sich am Südhang des Untersberges bei Hallein. Aufnahme Ammon

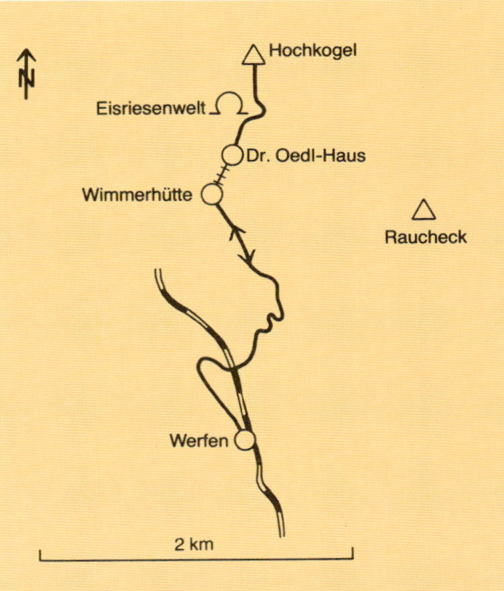

Links: Das Tennengebirge. Hochkogel, Raucheck und Bleikogel bilden den Hauptgrat des Tennengebirges, das aus Trias aufgebaut ist. Geologisch zählt das Massiv zur Staufen-Höllengebirgs-Decke des Oberostalpins. Aufnahme Raab

Schönfeldspitze
(2653 m; Steinernes Meer)

Diese zweitägige Höhenwanderung durch das Steinerne Meer bietet landschaftlich und floristisch besondere Reize. Die Fernsicht bis zu den Hohen Tauern ist einmalig. Zahlreiche Karsterscheinungen prägen die aus dem obertriadischen Dachsteinkalk der oberostalpinen Staufen-Decke modellierten Gebirgsstöcke.

Ausgangspunkt: Weißbach (665 m) im Saalachtal.
Endpunkt: Maria Alm (802 m) bei Saalfelden.
Rückkehr nach Weißbach mit Bus.
Marschzeit: 1. Tag 7½ Stunden; 2. Tag 6½ Stunden.
Verpflegung und Unterkunft: Ingolstädter Haus (2119 m), Riemann-Haus (2177 m).

1. Tag: Von Oberweißbach wandern wir auf einem Fahrsträßchen durch das Weißbachtal aufwärts, zweigen bald auf markiertem Pfad nach rechts ab und steigen in Kehren durch den Wald auf zum Weiler Pürzlbach. Dem Prechlbach folgend erreichen wir bei der Kallbrunnalm die Fahrstraße wieder, auf der wir zum Dießbach-Stausee gelangen (bis hierher auch Bus ab Weißbach). Dem Südufer des Sees folgend zur Mittelkaseralm. Am Westfuß des Großen Hundstod zweigen wir nach rechts ab und steigen am Kleinen Hundstod vorbei zum Ingolstädter Haus (2119 m) auf. Ein aussichtsreicher Höhenweg – der Eichstätter Weg – führt uns teils auf dem Grat, teils über Karrenfelder der Hochfläche zum Riemann-Haus (2177 m). Hier Übernachten.

2. Tag: Vom Riemann-Haus aus wandern wir gegen Osten, zweigen am Fuß des Wurmkopfes nach rechts ab und steigen auf gut gesichertem Felspfad in die Scharte zwischen Wurmkopf und Schönfeldspitze. Über einige Felsplatten führt der Steig hinauf zum Gipfel. Nun steigen wir auf dem Ostgrat zur Busch-

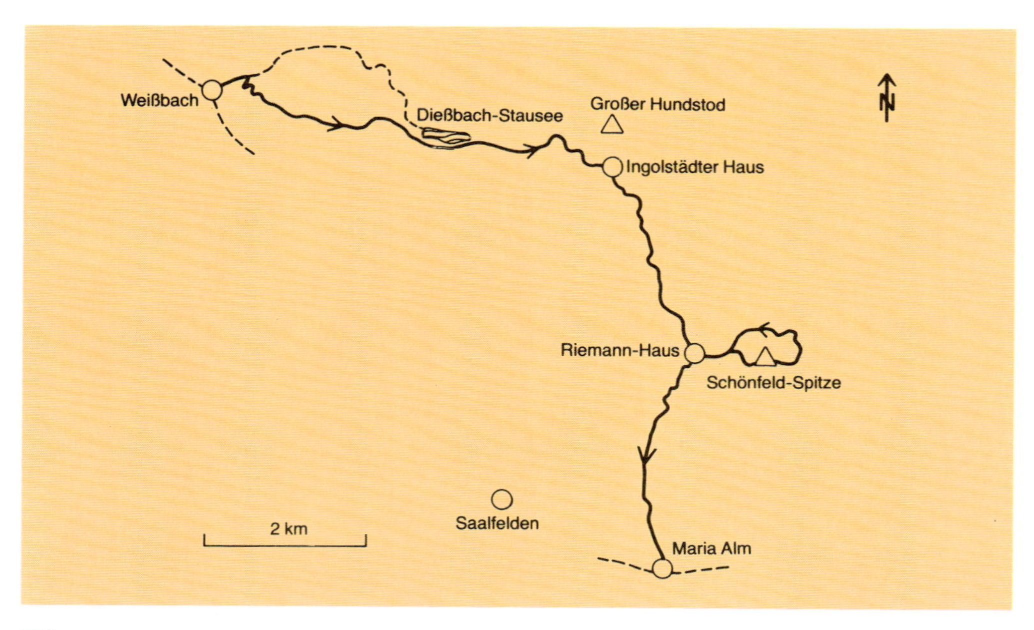

auer Scharte ab, wenden uns nach Norden und umgehen die Schönfeldspitze (rote Markierung) bis zum Riemann-Haus. Wir passieren die Ramseider Scharte und steigen auf einem mit Drahtseilen gesicherten Felspfad gegen Süden ab auf dem bewaldeten Kamm über Hochreit nach Maria Alm.

Rechts: Am Königsee. Im großen Naturpark rund um den Königsee kommt der Pflanzen- und Tierfreund voll auf seine Kosten. Aber auch für den Gesteinssammler lohnt sich ein Besuch dieser reizenden und durch den Verkehr nicht berührten Landschaft am Fuß des Watzmanns. Im Hintergrund die Schönfeldspitze im Steinernen Meer, das den tief eingeschnittenen See gegen Süden abschließt. Wir befinden uns in der Staufen-Decke. Aufnahme Ammon

Unten: Am Hochkönig. Von der Schönfeldspitze führt ein Höhenwanderweg, der allerdings nur geübten Bergwanderern zu empfehlen ist, zum Hochkönig, dem höchsten Gipfel im Steinernen Meer. Aufnahme Sochor

Sausteigen (1912 m; Kitzbüheler Alpen)

Die Aussicht auf dieser leicht zu bewältigenden Höhenwanderung eröffnet uns stets wieder neue Aspekte: Zu den schroffen Leoganger Steinbergen, ins Herz der Kitzbüheler Alpen, hinüber zu den Dientener Bergen, bei klarem Wetter gar bis zum Großglockner, aber auch hinunter ins Saalachtal und auf den Zellersee. Wir wandern in der oberostalpinen Grauwackenzone, mit altpaläozoischen Sandsteinen, Mergeln und Konglomeraten.
Ausgangspunkt: Saalfelden-Kehlbach (732 m).
Endpunkt: Maishofen (767 m).
Rückkehr nach Saalfelden mit Bahn oder Bus, von hier Bus bis Kehlbach.
Marschzeit: 6 Stunden.
Verpflegung: Lochalm-Hütte (1676 m).
In Kehlbach besteigen wir den Sessellift und lassen uns auf die Schulterbachshöhe (1439 m) hinauftragen. Der Pfad ist von der Bergstation weg rot-weiß-rot markiert. Vorerst geht es durch Wald, dann auf dem Grat zwischen Riederberg und Weikersbacherkogel gegen den Durchenkopf und westlich am Heiderbergkopf vorbei, über Almweiden zur Lochalm-Hütte (1676 m). Nun wieder auf dem Kamm und hinauf zum aussichtsreichen Sausteigen. Auf markiertem Weg steigen wir ab zur Gstallner Alp, an der Siedlung Pucher vorbei ins Tal der Saalach. Den Fluß überschreitend, gelangen wir zum Schloß Saalhof und nach Maishofen.

Rechts oben: Am Zeller See. Der Blick geht gegen Südwesten auf Zell am See und hinüber zur Granatspitzgruppe. Wir befinden uns in altpaläozoischen Schiefern der Grauwackenzone, während die Tauern aus Kristallin des penninischen Tauernfensters aufgebaut sind. Aufnahme Sochor

Rechts unten: Die Sausteigen. Wir blicken über das Saalfeldner Becken auf unser Wanderziel. Charakteristisch sind die weichen Geländeformen in den Schiefern der Grauwackenzone und deren intensive Bewachsung. Aufnahme Verkehrsverein Saalfelden

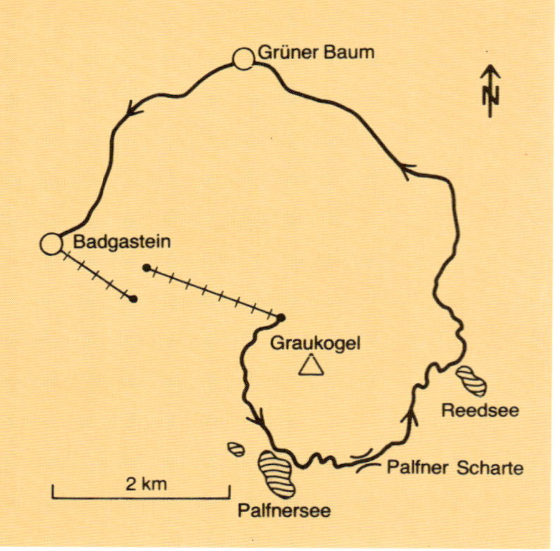

Fluorit. Der grüne bis violette Flußspat (CaF_2) ist ein Mineral, das häufig in telemagmatischen Klüften aus zirkulierenden heißen Wässern (pneumatolytisch) in Gebieten auftritt, die starken Drücken und relativ hohen Temperaturen unterworfen wurden. Aufnahme Weninger

Palfner Scharte
(2332 m; Ankogel-Gruppe)

Diese Bergwanderung in der Ankogel-Gruppe führt uns die Hochgebirgslandschaft der Hohen Tauern vor Augen. Wir wandern rund um den Graukogel, einen Aussichtsberg, den wir in zusätzlichen zwei Stunden besteigen können. Viele kleine Karseen und prächtige Arvenwälder erfreuen den Naturfreund. Wir befinden uns in den Gneisen und Graniten des östlichen Tauern-Fensters (Hölltor-Rotgülden-Kern). Dieser Kristallinkern ist im Norden und Süden von paläozoischen Schiefern (Schieferhülle) umschlossen.

Ausgangs- und Endpunkt: Badgastein (1002 m).
Marschzeit (ohne Graukogel): 4 Stunden.
Verpflegung: Bergstation Sessellift (1983 m), Reedsee-Hütte (1840 m).

Wir fahren mit der Sesselbahn in zwei Sektionen hoch zur Bergstation (1983 m). Von hier aus wandern wir auf gut bezeichnetem Weg entlang der Westflanke des Graukogels durch lichten Arvenwald und über Alpweiden zum Palfnersee (2070 m), malerisch in einer Felswanne gelegen. Nun im Zickzack hinauf zur Palfner Scharte (2332 m), mit Blick auf die ganze Ankogel-Gruppe im Süden. Der Abstieg auf der Ostseite führt uns an mehreren kleinen Seen vorbei zum Reedsee (1840 m), ein landschaftliches Kleinod, umgeben von Lärchen und Arven. Durch den Wald steigen wir ab, vorbei an einem Wasserfall, ins Kötschachtal, dem wir folgen, eine Silberfuchsfarm passierend, bis zum Grünen Baum. Von hier aus führt uns ein Bus zurück nach Badgastein.

Rechts oben: Der Ankogel. Als höchster Gipfel der Gruppe beherrscht der Ankogel das Seebachtal bei Mallnitz auf seiner Südseite. Wir befinden uns in den Gneisen des zentralen Tauern-Kristallinkerns. Aufnahme Raab
Rechts unten: Bad Hofgastein. Die Berge um das Tal der Gasteiner Ache bieten eine Vielzahl von Wandermöglichkeiten. In den zentralen Gneisen und in der Schieferhülle der Tauern finden sich auch immer wieder Mineralien. Aufnahme Sochor

Murtal (Hafner-Gruppe)

Eine leichte Wanderung im Tal der jungen Mur, die dem Botaniker und dem Tierfreund manche Überraschung bieten kann. Wir bewegen uns im östlichen Teil des Tauern-Fensters, in den Hüllgneisen des zentralen Kristallinkerns, um in höheren Lagen in die eigentlichen Granite und Zentralgneise einzutreten. Die Gebirgsformen sind von den Gletschern stark überprägt worden.

Ausgangs- und Endpunkt: Kraftwerk Rotgülden (1300 m). Zufahrt mit Auto von der Katschberg-Autobahn her über Muhr.

Marschzeit: 6 Stunden (einschließlich Oberer Rotgüldensee).

Verpflegung: Rotgülden-Hütte (1710 m).

Vom Parkplatz beim Kraftwerk Rotgülden aus wandern wir entlang der Mur taleinwärts durch Wälder bis zur Moritzenalm (1650 m). Nun links hinauf über Alpweiden zur aussichtsreichen Schrovin-Scharte (2039 m). Gegen Südosten folgen wir auf leicht abfallendem Weg dem Hang, mehrmals Runsen überquerend, zuerst über Almen, dann durch lichten Arven- und Lärchenwald, hinab zum Unteren Rotgüldensee (1710 m). Ein Abstecher führt uns gegen Süden dem See entlang hinauf zum malerischen Oberen Rotgüldensee (1996 m). Von der Alpenvereinshütte am unteren See schließlich durch Wald im Zickzack hinab zum Kraftwerk.

Unten: Die Rotgüldenseen aus Nordosten (Flugaufnahme). Die beiden Seen sind getrennt durch eine Steilstufe, die glazial bedingt ist. Überragt wird das reizende Wandergebiet von der Hafner-Gruppe. Aufnahme Raab

Rechts: Die Ankogel-Gruppe von Osten. Über den Speichersee der Sameralm blicken wir auf die Ankogel-Gruppe im Zentralgneis der Tauern. Von hier führt ein Fernwanderweg hinüber ins oberste Murtal an die Rotgüldenseen. Aufnahme Trenkwalder

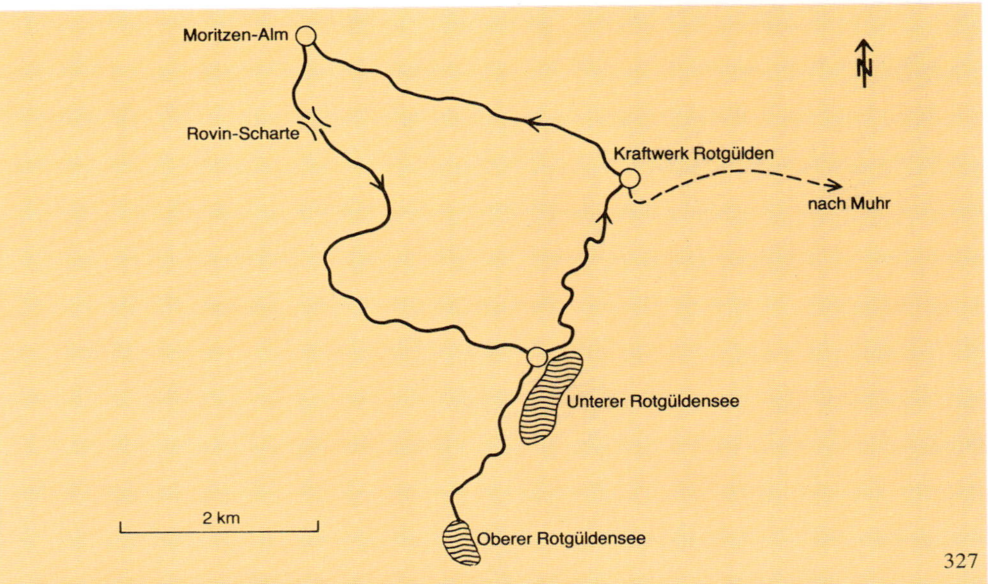
Moritzen-Alm
Rovin-Scharte
Kraftwerk Rotgülden
nach Muhr
N
Unterer Rotgüldensee
2 km
Oberer Rotgüldensee

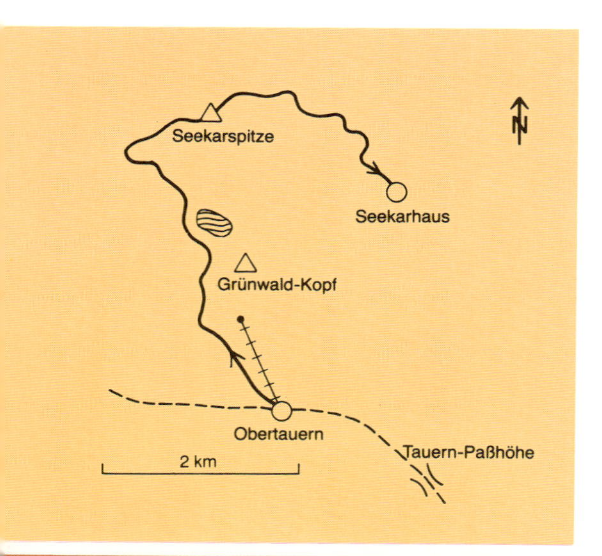

Seekarspitze
(2350 m; Schladminger Tauern)

Die Seekarspitze in den westlichen Schladminger Tauern bietet ein schönes Panorama auf die Niederen Tauern, auf den Dachstein und das Nockgebirge. Wir wandern durch Trias und Perm des Ostalpins am Ostende des penninischen Tauern-Fensters. Die geologischen Verhältnisse in diesem Grenzbereich sind recht kompliziert; der Gesteinscharakter wechselt häufig.

Ausgangs- und Endpunkt: Obertauern (1700 m) an der Radstätter Tauernstraße.
Marschzeit: 4 1/2 Stunden.
Trittsicherheit ist Voraussetzung.
Verpflegung: Seekarhaus (1791 m).

Von Obertauern aus folgen wir der Anlage des Sesselliftes auf den Grünwaldkopf (1974 m), den wir vom Sattel westlich davon leicht besteigen können. Den vor uns liegenden Unteren Grünwaldsee umgehen wir links, überwinden eine Steilstufe und passieren den kleineren oberen See. Nun im Tälchen links aufwärts zum Westgrat der Seekarspitze und auf oder neben demselben hinauf zum Nordgipfel (2350 m). Über den etwas exponierten Gipfelgrat erreichen wir den um 5 Meter niedrigeren Südgipfel. Vom Nordgipfel aus steigen wir über Schutt gegen Nordosten ab und über einen Wiesenrücken in die Karmulde. Nun halten wir uns rechts und gelangen über Runsen und um einen Felsriegel herum hinab zum Seekarhaus (1791 m). Hier beginnt ein Fahrweg, der uns nach Obertauern zurückführt.

Links: Siderit. Der Eisenspat ($FeCO_3$) ist pegmatitischen bis hydrothermalen Ursprungs, kann aber auch metasomatisch auftreten. Die flachen Rhomboeder dieser Stufe vom Hocharn im Rauristal weisen auf das trigonale Kristallsystem hin. Aufnahme Weninger

Rechts: Die Schladminger Tauern von St. Lambrecht aus gesehen. Die Schladminger Tauern sind aus unterostalpinem Altkristallin aufgebaut, vorherrschend Granatglimmerschiefer. Eingeschaltet sind Marmore. Das Kristallin ist in mehrere Gleitbretter gegliedert, die von Süden her überschoben sind. Bis zu 1000 m messende Verwerfungen sehr jungen Alters (Tertiär/Quartär) versetzen die Schollen gegeneinander. Aufnahme Roth

Krippenstein (2109 m; Dachstein)

Das wuchtige Dachstein-Massiv, aus hellem Dachstein-Kalk der Obertrias aufgebaut und der oberostalpinen Dachstein-Decke zugehörig, bietet neben zahlreichen Aussichtsbergen auch viele gut zugängliche Höhlen. Entsprechend dem Gesteinscharakter tritt die Karstlandschaft ausgeprägt in Erscheinung.
Ausgangs- und Endpunkt: Obertraun (616 m) am Hallstätter See.
Marschzeit: 3 Stunden ab und nach Bergstation Krippenstein (ohne Besuch der Höhlen).
Verpflegung: Schilcher Haus (2080 m).
Von der Bahnstation Obertraun aus wandern wir ostwärts, überqueren die Traun nach Süden und steigen zur Talstation der Gondelbahn auf (hier auch Parkplatz und Bus ab Obertraun). Wir lassen uns mit der Seilbahn zur Mittelstation hinauftragen (Schönbergalpe), wo wir die Fahrt unterbrechen können, um die zwei nahegelegenen Höhlen zu besuchen (warme Kleider!): die Eisriesenhöhle und die Mammuthöhle mit ihren riesigen Hallen. Mit der Gondelbahn weiter hinauf zum Hohen Krippenstein (2109 m), wo wir die Rundsicht genießen. Wir wandern nun über die verkarstete Hochfläche gegen Südosten zum Heilbronner Kreuz, das zum Gedenken an eine im Schneesturm verunglückte Heilbronner Schulklasse errichtet wurde. Nun nach rechts hinab, vorbei am Loskoppen. Bei der Weggabelung halten wir nach rechts zu den Tragelgruben und umgehen den Niederen Krippenstein über die karrigen Felsflächen und Weiden zurück zum Hohen Krippenstein. Mit der Gondelbahn zurück nach Obertraun.

Rechts oben: Am Gosausee. Wir blicken auf die Große Bischofsmütze im westlichen Dachstein. Leitgestein ist der Dachsteinkalk, ein obertriadischer (norisch-rätischer) Riffkalk, in einem lagunären Flachmeer abgelagert. Aufnahme Raab

Rechts unten: Die Türlspitze. Von Ramsau und Filzmoos aus führen verschiedene lohnende Höhenwanderwege hinein ins südliche Dachstein-Massiv. Typisch sind die mächtigen Schutthalden am Fuß der kaum gegliederten obertriadischen Dachsteinkalke. Aufnahme Gensetter

Links: Auf dem Loser. Vom Aussichtspunkt hoch über dem Altaussee schauen wir gegen Südwesten auf das Dachstein-Massiv über dem Trauntal. Rechts der Hohe Sarstein. Aufnahme Roth

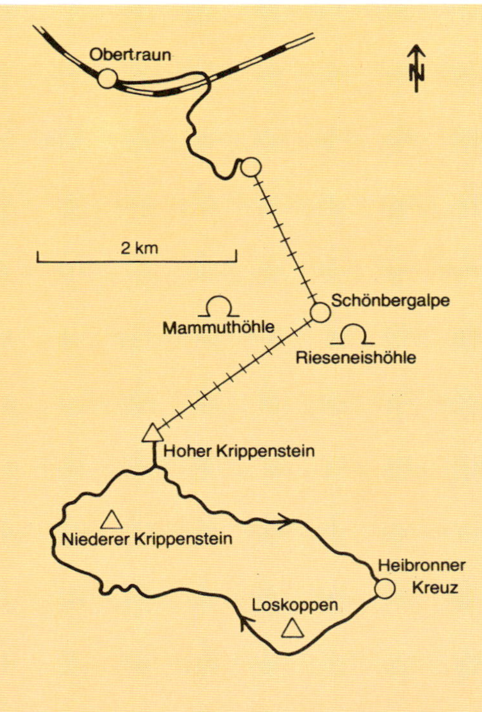

Lawinenstein (1964 m; Totes Gebirge)

Die zahlreichen Seen auf der Tauplitzer Alm, überragt von den trutzigen Bergen des südlichen Toten Gebirges, im Grenzbereich der oberostalpinen Hallstätter und Staufen-Decke gelegen, geben dieser Hochlandschaft ihr besonderes Gepräge. Neben dem Blumenreichtum finden wir das ganze Spektrum von Gesteinen von mittlerer Trias bis zur Kreide.

Ausgangs- und Endpunkt: Tauplitz (830 m).
Marschzeit: 6 Stunden (bei Talfahrt mit Sessellift 4 1/2 Stunden).
Verpflegung: Leistalm-Hütte (1647 m), Marburger Hütte (1640 m), Holl-Haus (1647 m).

Vom Bahnhof Tauplitz zur Talstation des Sesselliftes im oberen Dorfteil (hier Parkplatz). Nun wandern wir nordwärts über den Bach zum Sagtümpel. Auf dem rot markierten Pfad gelangen wir hinauf zum Schwarzensee und zur Leistalm-Hütte. Weiter geht es bequem gegen Westen, vorbei am Steirersee zur Hochfläche der Tauplitzalm, die wir bis zum Naturfreundehaus am Großsee überschreiten. Ein Sessellift und eine kurze Wegstrecke führen uns auf den nahen Lawinenstein, der uns eine prächtige Rundsicht beschert.
Für den Rückweg vom Naturfreundehaus weg wählen wir entweder den Sessellift, oder aber wir folgen der roten Markierung durch den Wald hinab nach Tauplitz.

Rechts oben: Bei Tauplitz. Wir blicken gegen Süden auf den Großen Grimming, der noch zur Dachstein-Decke zählt. Gut sichtbar sind die Faltenwürfe im obertriadischen Dachsteinkalk. Aufnahme Schwarz

Rechts unten: Der Loser. Als Westpfeiler des Toten Gebirges bildet der Loser ein herrliches Panorama in Totes Gebirge, Dachstein und Tennengebirge. Das Gebiet gehört der oberostalpinen Hallstätter- und Totengebirgsdecke an. Aufnahme Roth

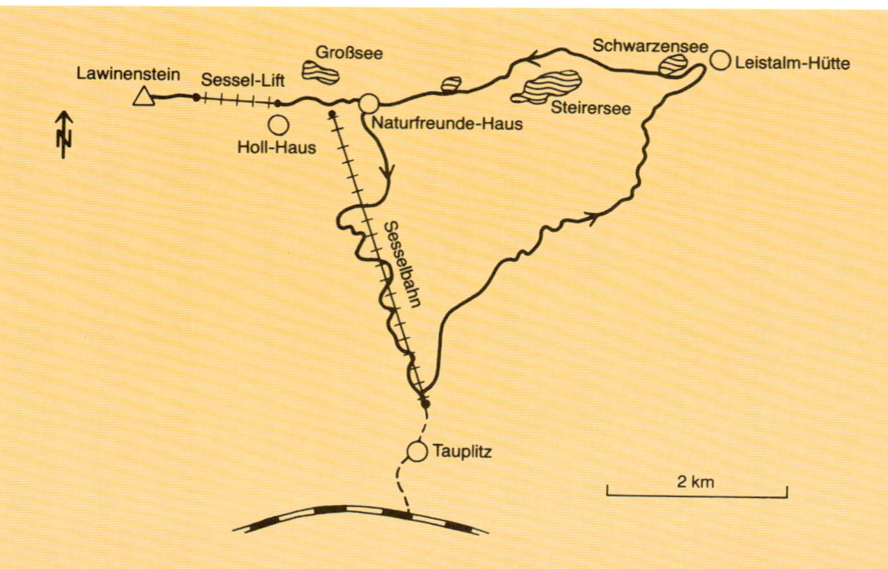

Wölzer Schoberspitze
(2423 m; Wölzer Tauern)

Im Herzen der Niederen Tauern bietet die Wanderung auf die markante Schoberspitze dem Naturfreund viele Schönheiten dar: Die Blütenpracht im windgeschützten Eselsbergertal ist speziell im Frühsommer einmalig; die Aussicht besonders gegen Süden und Westen. Gneise und Glimmerschiefer des oberostalpinen Altkristallins mit metamorphen Sedimenteinschlüssen lassen häufig Mineralien finden.
Ausgangs- und Endpunkt: Knappsäge (900 m), Bus oder Auto ab Oberwölz.
Marschzeit: 10 Stunden.
Trittsicherheit ist Voraussetzung.
Verpflegung und Unterkunft: Neunkirchner Hütte (1525 m).
Wir wandern von der Knappsäge aus durch das lange Eselsbergertal auf einem Güterweg, vorbei an der Gollinghütte und an einem See, hinauf zur Neunkirchner Hütte (1525 m). Nun zuerst gegen Norden, rechts des Baches hinauf. Dann stets nach rechts haltend über den Hang aufwärts, zuletzt gegen links zu einer Scharte. Beim Steinmann in der Geröllmulde vorbei und über Wiesen hinauf zu einer markanten Einsattelung im Felsgrat. Den Grat rechts umgehend, gelangen wir auf einen Rücken, der stets steiler wird. Bald erreichen wir den Gipfel auf markiertem Pfad.
Rückweg gleich wie Aufstieg.

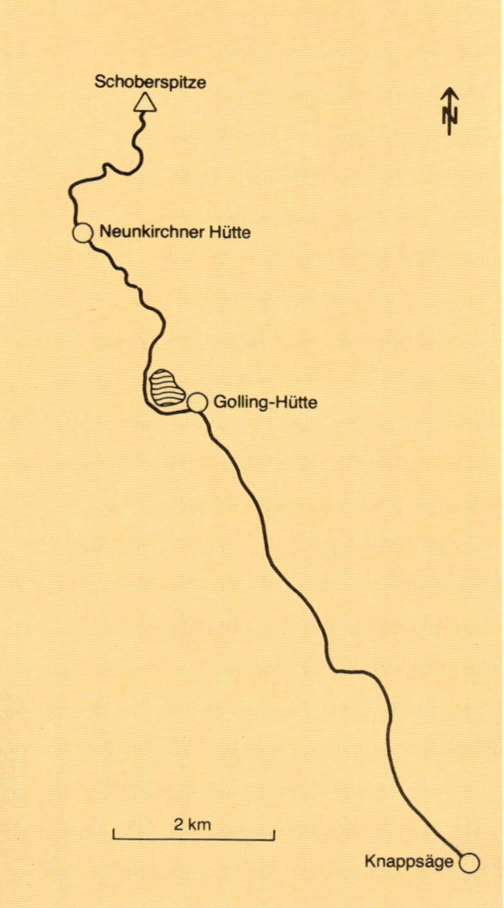

Links: Am Greifenstein. Wir sind auf dem Fernwanderweg Wölzer/Schladminger Tauern im Klaffer Kessel. Perm und ältere Trias überlagern hier die Sedimentgneise mit Amphiboliten. Aufnahme Handl

Oben: Die Wölzer Tauern von Karchau aus gesehen. Glimmerschiefer des oberostalpinen Altkristallins, teils reich an metamorphen Mineralien, bauen die Gebirgsgruppe auf, deren Oberfläche bereits Mittelgebirgscharakter besitzt, in Annäherung an die östliche Alpenregion. Aufnahme Roth

Grünsee am Sonnblick
(Granatspitz-Gruppe)

Diese leichte und kurze Wanderung vermittelt uns nicht nur einen Einblick in die wuchtige vergletscherte Sonnblick-Granatspitz-Gruppe der Hohen Tauern, sondern bietet auch dem Pflanzenfreund reiche Fundmöglichkeiten. Wir befinden uns im silikatreichen penninischen Zentralgneis des Tauern-Fensters.

Ausgangs- und Endpunkt: Enzinger Boden (1468 m), Zufahrt mit Auto von Uttendorf aus durch das Stubachtal.

Marschzeit: 3½ Stunden.

Verpflegung: Enzinger Boden (1468 m).

Wir steigen durch die Dabert-Klamm hinauf zum malerischen Grünsee (1714 m), der auf seiner Ostseite von einem lichten Wald aus Lärchen und Arven begleitet wird. Vom Nordende des Sees wandern wir, nordwärts aufsteigend, zu einem Forsthaus (1777 m). Nun weiter in gleicher Richtung, leicht absteigend durch Legföhren zum berühmten „Wiegenwald", einem ausgedehnten Arvenbestand von urtümlichem Charakter. Nun halten wir nach rechts zum Wasserschloß der Druckleitung, wo ein Fahrweg ins Tal hinunter beginnt, dem wir folgen. Schließlich geht es auf der Talstraße wieder aufwärts, zur Brücke und hinauf zum Enzinger Boden. Ein Abstecher mit der Luftseilbahn vom Enzinger Boden zur Rudolfshütte am Weißsee (2250 m) lohnt sich wegen der einzigartigen Rundsicht auf die Sonnblick-Gruppe.

Unten: Beim Lienzer Haus. Die Schober-Gruppe liegt in den oberostalpinen alten Gneisen, die das Tauernfenster gegen Süden überdecken. Ein Höhenwanderweg führt von der Hütte aus an den Fuß des im Hintergrund sichtbaren Hochschober. Aufnahme Trenkwalder

Rechts unten: Schafe in den Felber Tauern. Die genügsamen Schafe bevölkern auch unwirtliche Hochalpen und finden auch in kargen Hochgebirgsweiden noch Nahrung. Schafe werden als Wandertiere nach der eigentlichen Sömmerung auf die Alpweiden getrieben. Aufnahme Retter

Oben links: Im Käfertal. Wir blicken auf die Gruppe des Großglockner in den zentralen Tauern, diesem fensterartigen Aufschluß von penninischem Kristallin inmitten der ostalpinen Decken. Aufnahme Raab

Oben rechts: Die Kaprun-Seen. Die Täler um den Grünsee sind durch Wasserkraftwerke genutzt: Vorne der Stausee Wasserfallboden, dahinter der Mooserbodensee. Darüber baut sich das Massiv des Hohen Riffl auf. Aufnahme Raab

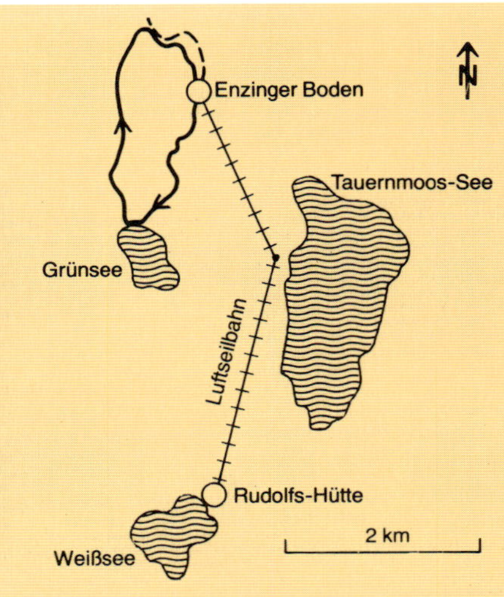

Kärnten und jugoslawische Alpen

Im Westen zählen wir die Lienzer Dolomiten (Osttirol) noch zu unserer Region. Von Heiligenblut bis Judenburg ist das Salzburger Land und das Salzkammergut unser Nachbar. Gegen Osten ist die Grenze gegeben durch die Achse Wolfsberg–Dravograd. Beidseits der Drau, die das Gebiet in seiner ganzen Erstreckung vom Pustertal bis nach Dravograd durchfließt, gruppieren sich mehrere Berg- und Hügellandschaften: Im Norden die Kreuzeckgruppe, die Reißeckgruppe, die Gurktaler Alpen, die Wimitzer-, Metnitzer- und Murauer Berge und die Saualpe; im Süden die Lienzer Dolomiten, die Gailtaler Berge, die Karnischen und die Julischen Alpen sowie die Karawanken.

Geologisch haben Kärnten und seine Nachbarschaft Anteil an Nord- und Südalpin. Als tiefstes Bauelement ragt das penninische Tauern-Fenster im Nordwesten in unser Gebiet hinein und verschwindet gegen Osten entlang dem Liesertal, randlich begleitet von einem schmalen unterostalpinen Band von Quarzphylliten und permotriadischen Quarziten, Marmoren und Dolomiten. Der vorwiegend massige Zentralgneis in der Reißeck-Gruppe taucht mitsamt seinen verschuppten altpaläozoischen und mesozoischen Schieferhüllen gegen Osten flach unter die höheren Elemente. Oberostalpines Altkristallin vom Typus Silvretta-Ötztal baut die Kreuzeck-Gruppe, das Nockgebirge und die Berge östlich der Katschberghöhe mit Gneisen und Glimmerschiefern auf. Die Drau markiert von Sillian bis nach Villach die Grenze zur mesozoischen oberostalpinen Sedimentbedeckung in den Lienzer Dolomiten, den Gailtaler Alpen und den nördlichen Karawanken um den Weißensee. Dieser „Drauzug" umfaßt Perm bis ältere Kreide, wobei die mittlere und jüngere Trias mit ihren Kalken und Dolomiten überwiegen. Eine markante Vertikalverschiebung, die Pusterlinie – morphologisch durch die Fuge Pustertal–Lesachtal–Gailtal markiert – trennt das Südalpin ab, das sich in den Karnischen und Julischen Alpen sowie in den südlichen Karawanken und im Südteil der Lienzer Dolomiten mit Paläozoikum (karbonische und permische Kalke und Sandsteine) und Triasdolomiten breit entwickelt. Östlich der Nockberge dehnt sich ein weites Gebiet von oberostalpinem Kristallin (Schiefergneise und Glimmerschiefer) mit seiner paläozoischen Hülle (Phyllite, Kalkphyllite und Diabase) aus, durch Nord-Süd-verlaufende Verwerfungen zerhackt. Nördlich von Klagenfurt, im Gebiet um Althofen, sind noch Trias (Kalke, Dolomite und Schiefer) sowie obere Kreide und Tertiär („Gosau-Schichten") erhalten geblieben. Flache Aufwölbungen – z. B. die Wimitz- und die Metnitz-Antiklinale – lassen den kristallinen Untergrund stets wieder hervortreten.

Mineralien. Besonders die Saualpe sind reich an Mineralien, z.B. Zoisit, Löllingit, Karinthin, Axinit, Prehnit, Rhodonit und viele andere. Im Hüttenber-

Oben: Albit. Ein Natron-Feldspat (Anorthoklas, Periklin), der als Gemengteil in hellen Graniten und Syeniten, aber auch in Pegmatiten vorkommt. Die Fundstelle liegt bei Auernigg (Mallnitz in Kärnten). Bildbreite 12 cm. Aufnahme Weninger

Links: Am Gartnerkofel (Karnische Alpen). Östlich des Überganges von Hermagor nach Pontebba liegt der Gartnerkofel. Gut erkennbar ist die Faltung in den Triaskalken des Südalpins, ebenso die nach rechts oben ziehende interne Überschiebung. Aufnahme Trenkwalder

Kärnten und jugoslawische Alpen

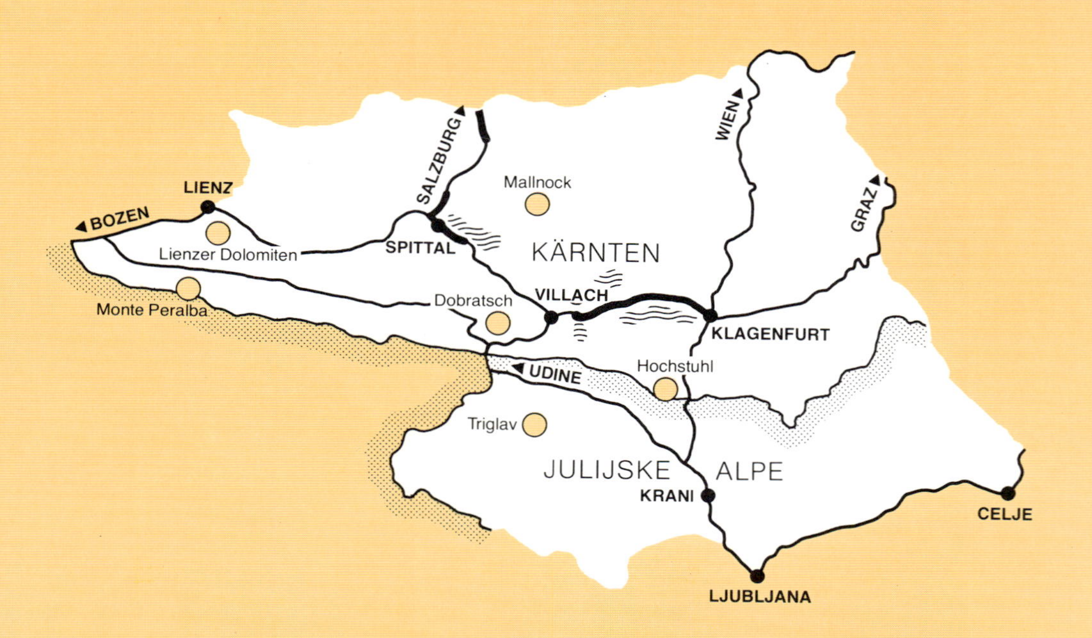

ger Bergbaurevier wurde früher Siderit ausgebeutet. Um Spittal finden sich Beryll und Spodumen. Die Koralpe weisen etliche ergiebige Zerrkluftlagerstätten auf. In Oberzeiring gibt es ein Schaubergwerk zu besichtigen (Blei und Zink). Auch am Bleiberg bei Villach stehen Blei- und Zinkerze an. Hingewiesen sei auch auf die zahlreichen Fossilien (Nummuliten, Muscheln und Schnecken) im Braunkohlenrevier um Guttaring bei Althofen. Gesteinskundliche Führungen werden in verschiedenen Regionen organisiert.

Oberflächengestaltung. Unser Gebiet ist von großer landschaftlicher Vielfalt. Zwischen den östlichen Ausläufern der Zentralalpen und den Karawanken dehnt sich eine flachwellige Region aus, die durch sanfte und rundliche Geländeformen – die „Nock" und die „Alpe" – mit vielen Wäldern und Almen charakterisiert ist. Verebnungen auf verschiedenen Höhenlagen deuten alte Landoberflächen an. Im westlichen Oberkärnten nehmen die hochalpinen Gletscher noch eine Fläche von etwa 80 km² ein. Die zentrale Drau-Fuge zeigt viele Spuren der eiszeitlichen Gletscherwirkung; besonders die Seen – über 200 an der Zahl – sind in ausgeschliffene Wannen hinter Endmoränenwällen eingebettet. Auch die rundlichen Hügel und die zahlreichen Moore sind Eiszeit-Relikte. Schroff und unvermittelt erheben sich die südlichen Kalk- und Dolomitberge aus ihrem dichten Waldkleid. Leckerbissen für den Naturfreund sind auch die vielen Höhlen, so die Tropfsteinhöhle in Griffen bei Völkermarkt oder die Frauenhöhle bei Tamsweg.

Klima. In Kärnten überlagern sich die Einflüsse mehrerer Klimazonen. Bereits wirkt sich das östliche Festlandklima mit kalten Wintern und regenarmen Sommern, mit Ostwinden und winterlichen Nebel-

Oben: Über dem Wörthersee. Vom Pyramidenkogel hoch über dem Wörthersee genießt man einen herrlichen Rundblick auf Maria Wörth. Im Hintergrund der Ulrichsberg. Die Landschaft spiegelt die eiszeitliche Bearbeitung der Oberfläche durch die Gletscher. Aufnahme Roth

Unten: In der Tscheppaschlucht. Der Loibl-Bach hat sich südlich von Ferlach im Drautal eine tiefe Klamm gegraben, deren Besuch sich bei einer Fahrt oder Wanderung in den Karawanken lohnt. Aufnahme H. Raab

Unten: Die Laserzwand (Lienzer Dolomiten). Mächtig brechen die Triasdolomite gegen den Laserzsee und die Karlsbader Hütte ab. Etliche Höhenwanderwege und Schutzhütten laden zum Verweilen in dieser geologisch und botanisch interessanten Berggruppe ein. Aufnahme Trenkwalder

Rechts: Im Drautal. Wir stehen bei Rosegg, wo die Drau eine mächtige Schleife beschreibt. Über die üppig bewaldeten Höhen um Ledenitzen blicken wir auf den Mittagskogel in den westlichen Karawanken. Aufnahme Raab

decken in den Tälern (Temperatur-Inversion) aus. Im Nordwesten macht sich das Westwindwetter besonders in Hochlagen mit vermehrten Niederschlägen bemerkbar. Vom adriatischen Raum her ist vorab das weite Drautal mit dem wärmenden Föhn gesegnet. Das Becken von Klagenfurt bildet zuzeiten einen ausgesprochenen Kältesee mit Hochnebellagen, da es allseitig weitgehend abgeschlossen ist.

Die **Pflanzenwelt** Kärntens und der angrenzenden jugoslawischen Alpen beherbergt sowohl Vertreter alpiner Formen als auch mediterrane und osteuropäische Arten. Im oberen Murtal klingt die inneralpine Trockenvegetation gegen Osten aus. Auf kalkreichen Böden finden wir Vertreter der Erika-Kiefernwald-Gesellschaft mit dem Purpur-Geißklee *(Cytisus purpureus)*, mit Christrosen und Schwarzkiefern *(Pinus nigra)*. Bis zur Waldgrenze reicht der Zahnwurz-Birkenwald hinauf. Auf kieseligem Untergrund stehen Föhrenwälder mit Heidekraut, Heidelbeeren und Ginster. In Kälteseen vermag die Fichte größere Waldbestände zu bilden. Der blaublühende Kärntner Kuhtritt *(Wulfenia carinthiaca)* ist an wenigen geschützten Standorten an der Waldgrenze, so bei Hermagor im Gailtal, als voreiszeitliche Reliktpflanze zu entdecken, ebenso die gelbe Alpenrose *(Rhododendron luteum)* bei Lendorf nahe Spittal und der Gelbe Speik *(Valeriana celtica)* im Nockgebiet. Der mediterrane Einfluß bringt dem Seengebiet günstige Voraussetzungen für südliche Vegetationstypen.

Naturschutzgebiete. Verschiedene botanische Alpengärten zeigen uns die Flora Kärntens, so etwa bei Klagenfurt oder an der Villacher Alpenstraße nahe dem Dobratsch. Wildparks finden wir bei Klagenfurt, in Rosegg bei Velden am Wörthersee und beim Jägerhof Schloß Mageregg. Die Ankogel-Reißeck-Gruppe wie auch Teile der Saualpe und der Koralpe sind unter Naturschutz gestellt. Besonders erwähnenswert ist der im Ausbau begriffene Nationalpark Hohe Tauern, der auf private Initiative hin in den Bundesländern Kärnten, Osttirol und Salzburg gefördert wird. Er weist bereits eine große Zahl von markierten und ausgebauten Wanderwegen und Unterkunftshütten auf. Verschiedene Lehrpfade vermitteln dem Naturfreund die nötigen Unterlagen zu nutzbringenden Wanderungen.

Oben: Lienz in Osttirol. Über der Ebene von Lienz erheben sich die Trias-Dolomitberge der Lienzer Dolomiten. Die Gesteine zählen zur südalpinen Schichtreihe. Aufnahme Gaggl

Unten: Im Nockgebirge (Gurktaler Alpen). Wir blicken von der Brunnach-Höhe auf Pfannock und Zünderwände. Das oberostalpine Paläozoikum mit Quarzphylliten ist von der Verwitterung stark eingerumpft worden. Aufnahme Ortner

Am Zollner-See. Der reizende See liegt am Fuß des Hohen Trieb in den Karnischen Alpen, nahe dem Plöckenpaß. Ein Wanderweg führt von Dellach im Gailtal in diese auch für den Pflanzenfreund interessante Gegend an der Grenze zu Italien. Aufnahme Trenkwalder

Rechte Seite

Oben links: Großer Sonnblick (Hafner-Gruppe). Das Gebiet der Hafner-, Ankogel- und Reißeck-Gruppe umfaßt ein großes Naturreservat, das durch eine Vielzahl von Wanderwegen vom Maltatal her erschlossen ist. Aufnahme Trenkwalder

Oben rechts: Der Mangart (Julische Alpen). In der Nähe von Tarvisio auf dem italienisch-jugoslawischen Grenzkamm gelegen, dominiert der Mangart mit 2677 m weithin. Er ist aus Triasdolomiten des Südalpins aufgebaut, die in der Gipfelpartie schöne Faltung zeigen. Aufnahme H. Raab

Rechts unten: Am Wörthersee. Über die flachen Hügel von Sattnitz und über das Rosental hinweg grüßt aus Südwesten der Mittagskogel in den Karawanken herüber. Aufnahme Raab

Monte Peralba (Hochweißstein 2693 m; Karnische Alpen)

Der Monte Peralba in den Karnischen Alpen liegt auf italienischem Gebiet; wir besteigen ihn aber von St. Lorenzen im Lesachtal aus (Reisepaß mitnehmen!). Der Gipfel bietet eine herrliche Sicht auf die Dolomiten (Marmolata), auf die Lienzer Dolomiten, auf die Hohen Tauern, die Schober- und Kreuzeck-Gruppe und schließlich auf die umliegenden Berge der Karnischen Alpen. Wir befinden uns im paläozoischen Sockel der Südalpen, in der „Plökken-Fazies" mit fossilreichen Kalken und Schiefern aus Silur, Devon und älterem Karbon.

Ausgangs- und Endpunkt: Frohnalm (1500 m, Parkplatz), mit Auto erreichbar von St. Lorenzen im Lesachtal aus.

Marschzeit: 6 Stunden.

Trittsicherheit und Schwindelfreiheit sind Voraussetzung.

Verpflegung: Ingrid-Hütte (1651 m), Hochweißstein-Haus (1868 m).

Vom Parkplatz bei der Frohnalm aus steigen wir auf zur Ingrid-Hütte, wo wir nach links aufwärts halten und über Alpweiden leicht zum Hochweißstein-Haus gelangen. Nun in steilen Kehren gegen Süden hinauf zum Hochalpl-Joch (2280 m). Vor uns baut sich der mächtige Gipfel des Monte Peralba auf. Über einen steilen Felspfad gelangen wir zu einer Scharte und auf einer Geröllhalde und durch einen gesicherten Kamin erreichen wir den Gipfelgrat, der uns zum Aussichtspunkt hinaufführt.

Für den Rückweg wählen wir die gleiche Route.

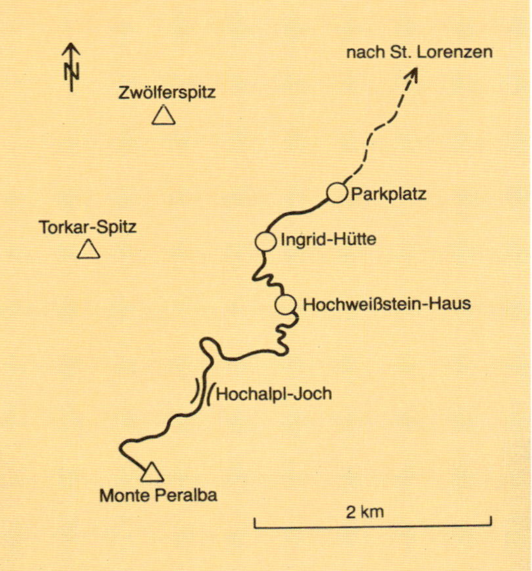

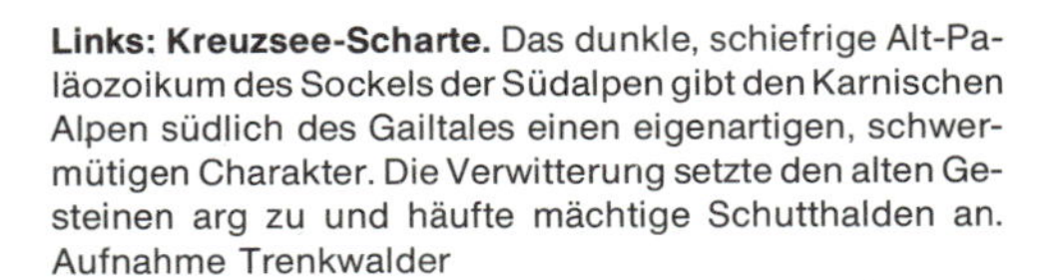
Links: Kreuzsee-Scharte. Das dunkle, schiefrige Alt-Paläozoikum des Sockels der Südalpen gibt den Karnischen Alpen südlich des Gailtales einen eigenartigen, schwermütigen Charakter. Die Verwitterung setzte den alten Gesteinen arg zu und häufte mächtige Schutthalden an. Aufnahme Trenkwalder

Rechts oben: Am Hochweißstein. Vom Rifugio Pier Fortunato Calvi aus bietet sich ein eindrückliches Bild der kalkigen zerhackten Südwände des Monte Peralba. Hier liegt die kalkig-dolomitische Fazies des Alt-Paläozoikums (Silur, Devon, unteres Karbon) vor. Aufnahme Höhne

Rechts unten: Kärntner Kuhtritt *(Wulfenia carinthiaca).* Eine typische Pflanze in den Gailtaler Alpen, die nur hier auftritt. Diese seltene endemische Pflanze bevorzugt die Höhenlage zwischen dem geschlossenen Wald und der alpinen Zwergstrauchheide. Aufnahme Müller

Lienzer Dolomiten

Wir befinden uns in der Randzone der Südalpen, unmittelbar südlich der trennenden Grenzlinie der Drau. Hell leuchtende Dolomite der mittleren und oberen Trias sind vorherrschend. Die Flora mit den vielen Latschen erinnert an südliche Gefilde. Die nahe Defereggen-Gruppe und die Schober-Gruppe sind Vertreter des oberostalpinen Kristallins.

Ausgangs- und Endpunkt: Lienzer Dolomiten-Hütte (1620 m), erreichbar mit Bus oder Auto von Lienz-Tristach aus.

Marschzeit: 7 Stunden.

Trittsicherheit und Schwindelfreiheit sind Voraussetzung.

Verpflegung: Karlsbader Hütte (2260 m).

Vom Parkplatz bei der Lienzer Dolomiten-Hütte aus wenden wir uns nach Süden, auf einem teils in den Fels gesprengten Pfad, teils durch Wald zur Insteinalm, indem wir die Kehren des neuen Weges abkürzen. Über die Alpweiden, zuletzt nach links steil aufsteigend, erreichen wir die Karlsbader Hütte (2260 m) am Laserzsee.

Nun queren wir den Hang gegen Norden, zunächst abwärts, dann leicht ansteigend. Bei der Weggabelung wenden wir uns nach links und besteigen über Geröll und leichte Felsbänder die Laserzwand (2614 m), wo wir die Rundsicht auf die Lienzer Dolomiten, auf die Schober-Gruppe und den Riesenferner genießen. Im Osten grüßt die Große Sandspitze (2772 m), die höchste Erhebung der Lienzer Dolomiten herüber.

Zur Rückkehr wählen wir den gleichen Weg.

Links: Große Sandspitze. Hoch über der Karlsbader Hütte erhebt sich der höchste Gipfel der Lienzer Dolomiten (2772 m), herausgemeißelt aus Obertrias-Rät-Kalken der südalpinen Sedimentbedeckung. Gut erkennbar ist die wellige Faltung der gebankten Kalke. Aufnahme Trenkwalder

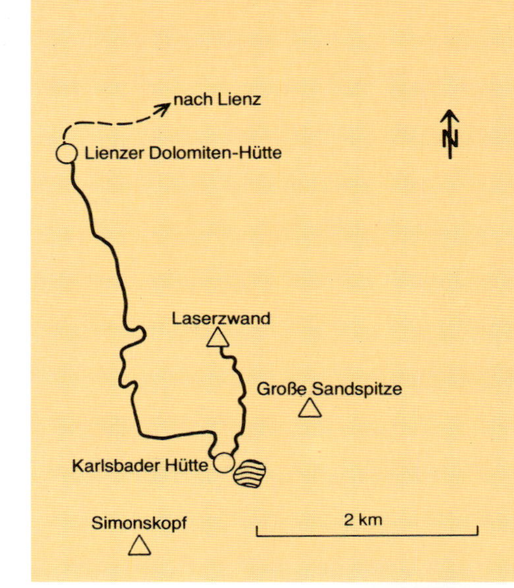

Rechts: Auf dem Weg zur Karlsbader Hütte. Die mächtigen Kalkberge der Südalpen in den Lienzer Dolomiten überragen unsere Wanderung hinauf zum Laserzsee. Aufnahme Gaggl

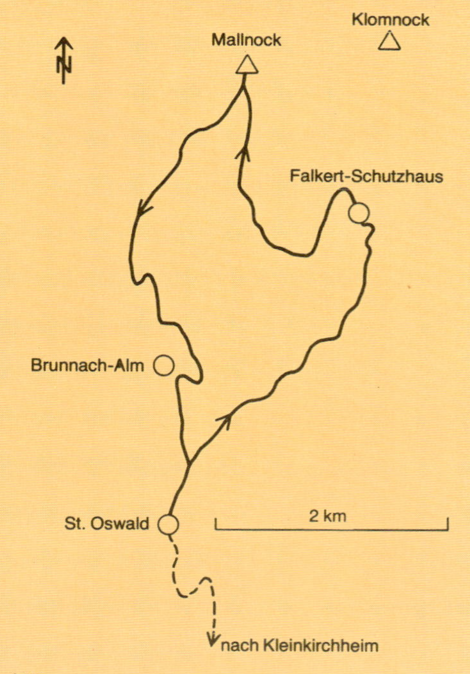

Mallnock (2226 m; Gurktaler Alpen)

Das Nockgebirge ist geprägt von flachen, gerundeten Wald- und Wiesenkuppen und durch kurze Täler. Kaum je stoßen wir auf schroffe Felsen. Kristallin und Paläozoikum des Oberostalpins herrschen vor mit Phylliten, Gneisen, Glimmerschiefern und Grüngesteinen (Ophiolithen).
Ausgangs- und Endpunkt: St. Oswald (1319 m), erreichbar mit Bus oder Auto von Kleinkirchheim her.
Marschzeit: 4 Stunden.
Verpflegung: Falkert-Schutzhaus (1557 m), Brunnach-Alm (1750 m).
Von St. Oswald aus wandern wir durch das Tal nordwärts, vorerst auf der Fahrstraße bis zu einer Kapelle, dann auf einem Fußweg. Dem Wegweiser folgend, steigen wir kurz hangaufwärts zum Falkert-Haus (1557 m). Nun weiter über Alpweiden hinauf zum Schönfeld und nach links zum Oswaldeck (1863 m). Auf markiertem Pfad steigen wir zum Gipfel des Mallnock (2226 m) hinauf, wo uns eine weite Rundsicht in die eigenartige Gipfelwelt der Nock-Gruppe belohnt.
Auf dem Grat wenden wir uns nach Süden, zunächst leicht absteigend, dann fast horizontal. Nach links geht es hinab zur Brunnach-Alm (1750 m) und durch den Wald zurück nach St. Oswald.

Links oben: Siderit. Eisenkarbonat ($FeCO_3$), hier auf Ankerit, wird in Kärnten oft gefunden. Am Erzberg in der Steiermark wird er bergmännisch abgebaut und auf Eisen verhüttet. Aufnahme Rykart

Rechts oben: Der Mallnock. Wir stehen auf der Brunnachhöhe. Vor uns der Mallnock, unser Ziel, rechts davon der Klomnock. Weiche schiefrige Gneise (sog. Liesergneise) des oberostalpinen Kristallins bauen die rundlichen Nockberge auf. Aufnahme Ortner

Rechts unten: Bei St. Oswald. Von unserem Ausgangspunkt St. Oswald mit der reizenden Kapelle sehen wir bereits unser Ziel, den Mallnock, in der Ferne grüßen. Eine leichte Wanderung durch lichte Wälder und über blumenreiche Matten führt uns zu diesem Aussichtspunkt. Aufnahme Ortner

Dobratsch (2166 m; Villacher Alpe)

Eine leicht zu bewältigende, prächtige Höhenwanderung in den Villacher Bergen mit Sicht auf die Grenzberge gegen Jugoslawien und Italien, ins Gailtal und ins Drautal. Dolomite der mittleren und jüngeren Trias begleiten uns; wir berühren aber auch das ostalpine Karbon von Nötsch an der berühmten Puster-Linie, der das Gailtal folgt.
Ausgangs- und Endpunkt: Aichinger-Haus (1732 m) am Ende der Villacher Panoramastraße (Bus, Auto).
Marschzeit: 2½ Stunden.
Verpflegung: Ludwig Walter-Haus am Dobratsch, Bergstation des Sessellifts.
Vom Parkplatz beim Aichinger-Haus aus wandern wir in Kehren, mehr oder minder dem Sessellift folgend, hinauf zu dessen Bergstation (1957 m). Die gelb-blaue Markierung leitet uns in den steinigen Südhang des Zwölfernocks (2049 m). Leicht erreichen wir den Gipfel des Dobratsch mit dem hohen Fernsehturm und zwei Kapellen. Hier genießen wir die weite Rundsicht, an klaren Tagen bis nach Kroatien und zur Wildspitze.
Rückweg auf der gleichen Route.

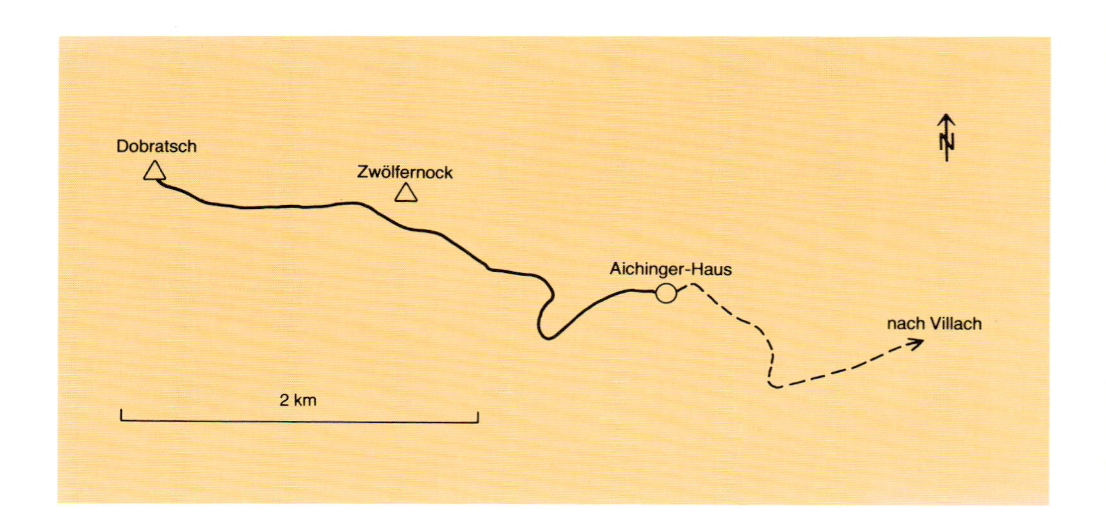

Links oben: Der Hochobir. Das einsame Felsmassiv im nördlichen Vorgelände der Karawanken ist aus südalpiner oberer Trias aufgebaut. Wir befinden uns bei Maria Rain. Aufnahme Raab
Links unten: Am Millstätter See. Über Millstatt und dem See, jenseits der Höhen um Spittal, erkennen wir das Goldeck, ein lohnender Aussichtspunkt in Kärnten, der auch mit der Luftseilbahn erreicht werden kann. Aufnahme Roth
Rechts: Im Aufstieg zum Dobratsch. Vom Hausberg der Villacher aus blicken wir über das Gailtal und die niedrige Grenzkette gegen Italien und Jugoslawien hinüber zu den Julischen Alpen. Kalke des Anis und Ladins (mittlere Trias) des Drauzuges, unmittelbar nördlich der markanten Pustertal-Gailtal-Linie, begleiten uns. Aufnahme Höhne

Hochstuhl (2238 m; Karawanken)

Wir genießen von diesem Grenzgipfel aus (Reisepaß mitnehmen!) die Rundsicht ins kroatische Bergland, in die Gurktaler Alpen, die Sautaler Alpen und auf die reizende Seenlandschaft Kärntens. Helle Kalke der Trias des Südalpins bauen die Karawanken auf.
Ausgangs- und Endpunkt: Johannesruh (1220 m) im Bärental. Zufahrt mit Auto ab Feistritz im Rosental (steile und schmale Straße).
Marschzeit: 4 Stunden.
Trittsicherheit ist Voraussetzung.
Verpflegung: Klagenfurter Hütte (1663 m).
Durch lichten Buchen-Lärchen-Wald steigen wir in steilen Kehren auf zur Matschacher Alm und zur Klagenfurter Hütte. Nun weiter durch niedrige Latschen und über mächtige Schutthalden gegen Südosten zur Bielschitza-Scharte, wo wir jugoslawisches Gebiet betreten. Hier wenden wir uns nach Südwesten, folgen der Südflanke des Bergkammes und erklimmen über felsiges Gelände (Vorsicht!) den Gipfel des Hochstuhls. Auf gleichem Weg zurück zur Klagenfurter Hütte.
Von dieser Hütte aus kann auch der nahe Geißberg (2016 m) im Norden leicht erstiegen werden, sowohl von Westen als auch von Osten aus.
Auf gleichem Weg wandern wir zurück nach Johannesruh.

Oben: Die Steiner Alpen. Die Berge um den Hochstuhl im österreichisch-jugoslawischen Grenzkamm sind aus jüngerer Trias und Lias aufgebaut. Sie zählen zu den Südalpen, die hier nahtlos in die Dinariden übergehen. Aufnahme Raab

Rechts: Am Bled-See. Wir stehen südlich der Karawanken auf jugoslawischem Boden. In den Karawanken können wir die südalpine Sedimentbedeckung, insbesondere ihre älteren Glieder, Karbon und Trias, gut studieren. Aufnahme Raab

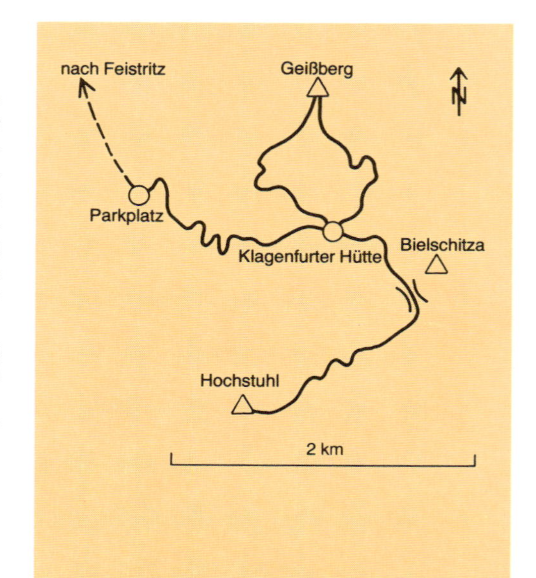

Triglav (2863 m; Julische Alpen, Jugoslawien)

Der höchste Gipfel der Julischen Alpen mit seiner weithin sichtbaren Kuppel vermittelt einen herrlichen Rundblick. Diese Wanderung im jugoslawischen Naturschutzgebiet vermittelt aber auch dem Pflanzen- und Tierfreund etliche Kostbarkeiten aus dem Übergang zwischen Südalpen und Dinariden. Während die Nordwand des Triglav über 1500 m abstürzt, läßt sich der Gipfel von seiner Südseite her gut besteigen. Die Wege auf den früheren Grenzgipfel wurden bereits im Ersten Weltkrieg durch Militär ausgebaut und seither ständig unterhalten. Die Gipfelpartie des Triglav-Massivs besteht aus obertriadischem Hauptdolomit, der auf Schlerndolomit der mittleren Trias ruht. Auf der Fahrt von Kranjska Gora über den Vršič-Paß lohnt es sich, vor Erreichen von Na Logu einen Alpengarten zu besuchen.

Ausgangs- und Endpunkt: Na Logu (622 m, am Soča im Trentatal), erreichbar mit Bus oder Auto von Kranjska Gora (Kronau, 622 m, an der Save) oder von Bovec (Flitsch) aus.

Marschzeit: 10 Stunden (zwei Tage).

Trittsicherheit und Schwindelfreiheit sind Voraussetzung.

Verpflegung und Unterkunft: Dolič-Hütte (2120 m, slowenischer Bergsteigerverband PZS), Planika-Haus (2408 m).

Von Na Logu (Zlatorog-Haus) aus wandern wir ostwärts durch das Hochtal von Zadnjica aufwärts. Bei der Weggabelung – nach links zweigt der Pfad zum Luknja-Paß ab – halten wir rechts. Kurz danach teilen sich drei Wege; wir benützen den linken und gelangen in südöstlicher Richtung im Zickzack über Weiden und Schutthalden zur Dolič-Hütte auf dem Dolič-Sattel.

Wir steigen nun auf gutem Pfad in nördlicher Richtung aufwärts bis zu einer ehemaligen Kaserne (Morbegno, 2580 m). Nun nach rechts hinauf zur Flitscher Scharte im Südwestgrat des Triglav und auf oder neben dem Grat auf markiertem Weg über brüchiges Gestein (Vorsicht!) zum Gipfel.

Auf dem Rückweg können wir einen Abstecher – in der Flitscher Scharte nach links – zum Planika-Haus (2408 m) einschalten, von hier über Schutthalden am Fuß der Triglav-Südwand gegen Südwesten hinab zur Dolič-Hütte (2 Stunden zusätzlich).

Links oben: Im Tal der Sieben Seen. Südlich des Triglav befindet sich ein reizendes Hochtal mit malerischen Seen und etlichen Unterkunftsmöglichkeiten, das auch für den Pflanzenfreund, der die eigenartige dinarische Flora studieren will, viel Interessantes bietet. Aufnahme Gensetter

Links unten: Der Triglav. Hoch überragt der vielgipflige Triglav die bewaldeten Höhenzüge im jugoslawischen Pokljuka und Vrata-Tal. Weithin leuchtet der helle Hauptdolomit, der hier in weitgespannte Deckfalten gelegt ist. Aufnahme Raab

Rechts: Am Triglav. Der mit 2863 m höchste Berg Jugoslawiens in den Julischen Alpen ist aus Kalken und Dolomiten der jüngeren Trias des Südalpins aufgebaut. Wir stehen bei der Triglav-Hütte und erkennen die dünnbakkigen Hauptdolomite mit ihren mächtigen Schutthalden. Aufnahme Gensetter

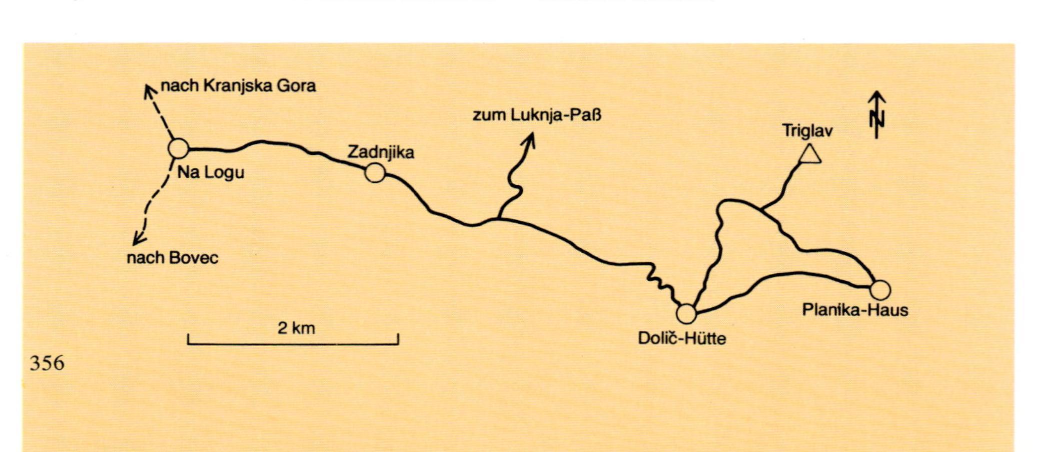

Östliche Alpen

Im Norden begrenzt durch die Donau, umfaßt unser Gebiet die östliche Steiermark sowie das Hügel- und Bergland östlich einer Linie Steyr–Liezen–Judenburg–Wolfsberg bis an den Rand des Wiener Bekkens, also die östlichen Kalkalpen von Niederösterreich. Im Westen reichen die Niederen Tauern in den Rottenmanner und Seckauer Alpen in unsere Region hinein. Koralpe, Packalpe und Gleinalpe grenzen mit der östlichen Fortsetzung der Karawanken und der Julischen Alpen gegen Südwesten und Süden ab. Der zentrale Kamm vom Hochschwab bis zum Schneeberg gliedert die Landschaft in zwei in vieler Hinsicht unterschiedliche Zonen. Die östlichen österreichischen Alpen, in ihrer Vielfalt kaum übertroffen, sind touristisch noch wenig erschlossen und bieten daher eine noch weitgehend intakte Naturlandschaft. Zur Steiermark zählt aber auch die reizvolle Wanderlandschaft um Bad Aussee zwischen Totem Gebirge und Dachstein mit den zahlreichen malerischen Seen (siehe Salzkammergut).

Geologie. Außer dem Helvetikum, dessen östlichstes Vorkommen bei Vöcklabruck aufgeschlossen ist, hat der Osten Österreichs an allen alpinen Bauelementen Anteil. Von Norden nach Süden folgen sich die penninische Flyschzone, das Oberostalpin als Fortsetzung der Nördlichen Kalkalpen – südlich Mürz und Leitha eine Aufwölbung bildend, in der Unterostalpin und Penninikum fensterartig freigelegt sind –, der oberostalpine Kristallinkern mit seiner paläozoischen Hülle zwischen Enns und Drau, schließlich das Südalpin mit eingedrungenen tertiären Granitplutonen. Auf die nur wenig zerbrochene subalpine Molasse im nördlichen Vorland legt sich eine intensiv verfältelte ultrahelvetisch-penninische Flyschdecke mit vorwiegend weichen Gesteinen des Tertiärs und der oberen Kreide, die sich östlich von Scheibbs, besonders aber im Wienerwald, in mehrere Teildecken gliedern läßt. Entlang einer internen Überschiebungszone taucht am Rogatsboden nördlich von Lunz nochmals Molasse an die Oberfläche auf. Als Folge der starken Einebnung zum Mittelgebirge ist das Ultrahelvetikum in Form von „Klippen" (z. B. bei Gresten) mit Kalken, Mergeln und Radiolariten aus Lias bis Eozän aufgeschlossen. An steiler Fläche schiebt sich von Süden her das Oberostalpin, die Nördlichen Kalkalpen – hier als „steirisch-niederösterreichische Kalkalpen" bezeichnet – auf. Bei Windischgarsten kommt entlang einer markanten Verwerfung nochmals Flysch zum Vorschein. Die oberostalpine Sedimentserie der Nördlichen Kalkalpen reicht vom jüngeren Perm bis ins ältere Tertiär, wobei das Tertiär zusammen mit den „Gosauschichten" der Oberkreide, in Muldenzonen erhalten geblieben ist. Wettersteinkalk und Dachsteinkalk aus der jüngeren Trias überwiegen. Einfache Faltenstrukturen charakterisieren diese Serie, die alle Gebirge nördlich einer Linie Liezen–Eisenerz–Schneeberg aufbaut. Sengsengebirge, die Berge um das Gesäuse und der Hochschwab sind die wichtigsten Vertreter.

Gegen Süden folgt der oberostalpine Kristallinsokkel mit Gneisen, Glimmerschiefern und Amphiboliten, aber auch mit eingespießten (zum Teil mesozoischen) Marmoren in Saualpe, Koralpe und Seetaler Alpe, während die Seckauer Tauern und die Gleinalpe vorwiegend aus Granitgneis und Granodiorit aufgebaut sind. Im Lavanttal zwischen Koralpe und Saualpe schaltet sich in grabenartigen Verwerfungen inneralpines Tertiär ein. Als Hülle legt sich südlich der Enns und von Eisenerz das Altpaläozoikum in Form der Nördlichen Grauwackenzone mit Quarzphylliten, Porphyroiden, Kalken, Dolomiten und Schiefern aus Kambrium bis Unterkarbon auf die Kristallinbasis. Aber auch im Südwesten, an der Drau, wie im Osten nördlich von Graz liegen vorherzynische Sedimente an diskordantem Kontakt auf dem Kristallinsockel: das Paläozoikum von Graz und der Saualpe, ersteres bei Kainach bedeckt von konglomeratischer „Gosau" der Oberkreide. Das

Die Seetaler Alpen. Von Westen her, bei St. Blasen bei St. Lambrecht, kommt der Mittelgebirgscharakter der Seetaler Alpen gut zum Ausdruck. Wir stehen auf dem Gurktaler Paläozoikum, während die Seetaler Alpen, getrennt durch eine steilstehende Anschiebungsfläche, aus stark metamorphen Gneisen des Oberostalpins aufgebaut sind. Aufnahme Roth

Östliche Alpen
WIEN
MÜNCHEN
LINZ
STEYR
Türnitzer Höger
Gippel
Schneeberg
Hohe Nock
Ebenstein
LIEZEN
STEIERMARK
LEOBEN
KLAGENFURT
GRAZ
Remschnigg
MARIBOR

Titanit (Sphen) vom Ahrntal. Der monokline, glasklare Titanit mit dem Spurenelement Titan bildet pseudohexagonale Pyramiden aus. Er tritt sowohl in alpinen Zerrklüften als auch in vulkanischen Gebieten auf. Aufnahme Grammacioli

Conoclypus conoideus. Ein Seeigel aus dem Eozän von St. Pankraz bei Oberndorf (Salzburg). Durchmesser etwa 12,5 cm. Die wohlausgebildeten Seeigel findet man im Tertiärflysch am Nordrand der Nördlichen Kalkalpen oft in bis 20 cm großen Exemplaren. Aufnahme Richter

jugoslawische Bachergebirge (Pohorje) südlich der Drau ist ein tertiärer Granitpluton. Gegen Südosten, im steirischen Becken, wird der Alpenkörper zusehends bedeckt von tertiärer Molasse (Miozän – Pliozän) mit Mergeln, Sandsteinen und Schottern und mit eingelagerten vulkanischen Ergüssen (Basalt, Trachyt, Tuff). Schließlich wölbt sich in der Buckligen Welt und im Jogland wie auch am Geschrieben Stein bei Rechnitz das Penninikum in einem Fenster auf, mit Gneisen und auflagernder metamorpher Schieferserie, umrahmt von unterostalpinen Gneisen, Quarzphylliten, Perm und Trias am Semmering. Südlich der Drau, der Ostfortsetzung der markanten Pustertal-Verwerfung, setzen die Karawanken mit paläozoischen Schiefern und Kalken und mit Dolomiten der Trias in südalpiner Fazies – unterteuft vom Kristallinsockel – gegen Südosten fort und bilden den Übergang zu den Dinariden. Von Osten her greift marines Miozän tief in die Mulden hinein. Mineralien finden sich eher selten. Bei Oberdorf an der Laming trifft man auf Siderit, ebenso am Erzberg bei Eisenerz, hier neben Aragonit, Arsenkies und Pyrit.

Gestaltung der Oberfläche. Gegen Osten nimmt in unserer Region die mittlere Höhe spürbar ab. Der Alpenhauptkamm erreicht in den Rottenmanner Tauern noch 2400 m, fällt dann aber bis zum Klosterwappen am Schneeberg auf knapp 2100 m ab. Die Enns im Nordwesten sowie die Mur und die Mürz im Zentrum sind, neben den randlichen Hauptflüssen Donau und Drau, die wichtigsten Längsentwässerungen. Die Hauptwasserscheide ist nicht sehr ausgeprägt; teils schluchtartige Querrinnen greifen weit ins konkurrierende Flußsystem hinein, und flache Pässe verbinden nördliche und südliche Alpen. Auch die Reliefenergie nimmt nach

Osten zusehends ab; der hochalpine Charakter in den Tauern mit großen Höhenunterschieden weicht einem Mittelgebirge mit zerschnittenen Abtragungsflächen auf verschiedenen Niveaus. Im Wienerwald wie auch in der Umrahmung des Steirischen Beckens herrscht bewaldetes Hügelland vor.

Das **Klima** des Nordteils von Ost-Österreich ist stark vom kontinentalen (sog. pannonischen) Einfluß geprägt: beständige Hochdrucklagen, wenige Niederschläge, besonders im Sommer nur geringer Einfluß der Westwinde sowie kalte Winter. Wir können es als Übergangsklima zwischen ozeanisch und kontinental bezeichnen. Das Wiener Becken ist bereits ausgesprochen trocken. Da größere Gebirgsbarrieren fehlen, ist der meridionale Luftaustausch wenig gehemmt: Nur selten treten Staulagen mit langdauernden Regengüssen auf; der Föhn spielt eine untergeordnete Rolle; dafür aber wirken sich Kaltlufteinbrüche oft weit gegen Süden hin aus. Ist das Gesäuse und das obere Murtal die kälteste Region Österreichs, so rühmt sich der Südosten der Steiermark als dessen wärmstes Gebiet. Vor kühlen Nordwinden weitgehend geschützt, ist er vom Mittelmeer her klimatisch begünstigt. Ganz allgemein herrschen in den Sommermonaten lang andauernde Schönwetterlagen vor.

Pflanzenwelt. Nur vereinzelt treffen wir in den östlichen Alpen noch hochalpine Pflanzen an, so die Rostrote Alpenrose *(Rhododendron ferrugineum)* auf kieseligen (kristallinen) Böden. Auf den verkarsteten Hochflächen der Kalkalpen gedeihen Blaugras-Fichtenwälder; zahlreiche floristisch reichhaltige Moore beleben die Landschaft. Der Latschengürtel dehnt sich stark aus. In der reichen Felsflora finden wir als typische Vertreter die Dunkle Glokkenblume *(Campanula pulla)*, die Alpen-Glockenblume *(Campanula alpina)*, das Alpen-Veilchen *(Viola alpina)* und die Gewöhnliche Alpenscharte *(Saussurea alpina)*. In den steirischen Zentralalpen finden sich größere Arvenbestände. Ausgedehnte Wiesen und Wälder beherrschen die hügeligen Mittelgebirge. Im Norden sind es Mischwälder mit Fichten, Tannen und Buchen; Lärchen-Fichten-Heiden-Bestände weisen die Niederen Tauern auf; im Osten treten reine Buchenwälder auf. Im klimatisch bevorzugten südöstlichen steirischen Hügelland gedeihen wärmeliebende Steppenpflanzen der illyrischen Vegetation: Eichen, Edelkastanien, ja sogar Mandelbäume und Jasmin. Eine besonders reiche Flora trifft man in der Koralpe an. Die großen Flüsse sind gesäumt von ausgedehnten Auwäldern.

Sehenswertes. Eine große Zahl von besuchenswerten Höhlen und Grotten finden sich in unserem Gebiet. In Steiermark sind es etwa die Lurgrotte bei Peggau, die Grasslhöhle und das Katerloch bei Weiz, die Rettenwandhöhle bei Kapfenberg und die Kraushöhle bei Hieflau; in Niederösterreich die Hermannshöhle bei Kirchberg a. d. Wechsel, die Eisensteinhöhle bei Brunn, die Einhornhöhle bei Dreistetten, die Tropfsteinhöhle bei Alland, die Nixhöhle bei Frankenfels, die Ötscher-Tropfsteinhöhle bei Kienberg-Gaming und der Hochkar-Schacht bei Göstling an der Ybbs. Sehenswert sind auch der Erzberg bei Eisenerz – wo der eisenhaltige Siderit vorwiegend über Tage abgebaut wird –, das Salzbergwerk in Altaussee, das Silberbergwerk in Oberzeiring und das Gipsbergwerk Seegrotte bei Hinterbrühl.

Naturschutzgebiete sind das Gesäuse, das Planwiesengebiet an der Steyr und die Umgebung des Dürrensteins am Rotwald. Eigentliche Naturparks finden wir am Ötscher-Tormäuer, im Schwarzau-Gebirge (mit Wildgehege und Alpinum), am Sparbach bei Wien, an der Hohen Wand bei Pernitz und bei Laxenburg südlich von Wien. Alpengärten sind angelegt in Frohnleiten nördlich von Graz und bei Knittelfeld-Gaal. Schließlich werden in etlichen Tiergärten typische Alpentiere gehegt, so im Lainzer Tiergarten am Stadtrand von Wien und im Wildpark Mautern in den Seckauer Tauern. Bei Eibenboden ist ein Naturlehrpfad eingerichtet worden.

Am Mittersee bei Lunz. Wir blicken gegen die Hackermäuern, stark verwitterte Kalkbänke der oberen Trias der Nördlichen Kalkalpen (Sulzbach-Decke). Hier überschieben sich mehrere oberostalpine Teildecken flach gegen Norden. Aufnahme Schwarz

Links oben: Am Günster-Wasserfall. Bei Schöder am Fuß der Wölzer Tauern ist der mehrstufige Wasserfall ein lohnendes Ziel. Glimmerschiefer des oberostalpinen Altkristallins mit Marmorlinsen werden durch den Bach gequert. Aufnahme Roth

Links unten: Auf der Koralpe. Von der Grillitsch-Hütte aus blicken wir gegen die Saualpe, über das Lavant-Tal hinweg. Gneise des oberostalpinen Altkristallins bauen die stark abgewitterten Mittelgebirgshöhen auf. Zahlreiche Wanderwege lassen uns die besonderen Reize dieser östlichen Alpenlandschaft erleben. Aufnahme Roth

Rechts oben: In der Stubalpe. Über das Murtal bei Knittelfeld hinweg blicken wir auf die Seckauer Tauern mit dem Hochreichart als höchstem Gipfel. Sie bestehen aus alten Granitgneisen, die während der Alpenbildung wieder aufgeschmolzen wurden. In der Stubalpe gehen diese Granitgneise über in mineralreiche Glimmerschiefer, durchwegs oberostalpin. Aufnahme Roth

Rechts unten: Auf dem Erzberg bei Eisenerz. Wir blicken gegen Norden auf die neue Straße nach Präbichl. Im Hintergrund ragt die Frauenmauer – mitteltriadischer Dolomit der oberostalpinen Nördlichen Kalkalpen – empor, während wir auf dem Sideritvorkommen der nördlichen Grauwackenzone stehen. Aufnahme Roth

Hohe Nock (1963 m; Sengsengebirge)

Der Gebirgskamm der Nock markiert die Überschiebung der Höllengebirgs-Decke auf die Reichraminger Decke; beide gehören zu den oberostalpinen Nördlichen Kalkalpen. Bizarre Felsformen und mächtige Schutthalden sind Kennzeichen der hellen Triasdolomite. Weit reicht der Blick hinaus in die österreichischen Voralpen im Norden; Höllengebirge und Totes Gebirge grüßen im Westen und im Süden.

Ausgangs- und Endpunkt: Hopfing-Wiesen (690 m), mit dem Auto von Molln im Tal der Steyr erreichbar (10 km).

Marschzeit: 7 Stunden.

Verpflegung und Unterkunft: Feichtau-Hütte (1360 m).

Vom Parkplatz bei Hopfing-Wiesen wandern wir taleinwärts, zuerst auf einer Fahrstraße, dann im Zickzack über Steilhänge und am Fuß von Felswänden auf einen Wiesenrücken hinauf. Weiter über eine Steilflanke und oberhalb eines tiefen Grabens in einem Bachbett hinauf zur Hochfläche der Feichtau mit der Hütte.

Nun wenden wir uns gegen Süden, vorbei an kleinen Seen, rechts vom bewaldeten Grat zu einem Sattel. Weiter rechts durch niedrige Legföhren zum Fuß der Felswand. In der weiten Geröllmulde steigen wir auf, halten später nach links über Felsbänder und Schrofen zu einer Rinne. Oberhalb der Rinne geht es über den breiten Kamm zum Gipfel.

Rückweg gleich wie Aufstieg.

Links oben: Auf dem Tamischbachturm. In der oberostalpinen Mürzalpen-Decke gelegen, ist der Tamischbachturm in den Ennstaler Alpen aus Hauptdolomit aufgebaut. Wir blicken gegen Westen auf Haller Mauern und Sengsengebirge. Aufnahme Schwarz

Links unten: Alpen-Glockenblume *(Campanula alpina).* Hier an ihrem östlichsten Standort in den Seealpen. Die blauvioletten Blüten sind an ihren Nerven nur schwach behaart, im Gegensatz zur Bärtigen Glockenblume. Die Pflanze schätzt kalkhaltigen Boden und Schutthalden mit guter Durchlüftung. Aufnahme Schacht

Rechts: Auf dem Hochkar. Das Sengsengebirge zählt zur oberostalpinen Totengebirgsdecke mit Kalken und Dolomiten aus der mittleren Trias. Wir blicken auf die Ennstaler Berge. Aufnahme Schwarz

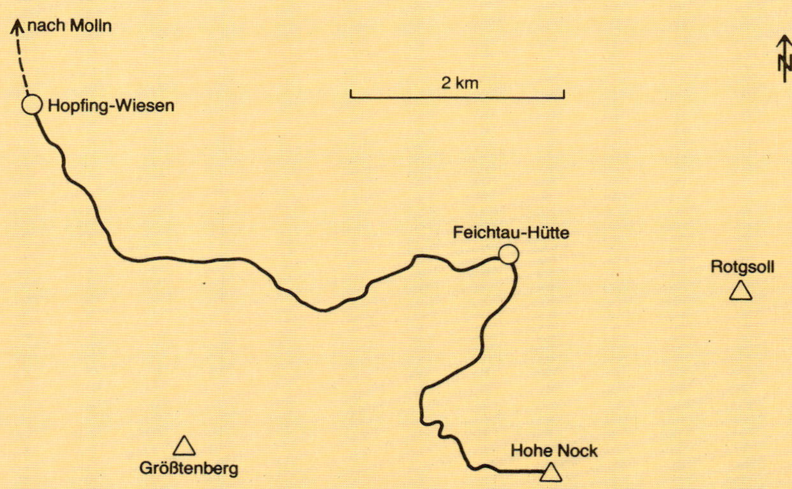
nach Molln
2 km
N
Hopfing-Wiesen
Feichtau-Hütte
Rotgsoll
Hohe Nock
Größtenberg

Ebenstein (2123 m; Hochschwab)

Wuchtig erhebt sich der Klotz des Großen Ebensteins über die weite Hochfläche der westlichen Hochschwab-Gruppe. Wir befinden uns in den oberostalpinen Nördlichen Kalkalpen, in Triaskalken und -dolomiten der höchsten Einheit der Alpen. Eiszeitlich geformte Rundkuppen und Seen, aber auch mächtige Geröllhalden prägen die Gebirgsgruppe des Hochschwab.

Ausgangs- und Endpunkt: Oberort im Tragösstal (793 m), mit Bus oder Auto von Bruck an der Mur erreichbar.

Marschzeit: 8½ Stunden.

Trittsicherheit ist Voraussetzung.

Verpflegung und Unterkunft: Sonnschien-Hütte (1523 m), Grüner See (950 m).

Von Oberort – mit der sehenswerten Kapelle der Heiligen Magdalena – wandern wir auf der Fahrstraße gegen Nordwesten aufwärts, vorbei am Kreuzteich, am Grünen See und an der Pfarrerlacke zum Jagdhaus Jassing. Hier zweigen wir nach rechts ab und steigen in Kehren zur weiten Hochfläche auf, wo sich die Sonnschien-Alm ausdehnt.

Von der Sonnschien-Hütte weg wenden wir uns gegen Nordwesten in Richtung zum Kleinen Ebenstein. Entlang seinem Fuß wandern wir, rechts haltend, durch Legföhren zum Sonnschienbrünnl (1667 m). Weiter nach rechts, steigen wir über Weiden und Geröll zum Kleinen Ebenstein auf (1943 m) und über Felsbänder und Schutthänge auf den felsigen Kamm und schließlich über Blöcke zum Gipfel des Großen Ebensteins.

Wir kehren auf dem gleichen Weg zurück.

Rechts oben: In den Ötschergräben. Hochschwab, Dürrenstein und Ötscher liegen in einem großen Naturschutzgebiet mit zahlreichen Wanderwegen, die dem Naturfreund manche Sehenswürdigkeit bieten. Die Ötschergräben mit den zahlreichen Wasserfällen sind von der Langseitenrotte an der Lassing zugänglich. Aufnahme Schwarz

Rechts unten: Im Gesäuse. Planspitze und Hochtor beherrschen die Dolomitlandschaft der oberostalpinen Mürzalpen-Decke um den Hochschwab. Die intensive Verwitterung kommt im Blockschutt im Vordergrund zum Ausdruck. Aufnahme Schwarz

Unten: Auf dem Hochschwab-Plateau. Der Ebenstein dominiert bei diesem Blick gegen Westen vom Fuß des Hochschwab aus. Wir stehen auf Triaskalken der oberostalpinen Mürzalpen-Decke. Aufnahme Handl

Großer Ebenstein
N
Sonnschien-Hütte
Pfarrerlacke
Grüner See
Oberort
2 km
nach Bruck a. d. Mur

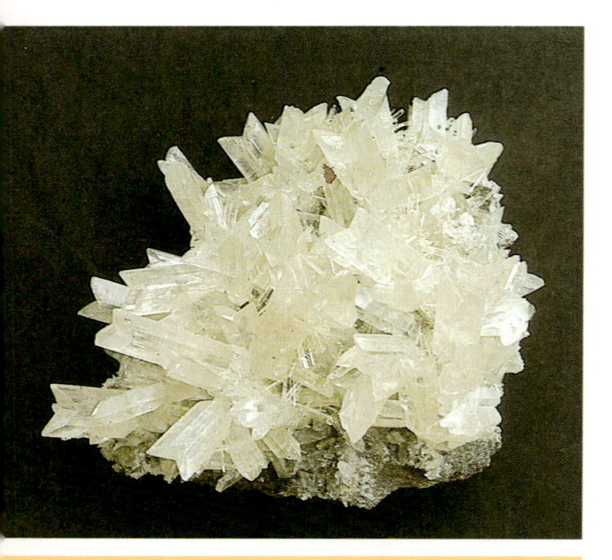

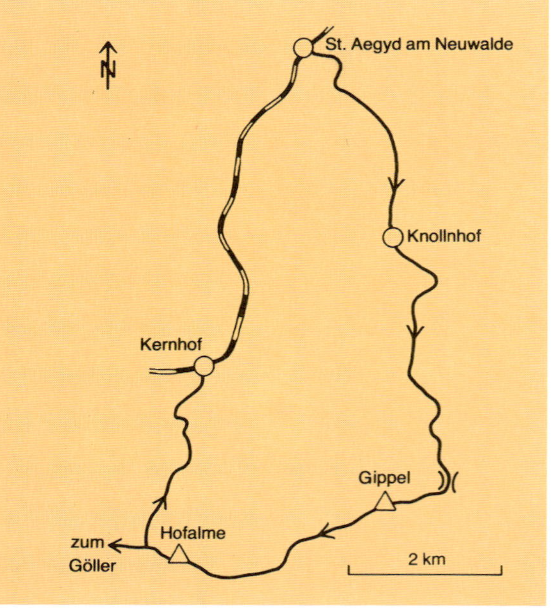

Gippel (1668 m; Mürzsteger Alpen)

Mächtig baut sich dieses Massiv aus oberostalpiner Trias mit einer Jura-Kreide-Bedeckung der Göller-Decke über dem Traisental auf. In diesem Jagdbann- und Naturschutzgebiet darf nur den markierten Wegen gefolgt werden. Bei genügender Zeit kann eine Besteigung des Göller angeschlossen werden (Unterkunft im Göller-Haus).
Ausgangspunkt: St. Aegyd am Neuwalde (588 m), Bahn.
Endpunkt: Kernhof (690 m).
Rückkehr nach St. Aegyd mit der Bahn.
Marschzeit: 7 Stunden (bei Autozufahrt bis Knollnhof 6 Stunden).
Trittsicherheit ist Voraussetzung.
Verpflegung und Unterkunft: Keine Möglichkeit (Göllerhaus, 1440 m beim Aufstieg zum Göller).
Vom Bahnhof St. Aegyd am Neuwalde aus folgen wir der Fahrstraße durch das Weißenbachtal bis zum Knollnhof. Nun nach links zum Gehöft Falkensteiner. Hier verlassen wir die Straße und wenden uns nach rechts hinauf auf einen breiten Grat. In südlicher Richtung gehen wir über einen Hang und in Kehren zur Scharte im Ostgrat des Gippel. Auf der steinigen Südflanke besteigen wir den Gippel.
Der weitere Weg führt uns auf dem Südwestgrat hinab zu einer Scharte und zur weiten Pollwischalpe, weiter zum Wiesenbuckel der Hofalme. Auf dessen Nordwestkamm steigen wir hinunter zum Waldhütt-Sattel (hier zweigt der Pfad zum Göller ab). Wir wenden uns nach rechts und steigen in Kehren durch den Wald hinab zum Kernhof.

Links oben: Gips. In der Obertrias der Nördlichen Kalkalpen tritt der Gips, im Verband mit Dolomit als Rauhwacke, häufig auf. Das Mineral entsteht hauptsächlich durch Verdunstung mineralreicher Wässer in den Klüften der Kalke und Dolomite, aber auch als Evaporit neben Steinsalz. Aufnahme Rykart

Rechts: Am Göller. Im Aufstieg von Gscheid aus präsentiert sich das Massiv von Gippel und Göller in den Mürzsteger Alpen besonders eindrucksvoll. In der oberostalpinen Göller-Decke gelegen, bauen sich die Berge aus obertriadischen Dolomiten auf. Aufnahme Marktgemeinde St. Aegyd am Neuwalde

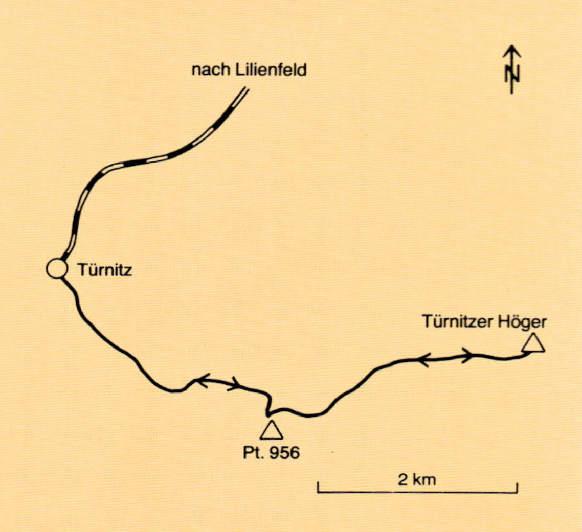

Türnitzer Höger
(1373 m; Türnitzer Alpen)

Dieses isolierte Massiv, in obertriadischen Kalken und Dolomiten der oberostalpinen Unterberg-Decke gelegen, ist ein dankbares Wanderziel. Weit schweift der Blick von dem leicht bewaldeten Gipfel in die Runde, ins Ötscherland, zum Göller und zum Schneeberg.
Ausgangs- und Endpunkt: Türnitz (457 m), Bahn.
Marschzeit: 5½ Stunden.
Verpflegung: Türnitzer Hütte auf dem Gipfel.
Vom Bahnhof Türnitz zum Eingang des Högertales. Wir wandern auf einer Güterstraße durch den Wald aufwärts, vorbei an Gehöften, an einem Kreuz und weiter auf markiertem Pfad auf eine Anhöhe hinauf. Hier halten wir nach links zu einem Steilhang, den wir schräg aufsteigend überwinden und so auf den Westgrat des Türnitzer Högers gelangen. Etwas links des Kammes geht es hinauf zum Gipfel.
Für den Rückweg wählen wir die gleiche Route.

Links: Dürnstein an der Donau. Im Hintergrund überragt der Starhemberg das Steilufer der Donau. Wir stehen bereits in den Gneisen und Glimmerschiefern der Böhmischen Masse, die hier am weitesten gegen Süden vordringt und beinahe in direkten Kontakt mit der Nordfront der Alpen tritt. Aufnahme Schwarz

Oben: Der Türnitzer Höger. Vor uns liegt Türnitz. Sanfte bewaldete Hänge schwingen sich auf zum Ziel unserer leichten Wanderung. Ausgeprägt ist der rundliche Formcharakter der Triasdolomite der oberostalpinen Unterberg-Decke sowie die zahlreichen Tälchen, die die Hügellandschaft gliedern. Aufnahme Schwarz

Schneeberg (Klosterwappen und Kaiserstein; Rax-Schneeberg)

Diese östlichste Bastion der eigentlichen Hochalpen, hoch über dem Höllental, ist ein lohnender Aussichtsberg. Nach ihm ist die oberostalpine Schneeberg-Decke, die höchste Einheit der oberostalpinen Nördlichen Kalkalpen, benannt. Hier ist sie vor allem durch den mitteltriadischen Wetterstein-Dolomit vertreten. Weit schweift der Blick hinüber zur Rax, zum Göller und in die Waldhügellandschaft im Norden.

Ausgangs- und Endpunkt: Losenheim (745 m), Bus nach Puchberg.

Marschzeit: 8 Stunden.

Verpflegung und Unterkunft: Fischer-Hütte (1980 m), Damböck-Haus (1780 m), Hotel Hochschneeberg (1796 m).

Von Losenheim aus steigen wir gegen Westen auf den Fadensattel und zur Sparbach-Hütte (bis hierher auch Sessellift). Nun wenden wir uns nach links und queren auf dem Fadenstein unter den Felsen des Kaisersteins durch hinüber zum Hochplateau. Rechts oben am Kaiserstein (2061 m) grüßt die Fischer-Hütte, die wir über Almen und Geröll erreichen. Auf dem breiten Grat hinüber zum Klosterwappen (2075 m).

Nun hinab zum Ochsenboden (Damböck-Haus). Den Waxriegel umgehen wir links und gelangen zur Bergstation der Zahnradbahn nach Puchberg. Gegen Süden steigen wir ab zum Baumgartner-Haus und zur Zwischenstation der Zahnradbahn. Wir folgen nun der Bahn bis zum Kaltwassersattel, von wo wir nach links absteigen zum Schneebergdörfl und schließlich nach Losenheim.

Es besteht auch die Möglichkeit, die Zahnradbahn nach Puchberg zu benützen.

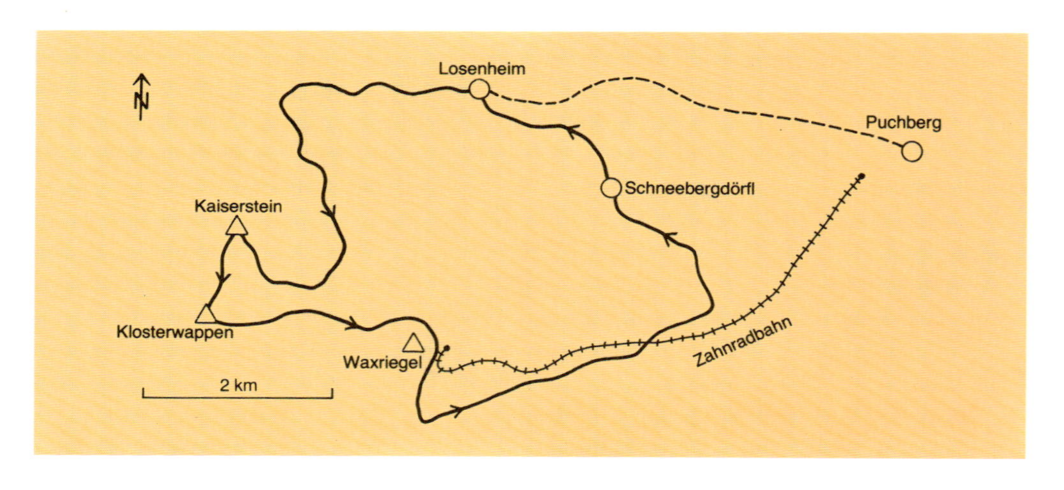

Rechts oben: Klosterwappen. Wir stehen bei der Fischer-Hütte am Kaiserstein und blicken gegen Süden auf den Hauptgipfel des Schneebergs. Im Hintergrund grüßen die Fischbacher Alpen und die Bucklige Welt. Die glazial überprägten Berge gehören der oberostalpinen Schneeberg-Decke an. Hauptdolomit liegt unter unseren Füßen. Aufnahme Schwarz

Rechts unten: Am Semmering. Die Raxalpe im Hintergrund zählen zur Nördlichen Grauwackenzone, dem Altpaläozoikum des Oberostalpins. Im Vordergrund, um den Semmering, stehen metamorphe permomesozoische Sedimente und Quarzphyllite unterostalpiner Herkunft als Basis des Rax-Systems an. Aufnahme Schwarz

Remschnigg
(754 m; Östliche Karawanken)

Glimmerschiefer und Paragneise, begleitet von altpaläozoischen Sedimenten des ostalpinen Kristallinkerns bauen diesen weichgeformten Hügelzug im äußersten Südosten der Alpen an der Grenze zu den Dinariden auf. Im Norden schließen sich Ablagerungen aus dem mittleren Tertiär (Miozän) an. Weit reicht der Blick in die steirische und kroatische Hügelzone. Die südliche Vegetation beschert dem Pflanzenfreund vor allem im Frühjahr viele Kostbarkeiten.

Ausgangs- und Endpunkt: Arnfels (314 m), Bus von Leibnitz oder Ehrenhausen aus.

Marschzeit: 4½ Stunden.

Verpflegung: Remschnigg-Herberge (677 m); (Gasthaus Pronintsch).

Von Arnfels aus wandern wir in südöstlicher Richtung auf einem Fußweg, der die Fahrstraße abkürzt, zur Remschnigg-Herberge hinauf. Von hier geht es auf dem leichten Kamm gegen Westen, durch Kastanienwälder und über Weiden, vorbei an Birkenhainen und durch Erikasträucher, zum Gipfel des Remschnigg. Nach kurzem Abstieg über seine Westflanke treffen wir auf eine Fahrstraße, auf der wir, rechts haltend, zu unserem Ausgangspunkt, Arnfels, zurückgelangen.

Unten: Auf dem Schloßberg bei Leutschach. Vom östlichen Ausläufer des Remschnigg-Kammes blicken wir gegen Norden über die südsteirische Weinlandschaft hinüber zur Koralpe und Gleinalpe. Hier kommt der Charakter der östlichen Ausläufer der Alpen gut zum Ausdruck. Aufnahme Wippel

Rechts oben: Auf dem Radlkamm. Wir stehen auf dem Grenzkamm gegen Jugoslawien. Unser Blick geht gegen Süden, zum Drautal und ins Bachergebirge, einem jungtertiären Granitstock an der alpin-dinarischen Naht. Aufnahme Wippel

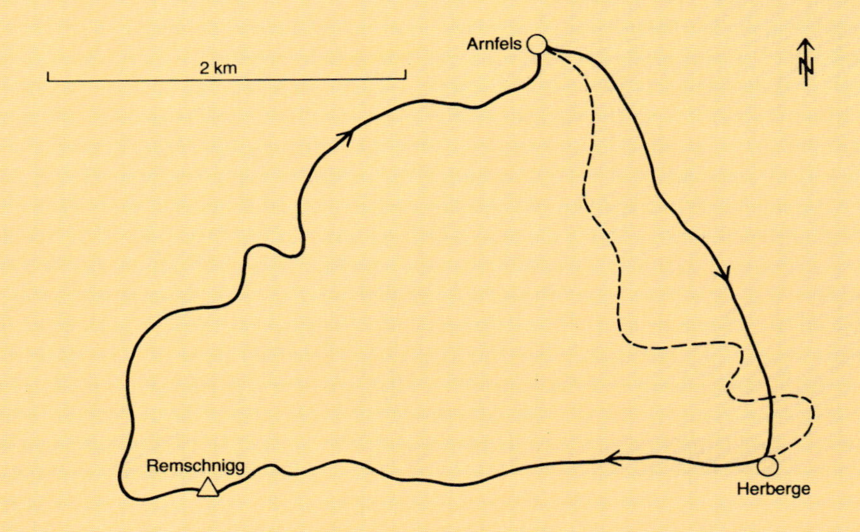

Arnfels
2 km
N
Remschnigg
Herberge

Bayerische Alpen

Das Land Bayern besitzt zwischen dem Lech und Berchtesgaden Anteil an den nördlichen Ostalpen. Wir gliedern die bayerischen Gebirgszüge in die südlichen, höheren Kalkalpen, an denen Bayern mit dem Wettersteingebirge und dem Watzmann teilhat, und in die niedrigeren bayerischen Voralpen – das Ammergebirge, das Werdenfelser Land, die Berge zwischen Kochelsee und Schliersee, der vorragende Wendelstein, die Chiemgauer Alpen, das Lattengebirge und der Untersberg. Gegen das nördliche Vorland, den bayerischen Molassetrog, setzen die Voralpen mit deutlicher Stufe bis gegen 1000 m ab, so den markanten Nordrand der Alpen bildend.

Geologie. Im Verlauf von Westen nach Osten äußert sich bereits in den Strukturen der vorgelagerten Molasse, wie die Wucht des Anpralls der alpinen Dekkenfront sich abschwächte: Die Breite der zerbrochenen und in Mulden verbogenen subalpinen Molasse nimmt stetig ab; die Zone keilt gegen Osten südlich des Chiemsees endgültig aus. Als schmales, gelegentlich aussetzendes Band ziehen sich die helvetischen Sedimentserien – im Westen noch Malm bis Eozän umfassend, gegen Osten zu reduziert auf Kalke und Mergel von mittlerer Kreide bis ältestes Tertiär – in Form von steil nach Norden aufgerichteten Schuppen dem Alpenrand entlang. Auch die südlich anschließende ultrahelvetisch-penninische Flyschzone, vorwiegend Mergel der Oberkreide und des tiefern Tertiärs, ist vom Anschub und der Überfahrung durch die oberostalpine Sedimentmasse arg gestaucht und verfaltet worden und verschwindet am Chiemsee gar unter dieser Schubmasse, um erst nördlich von Salzburg wieder eine beträchtliche Breite zu erlangen. Die Nördlichen Kalkalpen schließlich, als Basis die Allgäu-Decke, darüber die Lechtal-Decke, die Höllengebirgs-Decke, die Hallstätter Decken und als höchstes Element die Berchtesgadener Schubmasse (Reiteralm-Decke), bilden den verschuppten und gefalteten Deckel.

Alle diese baulichen Einheiten der Nördlichen Kalkalpen als vorgeschobene Sedimenthülle des oberostalpinen Silvretta-Ötz-Kristallins, führen Gesteine vom jüngeren Perm bis zur Kreide, wobei an Masse die triadischen Kalke und Dolomite (Wettersteinkalk, Ramsaudolomit, Hauptdolomit und Dachsteinkalk) vorherrschen. An deren Perm-Trias-Basis findet sich das „Haselgebirge“ mit Steinsalz, Gips und Rauhwacken (Salz-Schaubergwerk bei Berchtesgaden). Die Intensität des Anschubes aus Süden zeigt sich auch hier im Faltencharakter: Während im Westen intensive Verschuppung und Fältelung vorherrschen, weitet sich der Faltenradius gegen Berchtesgaden zu weitgespannten Mulden und leicht verbogenen Platten.

An Mineralien ist das Gebiet nicht eben reich: Es fehlen die fündigen kristallinen und metamorphen Gesteine. In der Umgebung von Berchtesgaden finden sich Steinsalz, Schwefel und Gips.

Gestaltung der Oberfläche. Lech, Loisach, Isar, Inn und Saalach sind die gegen Norden entwässernden Hauptflüsse. Ihr Verlauf in den bayerischen Alpen spiegelt den Gebirgsbau wider: Die Flüsse mußten sich ihren Weg ins Vorland zwischen den parallel in West-Ost-Richtung verlaufenden Kämmen suchen, indem sie tektonische Schwächezonen und Depressionen als Durchbruchsachsen benutzten. Es lösen sich so im Flußlauf Quer- und Längstalabschnitte ab; in engen Klammen durchschneiden die Wässer die Hindernisse, anderseits werden sie oft zu Seen gestaut. Die bayerischen Alpen können auch morphologisch in zwei parallele Zonen verschiedener Höhenlage gegliedert werden: Die Hochalpen und die Voralpen. Als höchster Berggipfel Deutschlands krönt die Zugspitze (2963 m) das Wettersteingebirge, das wie das Watzmann-Massiv (Watzmann 2713 m, Hochkalter 2607 m) zu den Hochalpen mit einer mittleren Höhe von 2500 m zählt. Schroffe Dolomitfelsen mit abweisenden hohen Felswänden und mit zahlreichen Karnischen tauchen aus mächti-

Watzmann und Königssee. Von der Warteck aus, hoch über dem Ostufer des reizenden Königssees im bayerischen Naturschutzgebiet, ist die wuchtige Ostwand des Watzmanns, des Hausberges von Berchtesgaden, besonders eindrucksvoll. Die gebankten Dolomite der Obertrias gehören der oberostalpinen Staufen-Decke (Tirolikum) an. Aufnahme Ammon

Bayerische Alpen

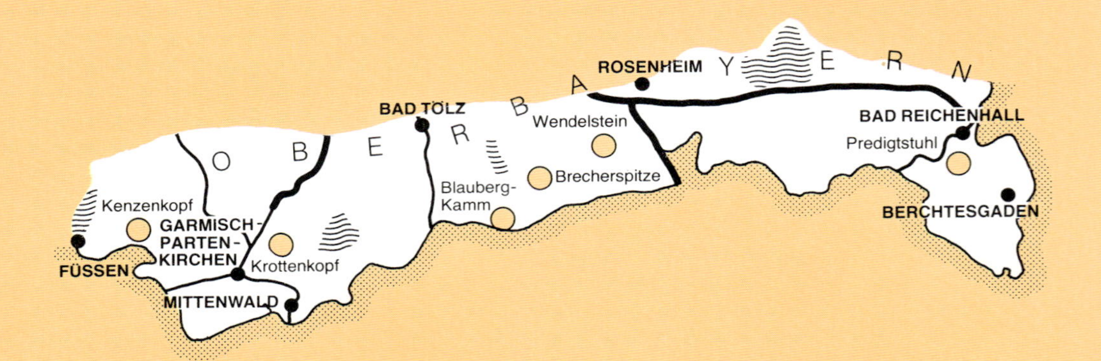

gen Schutthalden auf. Deutlich niedriger mit etwa 1800 m mittlerer Gipfelhöhe sind die Voralpen: Ammergebirge, Werdenfelser Land, Walchensee-, Schlierseer Berge, Chiemgauer Alpen, Lattengebirge und Untersberg. Wald- und almenreiche Rükken und Kämme sind durch Quer- und Längstäler stark gegliedert. Einzelne isolierte Stöcke ragen hervor, so die Benediktenwand und der aussichtsreiche Wendelstein.

In den Voralpen ist der morphologische Unterschied zwischen den felsigen Bergformen der Kalke und Dolomite im Süden einerseits, den weichen und rundlichen Flyschhügeln im Norden anderseits gut zu beobachten. Während die heutigen Gletscher nur mehr geringe Ausdehnung haben (Schneeferner, Höllenkarferner), ist die eiszeitliche Überformung durch die alpinen Gletscher überall kräftig gewesen. In ausgeschürften Wannen, oft durch markante Stirnmoränenwälle abgeschlossen, liegen zahlreiche malerische Seen; Moore als verlandete Seegründe nehmen große Flächen ein, ebenso die dicken Schotterfluren der diluvialen Gletscherflüsse. Besonders stark wirkte sich die Eis-Erosion im Bereich des Königsees aus, der allseits von hohen Felswänden umrahmt wird. Karren und Höhlen – etwa die Wendelsteinhöhle – sind die Folge der intensiven chemischen Verwitterung der Kalke und Dolomite.

Klima. Die bayerischen Alpen sind klimatisch dem Einfluß der feuchten Westwinde und der trockenkalten Nordwinde ausgesetzt. An den Berghängen stauen sich die feuchtigkeitsgesättigten ozeanischen Luftmassen und bringen ansehnliche Regen- und Schneemengen. Besonders im Frühjahr sind Kaltlufteinbrüche von Norden her häufig, verbunden mit Staulagen. Winterliche Hochnebeldecken breiten sich über den Kälteseen in den Tälern aus. Der Föhn

Oben: Die Ammergauer Alpen. Vom Hörndle aus gesehen, zeigen die Ammergauer Alpen ihren Mittelgebirgscharakter, der ihnen von den eiszeitlichen Gletschern aufgeprägt wurde. Im Hintergrund links die Zugspitze. Aufnahme Beer

Unten: Am Predigtstuhl. Vom Dreisesselberg aus blicken wir hinüber gegen Süden auf Watzmann und Hochkalter. Wir wandern in Kalken der mittleren Trias der Reiteralm-Decke. Aufnahme Baumann

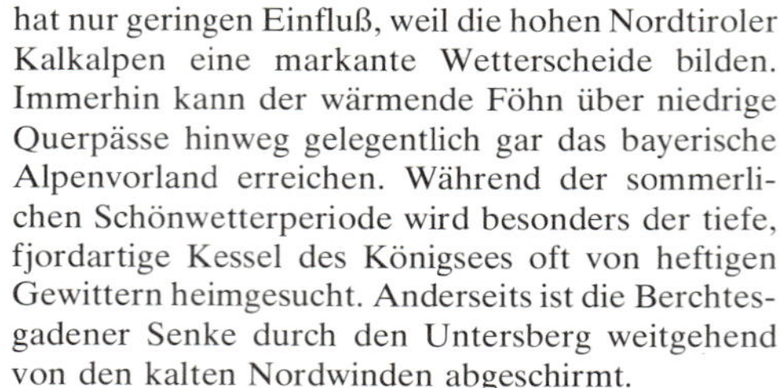

hat nur geringen Einfluß, weil die hohen Nordtiroler Kalkalpen eine markante Wetterscheide bilden. Immerhin kann der wärmende Föhn über niedrige Querpässe hinweg gelegentlich gar das bayerische Alpenvorland erreichen. Während der sommerlichen Schönwetterperiode wird besonders der tiefe, fjordartige Kessel des Königsees oft von heftigen Gewittern heimgesucht. Anderseits ist die Berchtesgadener Senke durch den Untersberg weitgehend von den kalten Nordwinden abgeschirmt.

Die **Pflanzenwelt** der bayerischen Alpen ist derjenigen des Allgäus und der ostschweizerischen Alpen sehr ähnlich (siehe dort). Östliche Vertreter, wie wir sie auch im Salzburger Land finden, kommen vor. Der Gesteinscharakter ist einheitlich kalkig-dolomitisch und beschränkt den Artenreichtum stark; kalkfliehende Pflanzen suchen wir vergeblich.

Naturschutz. Mehrere Regionen sind unter Naturschutz gestellt: Der Alpengarten am Rießensee im Wettersteingebirge, das Ammergebirge, der Karwendel, der Chiemgauer Alpenpark um die Schwarzachenalm. Im Ausbau begriffen ist der bayerische Alpenpark um den Königsee, der auch die umgebenden Berggruppen umfaßt. Hier finden wir in Höhen zwischen 600 und 2700 m eine recht reiche Pflanzen- und Tierwelt sowie auf der Reiteralpe große Arvenbestände.

Links oben: Die Hochplatte. Im Winter sind die Felsstrukturen der Gesteine oft besonders gut erkennbar. Die Hochplatte dominiert in den Ammergauer Alpen. In der Bildmitte der Kenzenkopf. Aufnahme Barton

Links unten: Am Ettaler Mandl. Hoch über Ettal mit seiner prachtvollen Klosterkirche ragt das Ettaler Mandl in den nördlichen Ammergauer Alpen auf. Wir blicken gegen den Walchen. Gesteine des Jura und der unteren Kreide treffen wir hier an. Aufnahme Barton

Rechts: Die Reiteralpe. Im Absturz der eigenartigen, allseits abrupt abbrechenden Hochfläche der Reiteralpe liegen die Mühlsturzhörner. Die Reiteralpe bildet eine eigene Gesteinsdecke, die Jura und untere Kreide umfaßt. Aufnahme Ammon

Links oben: Am Eibsee. Vom Ufer dieses malerischen Sees zu Füßen der Zugspitze blicken wir hinüber auf den Frieder in den Ammergauer Alpen. Aufnahme Beer

Rechts oben: Die Zugspitze. Hoch über der Ebene von Leermoos-Ehrwald ragt das Zugspitzmassiv auf. Hier liegt die Typuslokalität des Wettersteinkalkes der mittleren Trias. Die Berggruppe liegt in der oberostalpinen Lechtal-Decke. Aufnahme Beer

Oben: Das Zugspitzmassiv. Aus Nordosten gesehen, von der nördlichen Wettersteinkette aus, präsentieren sich die Zugspitze und der Höllentalferner. Zahlreiche eiszeitliche Karmulden haben sich in den Wettersteinkalken eingenistet. Aufnahme Beer

Links unten: Der Karwendel. Vom Barmsee bei Mittenwald aus blicken wir auf die Nordgruppe des Karwendel mit, von links, Wörner, Tiefkarspitze und Karwendelspitze. Anisische und ladinische Kalke und Dolomite der mittleren Trias der Lechtal-Decke bauen das Massiv auf. Aufnahme Beer

Unten: Im Sojern-Massiv. Das einzelstehende Bergmassiv der Sojern mit dem reizenden Sojernsee bei Mittenwald liegt in der Obertrias der Lechtal-Decke. Gut sind die Falten in der Gipfelpartie erkennbar. Aufnahme Beer

Kenzenkopf
(1724 m; Ammergauer Alpen)

Eine reichhaltige Blumenpracht, besonders im Frühsommer, sowie Gemsen und Murmeltiere kennzeichnen die Berge zwischen Füssen und Linderhof, das Ammergebirge, das ganz unter Naturschutz steht. Die südliche Kette zählt geologisch zum Oberostalpin (Lechtal-Decke, Nördliche Kalkalpen), an deren Basis die ebenfalls oberostalpine Allgäu-Decke und der penninische Flysch von Süden her überfahren wurden.

Ausgangs- und Endpunkt: Kenzenhütte (1285 m). Diese ist entweder von Halblech bei Trauchgau (825 m) aus mit dem Kleinbus erreichbar oder zu Fuß vom Sägertal (westlich vom Linderhof) aus über den Bäckenalpsattel (2 Stunden).

Marschzeit: 2½ Stunden.

Verpflegung und Unterkunft: Kenzenhütte (1285 m).

Durch lichten Bergwald wandern wir von der Hütte aus gegen Süden hoch, queren den Bach oberhalb des Wasserfalles und wenden uns dann nach rechts, in Kehren hinauf über eine Geröllhalde und über Alpweiden zum Kenzensattel (1649 m) am Nordfuß der Hochplatte. Wiederum rechts haltend, erreichen wir über Weiden und leichte Felsstufen den Gipfel des Kenzenkopfes.

Zurück auf dem gleichen Weg.

Von der Kenzenhütte aus kann auch eine Rundwanderung um den Vorderscheinberg herum empfohlen werden.

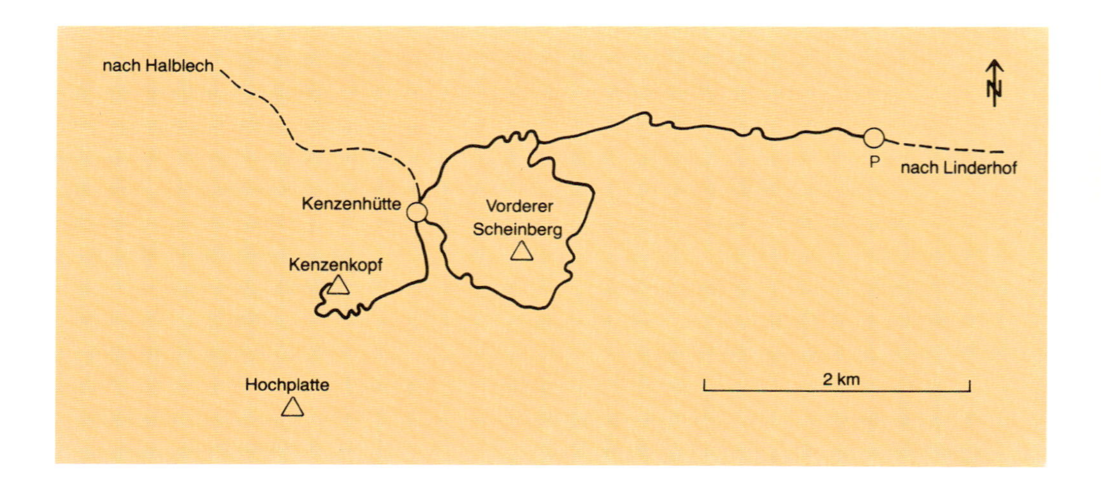

Oben: In den Ammergauer Alpen. Hochplatte und Geiselstein sind die markantesten Gipfel der Ammergauer Alpen. Wir stehen an der Nordfront der eigentlichen Alpen, wo Trias- und Juragestein der oberostalpinen Lechtal- und Allgäu-Decke den Flysch überfahren haben. Aufnahme Barton

Unten links: Auf der Enningalm. Der rundgeschliffene Hirschbichel ist Zeuge der Wirkung eiszeitlicher Gletscher auf die weichen Flyschgesteine der nördlichen Ammergauer Alpen. Aufnahme Beer

Unten rechts: Der Geiselstein. Wuchtig ragt der Geiselstein, aus obertriadischen Kalken herausmodelliert, über die Kapelle am Wankerfleck in den Ammergauer Alpen hinaus. Aufnahme Barton

Krottenkopf (2086 m; Estergebirge)

Im Hauptdolomit der oberostalpinen Lechtal-Decke gelegen, bietet das Estergebirge nicht nur eine recht artenreiche Blumenwelt, sondern auch einen imposanten Rundblick. Im Süden baut sich das Zugspitzmassiv auf, aus Südosten grüßt das Karwendelgebirge, und gegen Norden öffnet sich das bayerische Tiefland mit dem Walchensee.

Ausgangs- und Endpunkt: Garmisch-Partenkirchen (782 m).

Marschzeit: 7 Stunden.

Verpflegung und Unterkunft: Krottenkopf-Haus (Weilheimer Hütte, 1954 m).

Von der Kirche St. Anton am Wank-Westhang steigen wir durch Wald über die Dax-Kapelle auf einem Fuhrweg hinauf zur Esterbergalm. Nun geht es gegen Nordosten und nach etwa 400 m (Weggabelung) links über Weidenhänge hinauf zur Weilheimer Hütte und in kurzem Aufstieg zum Gipfel des Krottenkopfs.

Im Abstieg wandern wir unter dem Südabsturz des Rißkopfes hinüber zum Sattel vor dem Bischof. Nun nach rechts hinunter, am Felskopf des Niederen Fricken vorbei in Kehren durch den Wald hinab und auf dem Talboden der Loisach am Mühldörfli (gegenüber Farchant) vorbei auf dem „Philosophenweg“ zurück nach Garmisch-Partenkirchen.

Zur Abkürzung der Wanderung kann auch die Wank-Bahn benützt werden. Allerdings müssen wir in diesem Fall etwa 500 m zur Esterbergalm absteigen.

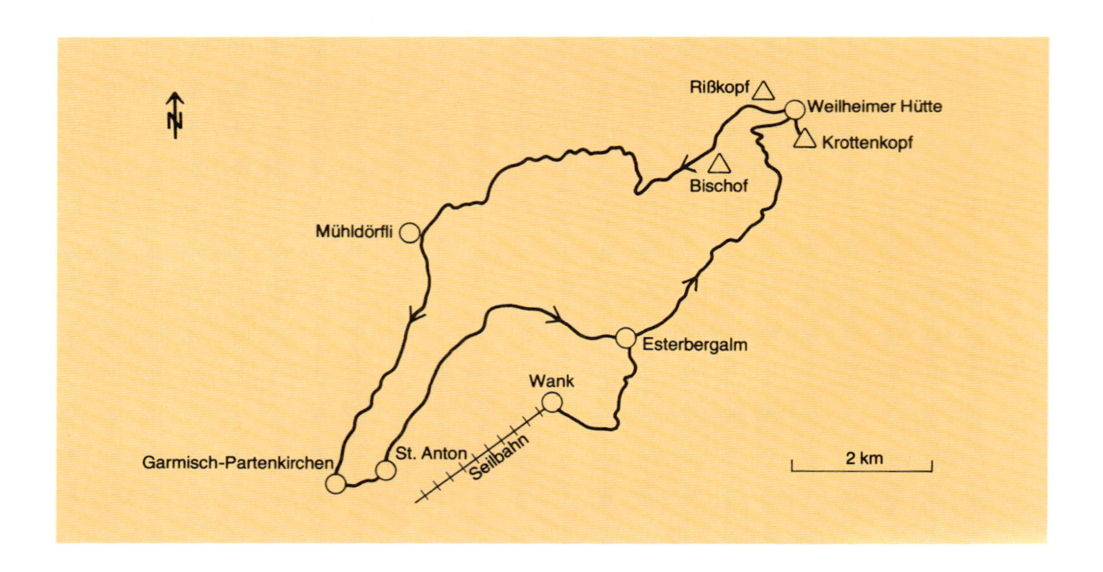

Oben: Der Krottenkopf. Von der Esterbergalm aus blikken wir auf den Krottenkopf, unser Ziel. Links der Hohe Fricken. Das Estergebirge zählt zur oberostalpinen Lechtal-Decke. Aufnahme Beer

Unten: Das Krottenkopf-Haus. Hier werden wir uns vor dem Aufstieg zum Krottenkopf stärken können. Die anstehenden Kalke sind stark verwittert und von Rillenkarren überzogen. Aufnahme Beer

Blauberg-Kamm

Eine viele Ausblicke versprechende Bergwanderung hoch über dem Tegernsee auf dem Grenzkamm zwischen Deutschland und Österreich (Paß mitnehmen!). Gleich mehrere Gipfel können auf dem Weg über den massigen Bergkamm im Jura- und Kreidegestein der Thierseer-Mulde in der oberostalpinen Lechtal-Decke bezwungen werden.
Ausgangspunkt: Köglboden (963 m) an der Straße Achenthal–Steinberg. Erreichbar mit Auto, 4 km von Achenthal.
Endpunkt: Wildbad Kreuth (828 m).
Rückkehr nach Achenthal: mit Bus über den Achenpaß.
Marschzeit: 7 Stunden.
Trittsicherheit ist Voraussetzung.
Verpflegung und Unterkunft: Ludwig-Aschenbrenner-Hütte (1465 m).
Vom Köglbad geht es nach links auf einem Sträßchen ins Filzmoostal zur Zwieselalm. Hier steigen wir leicht gegen Osten an, durch Wald, später über Weiden. Am Ende des Güterweges wenden wir uns nach links zur Ludwig-Aschenbrenner-Hütte.
Nun wandern wir auf dem bewaldeten breiten Kamm gegen Nordwesten auf den Grat westlich der Halserspitze (1861 m) hinauf. Den Gipfel der Halserspitze mit einer schönen Rundsicht erreichen wir in kurzer Zeit. Im Süden liegen der wuchtige Guffert und das Sonnwendgebirge, im Westen der Karwendel, gegen Norden reicht der Blick über den Tegernsee hinaus ins bayerische Vorland. Beeindruckend ist auch der Tiefblick in die Nordwände des Blaubergkammes, den wir nun überschreiten werden.
Auf gleichem Weg hinab in den Sattel, dann über den Grat gegen Westen, wobei wir den Blaubergkopf (1786 m), die Blaubergschneide (1786 m) und die Wichtlplatte (1766 m) überschreiten. Dann hinunter zum Sattel des Predigtstuhles und weiter links unter dem Schildenstein (1611 m) durch, den man in kurzem Aufstieg erklimmen kann. Auf dessen Nordgrat hinab zum Graseck, zur Geißalm und durch den Wald zum Wildbad Kreuth.

Oben: Wildbad Kreuth. Das reizende Dorf präsentiert sich im Herbstlaubschmuck. Im Hintergrund grüßen die bereits verschneiten Gipfel des Blaubergkammes, Grenzkamm gegen Österreich. Wir befinden uns in Trias und Jura der oberostalpinen Lechtal-Decke. Aufnahme Edbauer

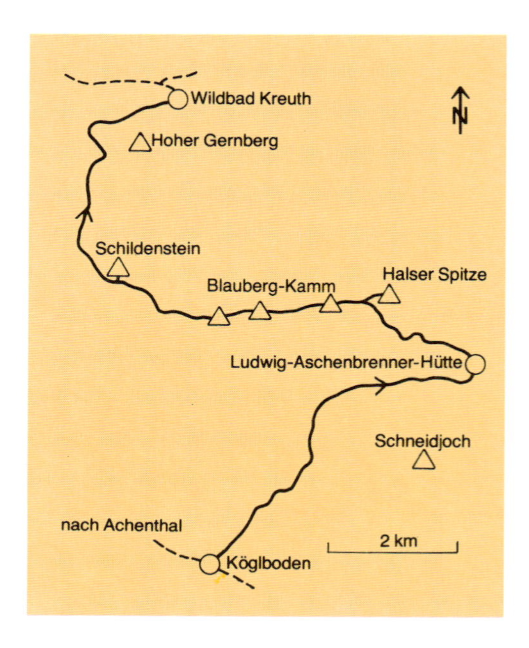

Unten links: Guffertspitze. Südlich des Blaubergkammes erhebt sich der höchste Gipfel der Gegend, der von der Aschenbrenner-Hütte aus erreichbar ist. Triaskalke bauen ihn auf, während wir auf dem nördlich gelegenen Blaubergkamm in Juragesteinen wandern. Aufnahme Federer

Unten rechts: Auf dem Schildenstein. Der kurze Abstecher von unserem Weg zum Gipfel des Schildensteins beschert uns ein schönes Panorama. Wir blicken gegen Süden, über das Mahmooskopfl hinweg zum Achensee, links überragt vom Rofan, rechts von der Seekarspitze. Aufnahme Edbauer

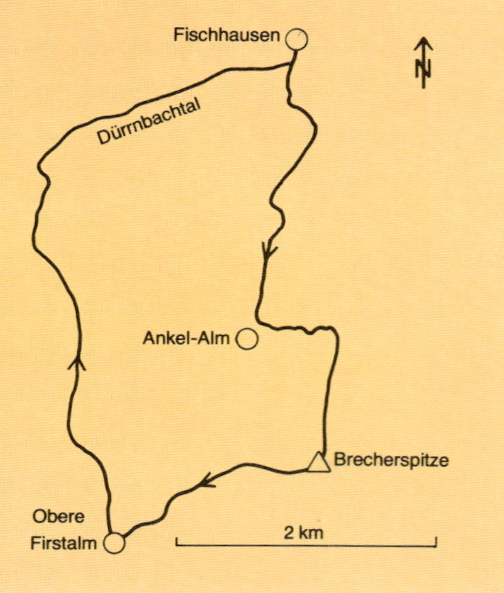

Brecherspitze
(1684 m; Schlierseer Berge)

In einer flachen Muldenzone der oberostalpinen Lechtal-Decke gelegen, erlaubt uns dieser leicht ersteigbare Gipfel in den Schlierseer Bergen einen weiten Blick, bei klarem Wetter gar bis nach München. An Gesteinen treffen wir Raibler Schichten, Hauptdolomit, Rhät und Liaskalke an.
Ausgangs- und Endpunkt: Fischhausen (808 m).
Marschzeit: 4½ Stunden.
Verpflegung: Obere Firstalm.
Vom Bahnhof Fischhausen aus folgen wir der Waldschneidtstraße, überqueren den Dürrnbach in südlicher Richtung und steigen rechts des Ankelbaches im Wald hinauf zur Ankel-Alm. Nun geht es nach links über Weiden steil hinauf auf den Nordgrat der Brecherspitze und auf dem mit Legföhren bestandenen Kamm zum Gipfel.
Für den Abstieg wenden wir uns gegen Westen und gelangen über leichte Felsschrofen hinunter zum Freudenreichsattel, dann entlang dem Skilift zur Oberen Firstalm. Nun rechts haltend in das Dürrnbachtal und auf einem Waldweg zurück nach Fischhausen.

Links oben: Alpen-Windröschen *(Anemone alpina).* Typisch für diese in den Hochalpen vorkommenden Pflanzen sind die hahnenfußartigen Blätter und die rot getönten Stengel. Aufnahme Laux

Rechts: Brecherspitze. Über den Luftkurort Schliersee hinweg blicken wir auf das Ziel unserer Wanderung, die Brecherspitze. Die Berggruppe ist in Obertriaskalke der Allgäudecke, als Frontelement der Alpen, eingebettet und zeigt deutliche Spuren der ehemaligen Vereisung. Aufnahme Kurverwaltung Schliersee

Wendelstein (1837 m)

Um die vielfältigen Gesteine und die Blumenpracht zu genießen, lohnt es sich, den vielbegangenen Aussichtsberg mit der herrlichen Rundsicht zu Fuß zu besteigen. Weit reicht der Blick hinaus ins bayerische Vorland um Rosenheim, hinüber zum Miesing, zum Großen Traithen und ins Kaisergebirge, bei klarem Wetter gar bis zur Hauptkette in den Zillertaler Alpen und den Hohen Tauern. Geologisch interessant sind vorab die Rhät-Gesteine in Riffkalk-Ausbildung mit oolithischen Partien. Das Massiv liegt in einer Muldenzone der oberostalpinen Lechtal-Decke mit jüngerer Trias, Rhät und Liaskalken.

Ausgangs- und Endpunkt: Bayrischzell (800 m).

Marschzeit: 4½ Stunden.

Verpflegung und Unterkunft: Wendelstein-Haus (1837 m).

Vom Bahnhof Bayrischzell aus wenden wir uns gegen Nordwesten und steigen durch den Wald auf nach Hochkreuth. Nun in vielen Kehren, stets im Wald, hinauf zur Kreuther Alm und zur Siegelalm. Über einen steilen Hang erreichen wir die Verebnung der Wendelsteiner Alpen (Berghaus). Eine letzte Steilstufe führt uns auf gut gesichertem Weg auf den Gipfel des Wendelsteins mit seinen Sendetürmen, einer Kapelle und dem Observatorium.

Falls genügend Zeit zur Verfügung steht, lohnt sich ein Abstecher hinüber zum nahen Breitenstein (1622 m). Wir steigen gegen Nordwesten hinab zur Aiblinger Hütte, unter dem Ostabfall des Schweinsberges hinauf zum Sattel und über die Hubertus-Hütte zum Breitenstein.

Für den Rückweg kann man die Schwebebahn nach Osterhofen benützen oder aber die Zahnradbahn nach Waching-Degerndorf, sofern man nicht mehr nach Bayrischzell zurückkehren will.

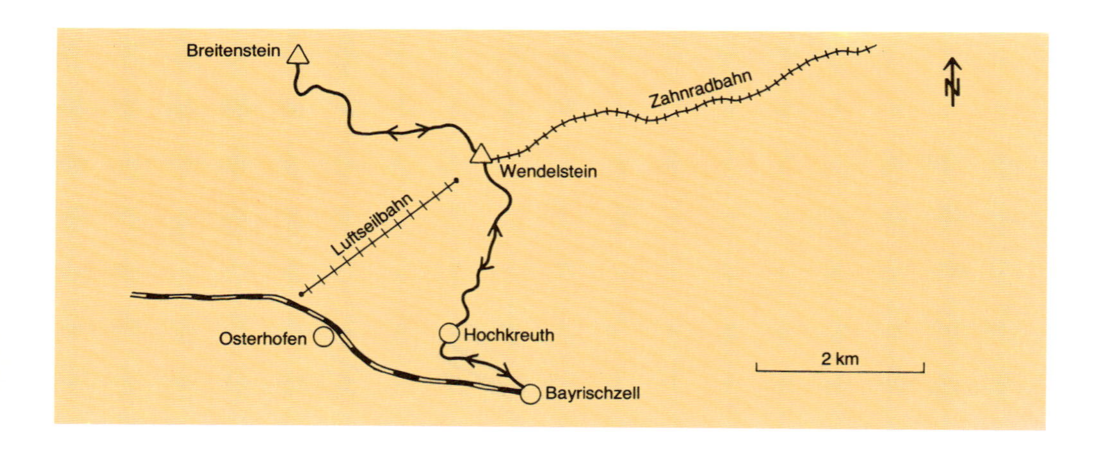

Oben: Der Wendelstein. Blick von Süden auf den Wendelsteingipfel und die Hotels mit Seilbahn und Zahnradbahn. Das einzelnstehende Massiv gewährt einen herrlichen Ausblick in die bayerische Hochebene. Der Bergwanderer findet trotz der Erschließung mit Bahnen zahlreiche geruhsame Höhenwege. Aufnahme Wendelsteinbahn

Unten: Im Aufstieg zum Wendelstein. Gut ausgebaute Wanderwege führen von allen Seiten zum Wendelsteingipfel. Wir wandern in Obertrias und Jura der oberostalpinen Lechtal-Decke. Aufnahme Wendelsteinbahn

Predigtstuhl (1618 m; Lattengebirge)

Aus Wettersteinkalk des Oberostalpins aufgebaut und auf einer weichen Flysch-Unterlage aufgeschoben, bietet dieses in der Reiteralm-Decke gelegene Massiv eine schöne Rundsicht auf Bad Reichenhall, auf die Reiter Alpe, auf den Watzmann am Königsee und auf den Untersberg.
Ausgangspunkt: Bad Reichenhall (470 m).
Endpunkt: Hallthurm (550 m).
Rückkehr nach Bad Reichenhall mit Bahn.
Marschzeit: 8½ Stunden (bei Benützung der Luftseilbahn 4½ Stunden).
Verpflegung und Unterkunft: Hotel Predigtstuhl.
Wir wandern zum Saalachsee. Beim Hotel Baumgarten am Südende des Sees halten wir nach rechts hinein ins Rötelbachtal. Auf einer Fahrstraße erreichen wir die Rötelbachalm. Nun scharf nach links und durch den Wald hinauf zur Unteren Schlegelalm. In der Nähe des Sessellifts steigen wir nach rechts auf markiertem Pfad zum Gipfel des Predigtstuhls hinauf.
Wir benützen den Weg über den Bergkamm, vorbei am Berghaus Schlegelmulde, über den Hochschlegel zum Hauptgipfel des Massivs, zum Karkopf (1739 m). Nun nach links hinüber zum Dreisesselberg. Gegen Süden steigen wir über Geröllhalden ab und halten uns oberhalb des Steinbergsees nach links unter der bizarren „Steinernen Agnes" vorbei zum Rotofensattel, der von den als Kletterbergen berühmten Rotofentürmen beherrscht wird. Durch den Wald geht es auf steilem Zickzackweg hinunter nach Hallthurm.

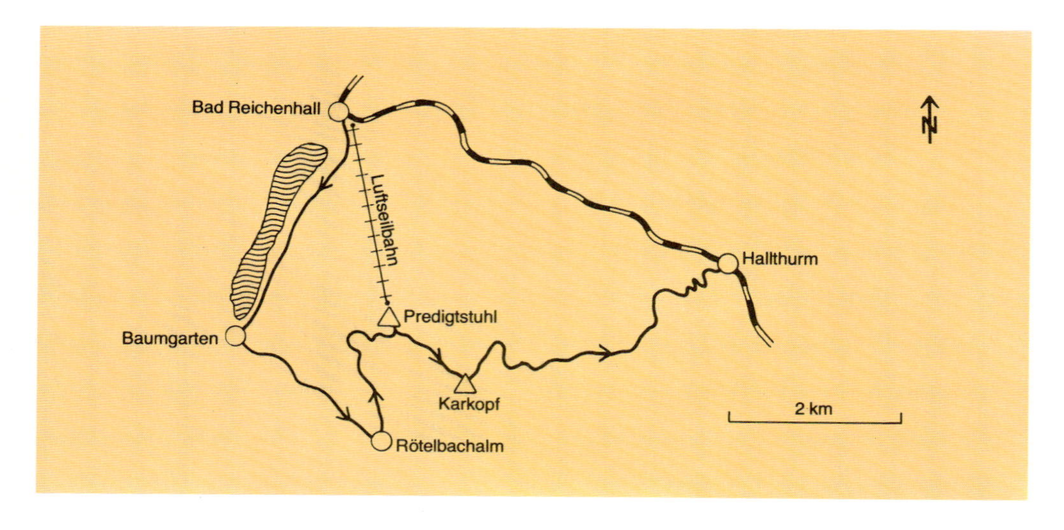

Oben: Der Untersberg. Von der Schlegelmulde aus blikken wir auf den Untersberg, den Hausberg der Salzburger. Auch er liegt in der Reiteralm-Decke. Aufnahme Baumann

Unten links: Beim Rasthaus Schlegelmulde. Bereits beim Aufstieg in den Triaskalken der Reiteralm-Decke überrascht uns die Aussicht auf die Berge um den Saalachsee. Der Wettersteinkalk ist arg zerklüftet und bildet weite Schutthalden. Aufnahme Baumann

Unten rechts: Am Predigtstuhl. Kühn schwingt sich die Seilbahn zum Predigtstuhl hoch. In der Tiefe Bad Reichenhall, darüber der Hochstaufen. Aufnahme Baumann

Erklärung einiger geologischer Fachausdrücke

Ablagerungsgestein: Sedimentgestein, Schichtgestein, Absatzgestein. Durch Verfestigung (Diagenese) von Ablagerungen an der Erdoberfläche entstandenes Gestein

Abscherung: Durch tektonische Bewegung bedingtes Abgleiten einer Gesteinsmasse von ihrer Unterlage entlang von Gleithorizonten

Akkumulation: Aufschüttung, Ablagerung von Gesteinsmaterial

Allochthon: Gesteinsmaterial, das von andern Orten her zusammengeschwemmt wurde. Auch: Gesteinskomplex, der nicht mehr am Ort seiner Bildung liegt (Gegensatz: autochthon)

Alluvium: Flußablagerung. Auch ältere Bezeichnung für die jüngste, heutige Abteilung der Erdgeschichte nach dem Rückzug der Gletscher der letzten Eiszeit vor ca. 10000 Jahren (Holozän)

Alpen: Vorwiegend im Tertiär aufgetürmtes Gebirge zwischen Marseille und Wien

Alpin-dinarische Linie: –▷ Periadriatische Naht

Ammoniten: Ammonshörner (Kopffüßer, Cephalopoden). Weichtiere, die in einer in ebener Spirale aufgerollten, mehrkammerigen Schale lebten. Devon bis Kreide. Wichtige Leitfossilien des Mesozoikums. Meerestiere

Amphibolit: Vorwiegend aus Hornblende (Amphibol) bestehendes metamorphes Gestein von dunkelgrüner bis schwarzer Farbe, hervorgegangen aus vulkanischen Gesteinen wie Basalt oder Diabas

Antezedent: Fluß, der sich während des Aufstiegs eines Gesteinskörpers gleichzeitig einsägt und seinen Lauf behauptet

Antiklinale: Sattel, Gewölbe, höchster Punkt einer Gesteinsfalte (Gegensatz: Synklinale)

Aera: Größte geologische Zeiteinheit (Erdzeitalter), z. B. Känozoikum

Aufschluß: Stelle, wo das anstehende Gestein in kompaktem Verband zugänglich ist

Autochthon: An Ort und Stelle gebildet, nicht disloziert (Gegensatz: allochthon)

Axialgefälle: Einfallen von Strukturen in Längsrichtung einer Falte oder eines Gebirges

Azoikum: Älteste Periode der Erdgeschichte, ca. bis vor 1,1 Milliarden Jahren; ältere Formation des Präkambriums

Basement: –▷ Sockel

Batholith: Massiver Intrusivkörper von erstarrtem Magma in der Tiefe

Belemniten: „Donnerkeile" (Kopffüßer, Cephalopoden). Weichtiere mit gestreckter, kegelförmiger innerer Schale. Trias bis Kreide. Meerestiere

Blattverschiebung: Transversalverschiebung, horizontale Lateralverschiebung zweier Gesteinskörper

Brachiopoden: Armfüßer. Festsitzende Meerestiere mit einer Bauch- und einer Rückenschale. Leitfossilien in Silur, Devon und Jura

Brackisch: Grenzzone zwischen Süß- und Meerwasser (Salzgehalt)

Breccie, Brekzie: Trümmergestein mit eckigen Bruchstücken, durch ein Bindemittel (Zement) verkittet

Briançonnais: Mittelpenninische Schwellenzone in den französischen Westalpen mit nur wenig mächtigen, flachmeerischen, mesozoischen Gesteinen auf mächtiger paläozoischer Basis (Zone houillère)

Bruch: –▷ Verwerfung

Bündnerschiefer: franz.: Schistes lustrés; ital.: Calcescisti. Metamorphe serizitische Kalkschiefer (Phyllite), hervorgegangen aus dünnbankigen tonigen bis sandigen Kalken. In großer Mächtigkeit (bis 3000 m) in Jura und Kreide der nord- und südpenninischen Decken.

Buntsandstein: älteste Abteilung der Trias. Meist kontinentale Ablagerung von bunten Sandsteinen, Tonen und Konglomeraten

Dauphinois: Gesteinskomplex der Extern-Zone in den französischen Westalpen, abgelagert während des Mesozoikums auf einem flachmeerischen Schelf. Entspricht den höheren helvetischen Decken

Decke: Auf fremder Unterlage überschobene Gesteinsmasse (Überschiebungsdecke)

Denudation: Flächenhafte Entblößung der Erdoberfläche durch Verwitterung und Schichtfluten

Depression: Senke, tiefster Punkt in der Längsachse einer Faltenschar (Gegensatz: Kulmination)

Detritus: Gesteinsschutt

Devon: Geologische Formation des Paläozoikums, vorwiegend kontinental

Diabas: –▷ Ophiolith

Diagenese: Verfestigung von abgelagertem Lockermaterial zu Sedimentgestein

Digitation: Verfingerung, Verschuppung der Frontpartie einer Decke

Diluvium: „Sintflut". Ältere Bezeichnung für das quartäre Eiszeitalter (Pleistozän) der letzten 1–2 Jahrmillionen

Diorit: schwarz-weiß geflecktes, körniges Tiefengestein mit hellem Plagioklas und dunkler Hornblende

Disharmonische Faltung: Verschiedenes Verhalten der Stockwerke einer Schichtreihe (Teildecken)

Diskordant: Schichten, die entlang einer Fläche unter schiefem Winkel aneinanderstoßen (Gegensatz: konkordant)

Dislokation: Krustenbewegung und -verschiebung, allgemein Ortsveränderung

Dogger: Mittlere Abteilung der Jura-Formation

Doline: Trichterförmige Bodenvertiefung in Karstgebieten (Versickerungstrichter)

Dolomit: Dichtes, körniges Gestein, vorwiegend aus dem Mineral Dolomit (Calcium-Magnesium-Carbonat) neben Calcit aufgebaut; verwandt und ähnlich dem Kalkstein

Drumlin: Hügel aus Moränenmaterial mit elliptischem Grundriß, dessen Längsachse in Fließrichtung des Gletschers liegt

Durchläufer: Ein Mineral, das in einer Minerallagerstätte (Paragenese) meist vorkommt

Echinodermen: Tierstamm der Stachelhäuter. Hierzu Seeigel, Seesterne, Seelilien usw. Das Skelett zeigt fünfstrahlige Symmetrie

Eiszeit: Abschnitt der Erdgeschichte mit kühlem Klima und Vorrücken der Gletscher.

Emersion: Emportauchen des Landes aus dem Meer (vgl. Regression)

Endogen: Geologische Erscheinungen, die durch Kräfte mit Sitz im Erdinnern hervorgerufen werden (Gegensatz: exogen)

Eozän: Mittlere Abteilung des Alttertiärs (Paläogen) mit den Stufen: Ypern, Lutet, Auvers, Barton und Lud

Epigenetisch: Täler, deren Verlauf durch frühere, jetzt nicht mehr vorhandene geologische Verhältnisse bedingt ist (vgl. antezedent)

Epikontinental: Flachmeerisch, küstennahe

Erosion: Ausnagung und Abtragung der Erdoberfläche durch Wasser, Eis, Wind usw., also durch bewegte Medien. Abtragend wirkt der mitgeführte Gesteinsschutt

Ergußgestein: Erstarrungsgestein, das durch Aufstieg des Magmas an die Erdoberfläche rasch abgekühlt wurde. Keine oder nur teilweise Ausbildung von Kristallen (Vulkanit)

Erratischer Block: Vom Gletscher ins Vorland transportierter Gesteinsblock von beträchtlicher Größe (Findling)

Erstarrungsgestein: Magmatisches Gestein, Glutflußgestein. Aus dem Magma der Tiefe durch langsame (Tiefengestein) oder rasche (Ergußgestein) Abkühlung und Erstarrung entstanden (Kristallin)

Evolution: Relativ ruhiger Zeitraum in der Erdgeschichte (Gegensatz: Paroxysmus). Auch: Höherentwicklung der Lebewesen im Lauf der Erdgeschichte

Exogen: Geologische Erscheinungen, die durch Kräfte hervorgerufen werden, die ihren Ursprung außerhalb der festen Erde haben (z. B. Verwitterung, Erosion, Massenbewegungen) (Gegensatz: endogen)

Extern-Zone: franz.: zone externe. Die jenseits (außerhalb) der Massive der Alpen liegenden Räume (Subalpin, Dauphinois, Helvetikum)

Fallen: Neigungswinkel einer Schichtfläche oder Bruchfläche gegenüber der Horizontalen längs der Fall-Linie (vgl. Streichen)

Falte: durch seitlichen Druck aufgebogene Gesteinsplatte (vgl. Antiklinale)

Faltengebirge: Aus einer Geosynklinale durch seitlichen Schub entstandenes Gebirge

Fazies: Gesamtheit der Merkmale eines Gesteins bezüglich Beschaffenheit (Lithologie) und Fossilgehalt

Fenster: Durch Erosion entstandene Lücke in einem Gesteinskomplex, durch die der Untergrund desselben sichtbar wird (Gegensatz: Klippe)

Findling: –▷ Erratischer Block

Flexur: Knieförmige, bruchlose Verbiegung von Gesteinsschichten

Fluviatil: Von Flüssen bearbeitet oder geschaffen

Fluvioglazial: Durch vereinigte Fluß- und Gletscherwirkung entstanden

Flysch: Vorwiegend marines Abtragungsgestein der Alpen, in Kreide und älterem Tertiär entstanden. Wurde als jüngstes Schichtglied in die Alpenfaltung einbezogen und bildet häufig die Hülle von Decken

Fossil: Versteinerter Überrest (Versteinerung) ausgestorbener Lebewesen (meist die Hartteile). Auch: Ereignisse der geologischen Vergangenheit (Gegensatz: rezent)

Gabbro: grobkörniges, dunkles (braun-grün-schwarz) Tiefengestein, enthält Plagioklas, Augit und Olivin

Ganggestein: In Klüften (Gängen) der ursprünglichen Tiefengesteine aus heißen Restlösungen bei hohen Temperaturen ausgeschieden. Sie enthalten oft Mineralien von beachtlicher Ausbildung (Muskovit, Turmalin) und sind grobkörnig (Pegmatit) oder feinkörnig (Aplit)

Gastropoden: Schnecken. Land- oder wasserbewohnende Weichtiere mit spiralig eingerolltem Gehäuse

Geosynklinale: Dünne und labile, bewegliche, einsinkende Zone der Erdkruste (Ozeanboden), die sich mit Sedimenten füllt und später durch seitlichen Druck zu einem Gebirge zusammengestaucht wird

Geothermische Tiefenstufe: Betrag in Metern, um den man senkrecht in die Erde absteigen muß, um eine Temperaturerhöhung von 1 °C zu beobachten (Mittelwert 30 m)

Geotraverse: Querprofil durch ein Gebiet (z. B. Alpen), auf welchem man alle zugänglichen Eigenschaften der Erdkruste untersucht (feldgeologisch, fotogeologisch, geophysikalisch)

Geschiebe: Durch Gletscher oder Flüsse transportierter Gesteinsschutt

Glazial: Vom Gletscher bearbeitet. Auch: Eiszeitlich

Gleitbretter: Schief oder waagrecht übereinandergestapelte Gesteinspakete, durch seitlichen Schub versetzt

Gleithorizont: Weiche, inkompetente Schicht (Ton, Mergel), auf der bei seitlichem Druck das überliegende (hangende) Gesteinspaket abgeschoben wird

Glimmerschiefer: Metamorphes Gestein mit Parallel-Gefüge (Schieferung) und Vorherrschen von Glimmern (Muskovit, Biotit)

Gneis: Metamorphes Gestein mit deutlicher Schieferung, im Normalfall bestehend aus Quarz, Feldspäten und Glimmern

Gondwana: Einheitliche Landmasse der Südhalbkugel im Erdaltertum, die in die Schollen Südamerika, Afrika, Madagaskar, Vorderindien, Australien und Antarktis zerfiel (Kontinentalwanderung)

Graben: Zufolge Dehnung entlang von Verwerfungen oder Flexuren abgesunkene Scholle der Erdkruste (Gegensatz: Horst)

Gradierte Schichtung: (graded bedding) Innerhalb einer Schicht von Sedimentgestein nimmt die Korngröße von unten nach oben ab

Granit: Tiefengestein, das durch langsame Abkühlung und Erstarrung im Erdinnern entstanden ist. Gut kristallisierte Hauptgemengteile sind Quarz, Feldspat (Orthoklas) und Hornblende/Augit

Grauwacke: Toniger Sandstein mit kleinen Gesteinsbruchstücken. Meist paläozoisch

Grundgebirge: (Sockel, basement) Vorwiegend präherzynische, auch präkambrische Gesteinsmassen, die eine mehrfache Metamorphose durchgemacht haben

Grüngestein: –▷ Ophiolith

Haselgebirge: Gesteinskomplex der älteren Trias (Buntsandstein) des Ostalpins, bestehend vorwiegend aus Ton und Gips mit Steinsalz, stark brekziös

Helvetische Decken: (Helvetikum) Zu mehreren Decken und Teildecken (Stockwerken) zusammengeschobene Gesteinsmasse – Perm bis älteres Tertiär – die aus ihrem Ablagerungsraum auf dem Rücken und südlich der Zentralmassive über diese hinweg bis an die heutige Nordfront der Alpen verfrachtet wurde. Vorwiegend flachmeerische Kalk-, Mergel- und Sandsteinablagerungen. In den französischen Westalpen entspricht ihnen das Dauphinois

Herzynische Orogenese: Gebirgsbildung im Karbon-Perm (u. a. alpine Zentralmassive, Schwarzwald und Vogesen). Synonym: variskisch

Holozän: (Alluvium, „Nacheiszeit") Die bis in die Gegenwart reichende jüngste Abteilung der Erdgeschichte; die letzten ca. 10000 Jahre seit dem Rückzug des eiszeitlichen Würm-Gletschers

Horst: Gegenüber ihrer Umgebung relativ gehobene Krustenscholle (Gegensatz: Graben)

Hydrothermal: In der Schlußphase eines vulkanischen Zyklus aufsteigende heiße, mineralreiche Lösungen

Immersion: Höchststand des Meeres bei Überflutung

Initial: Zu Beginn eines Ereignisses auftretend (z. B. Initialer Magmatismus)

Inkompetent: Gesteine, die sich relativ leicht plastisch verformen lassen, z. B. Tone, Mergel, Steinsalz, Gips (Gegensatz: kompetent)

Insubrische Linie: –▷ Periadriatische Naht

Interglazial: Warmzeit zwischen zwei Gletschervorstößen („Zwischeneiszeit")

Intern-Zone: franz.: zone interne. Umfaßt im wesentlichen das Penninikum, das auf der Innenseite der Massive liegengeblieben ist

Interstadial: Warmzeit zwischen zwei kleineren Gletschervorstößen innerhalb einer Eiszeit

Intrusion: Eindringen von Magma in einen Gesteinskörper unter Aufschmelzung

Inundation: Überflutung durch das Meer (vgl. Transgression)

Isoklinal: „gleich geneigt". Zwei gleichsinnig einfallende Faltenschenkel; gleichsinnig geneigte Schichten

Isopen: Linien gleicher Fazies und Gesteins-Ausbildung

Isostasie: Lehre von den vertikalen Ausgleichsbewegungen der auf dem Erdmantel schwimmenden Erdkrustenplatten (Schwimmgleichgewicht, vergleichbar demjenigen der Eisberge im Wasser)

Judikarien-Linie: –▷ Periadriatische Naht

Jura: Faltengebirge nördlich des Mittellandes, in der Spätzeit der Alpenbildung entstanden. Auch: Mittlere Formation des Mesozoikums

Kambrium: Älteste Formation des Paläozoikums

Känozoikum: (Neozoikum, Erdneuzeit) Das bis in die Gegenwart reichende jüngste Erdzeitalter, die letzten 65 Millionen Jahre. Umfaßt Tertiär und Quartär

Kar: Nischenartige Erosionsform im Hochgebirge als Geburtsstätte eines Gletschers

Karbon: „Steinkohlenzeit" Formation des Paläozoikums

Karren: (Schratten) Rinnen und Gräte auf der Oberfläche von Kalkstein, entstanden durch chemische Verwitterung (Auslaugung) durch das Regenwasser

Karst: Kalkgebiet mit den Erscheinungen der chemischen Verwitterung durch das Regenwasser (Karren, Dolinen, Höhlen, unterirdische Entwässerung, Stromquellen)

Kerbtal: (V-Tal) Typisches Flußtal im Oberlauf mit V-förmigem Querschnitt

Keuper: Jüngste Abteilung der Trias-Formation. Meist kontinentale bis lagunäre Ablagerungsgesteine

Klippe: Durch Erosion oder tektonische Vorgänge isoliertes Relikt eines Gesteinskörpers (Decke) auf fremder Unterlage (Gegensatz: Fenster)

Kompetent: Gesteine, die sich gegenüber verformenden Kräften spröde und bruchbildend verhalten; z. B. Kalk, Nagelfluh (Gegensatz: inkompetent)

Konglomerat: Trümmergestein mit gerundeten Bruchstücken (Geröllen) von mindestens 2 mm

Durchmesser, verkittet durch ein Bindemittel (Zement). Beispiel: Nagelfluh

Konkordant: Schichten mit gleichsinniger (ungestörter) Lagerung (Gegensatz: diskordant)

Kontaktmetamorphose: Durch Einwirkung von Magma hervorgerufene Metamorphose im Nebengestein

Kontinent: Hochscholle (Kraton) der Erdkruste, deren Wurzel tief in den Erdmantel hinabreicht

Konvektionsströme: (Ausgleichsströme) Strömungen sehr geringer Geschwindigkeit (mm bis cm pro Jahr) im zähplastischen oberen Mantel = in der Asthenosphäre –, hervorgerufen durch Unterschiede in der physikalischen und chemischen Beschaffenheit

Kreide: Jüngste Formation des Mesozoikums, 135–65 Millionen Jahre vor heute

Kristallin: Gesteine, deren Bestandteile körnige Kristalle sind (z. B. Granit, Gneis)

Kulmination: Höchster Punkt in der Längsachse einer Faltenschar (Gegensatz: Depression)

Lagunär: Durch eine Landzunge vom offenen Meer weitgehend abgetrennter seichter Strandsee

Lakkolith: Lagiger, gestreckter Intrusivkörper von erstarrtem Magma in der Tiefe, oft flächenhaft. Hangendes oft aufgewölbt

Lamellibranchier: Muscheln (Weichtiere). Mit rechter und linker, in sich asymmetrischer Schale. Meerestiere

Lava: Aus dem Erdinnern an die Oberfläche sich ergießende, dünn- bis zähflüssige Gesteinsschmelze

Leitfossil: Tierische oder pflanzliche Versteinerung einer kurzlebigen Art mit möglichst weltweiter Verbreitung, leitend für bestimmten geologischen Zeitabschnitt

Leitmineral: Mineral, das für bestimmte Entstehungsbedingungen kennzeichnend ist

Lias: Älteste Abteilung der Jura-Formation

Limnisch: Ablagerung im Süßwasser (See, Sumpf)

liquid-magmatisch: Erstausscheidung von Tiefengesteinen aus dem Magma bei 1500–600 °C

Listrische Fläche: Schaufelfläche. Aufgebogene Überschiebungsfläche einer Decke auf ihrer Unterlage

Lithosphäre: Basis der Kontinental- und Ozeanplatten; tiefere Partie der festen Erdkruste

Litoral: Küstennahe Ablagerungen am Strand und auf dem Schelf

Lumachelle: An Fossilien und Fossiltrümmern reicher poröser Kalk

Mächtigkeit: Dicke eines Gesteinspaketes, gemessen senkrecht zu den beiden Begrenzungsfugen

Magma: Heiße, zähplastische Gesteinsschmelze (vorwiegend Silikate) im Erdinnern, mit Gasen durchtränkt

Malm: Jüngste Abteilung der Jura-Formation

Marmor: Durch Metamorphose aus Kalkstein oder Dolomit entstandenes kristallines körniges Gestein

Massiv: durch Abtragung freigelegte Tiefengesteinsmasse (z. B. die alpinen Zentralmassive)

Mesozoikum: (Erdmittelalter) Erdzeitalter vor 225 bis 65 Millionen Jahren. Umfaßt Trias, Jura und Kreide

Metamorphe Gesteine: Durch endogene Kräfte (Druck, Hitze, Aufschmelzung) umgewandelte Erstarrungs- und Ablagerungsgesteine. Umwandlungsgesteine, kristalline Schiefer

Metamorphose: Umwandlung von Gesteinen in der Erdtiefe durch Hitze, allseitigen Druck, Streß und Einschmelzung unter teilweiser Neubildung von Mineralien und Veränderung des Gefüges.

Miozän: Ältere Abteilung des Jung-Tertiärs mit den Stufen Aquitan, Burdigal, Helvet, Torton und Sarmat

Mittelland: Senke im nördlichen Vorland der Schweizer Alpen, die sich während der Bildung der Alpen mit dem Abtragungsschutt des Gebirges (Molasse) füllte

Molasse: Fluviatiler Abtragungsschutt der werdenden Alpen im Vor- und Rückland. Enthält auch Kalke und Braunkohlen. Gliederung in Untere Meeresmolasse (UMM), Untere Süßwassermolasse (USM), Obere Meeresmolasse (OMM) und Obere Süßwassermolasse (OSM). Mittleres Oligozän bis ältestes Pliozän

Moräne: Der von Gletschern mitgeführte und abgelagerte Schutt. Stirn-, Seiten-, Mittel- und Grundmoräne

Morphologie: Lehre von den Formen der festen Erdoberfläche und von den sie gestaltenden Kräften

Muschelkalk: Mittlere Abteilung der Trias-Formation, im Alpenraum vorwiegend flachmeerisch

Mylonit: Durch Bewegungen entlang von Störungen zerriebenes und wieder verfestigtes Gestein, brekziös

Nagelfluh: Grobes Trümmergestein (Psephit, Konglomerat) der tertiären Molasse mit gerundeten Gesteinstrümmern

Neozoikum: –▷ Känozoikum

Neritisch: Meeresablagerung der Flachsee bis etwa 200 m Tiefe (Schelf)

Nördliche Kalkalpen: Oberostalpine Sedimentdekken (Allgäu-, Lechtal-, Inntal-Decke usw.) der bayerischen und nordösterreichischen Alpen

Nummuliten: Einzeller (Foraminiferen) mit kreisrunder, flacher (diskusartiger) vielkammeriger Schale („Münzsteine"), gesteinsbildend und leitend im älteren Tertiär (Flysch)

Oligozän: Jüngste Abteilung des Alttertiärs (Paläogen) mit den Stufen Lattorf, Rupel und Chatt

Oolith: „Eierstein" „Rogenstein". Durch Verkittung von kugeligen, stecknadelgroßen Konkretionen entstandenes Gestein, meist in der Brandungszone gebildet

Ophiolith: untermeerische, dunkle (meist grüne) Ergußgesteine, in der Jurazeit in den penninischen Tiefmeertrog ergossen (Grüngestein, Diabas)

Ordovizium: Formation des Paläozoikums

Orogenese: Gebirgsbildung aus einer Geosynklinale

Orthogestein: Aus Erstarrungsgesteinen hervorgegangenes Umwandlungsgestein (Gegensatz: Paragestein)

Ostalpen: Alpenabschnitt östlich der Linie Bodensee–Chur–Lenzerheide–Septimerpaß

Ostalpine Decken: Entstammen dem südlichen Schelf der alpinen Geosynklinale und sind am weitesten gegen Norden und Westen vorgeschoben worden. Höchste Elemente nördlich der periadriatischen Naht, gegliedert in Unter- und Oberostalpin

Paläogeographie: Befaßt sich mit den Umweltverhältnissen früherer geologischer Zeiten

Paläozoikum: Erdaltertum. Vor 570–225 Millionen Jahren. Umfaßt die Formationen Kambrium, Ordovizium, Silur, Devon, Karbon und Perm

Paleozän: Älteste Abteilung des Tertiärs mit den Stufen Mont, Thanet und Sparnac

Paragenese: Bestimmte Mineralgesellschaft in einem Gestein; beruht auf bestimmten Bildungsbedingungen

Paragestein: Aus Ablagerungsgesteinen hervorgegangenes Umwandlungsgestein (Gegensatz: Orthogestein)

Parautochthon: Nur wenig vom Ort ihrer Bildung verschobene (dislozierte) Gesteinsmassen

Paroxysmus: Heftige Steigerung der tektonischen Aktivität (Erdbeben, Vulkanismus), z. B. während einer Gebirgsbildung (Gegensatz: Evolution)

Pegmatit: Aus gasreichen Restmagmen in Gängen der Tiefengesteine ausgeschiedenes grobkörniges Gestein mit seltenen Mineralien (Topas, Turmalin u. a.)

Pelagisch: Ablagerungen der küstenfernen Hochsee, meist tiefmeerisch (über 800 m Tiefe)

Pelit: Sehr feines Trümmergestein (z. B. Ton, Mergel)

Peneplain: „Fastebene". Durch langwährende Abtragung und Verwitterung eingerumpfte Landschaft

Penninische Decken: Entstammen dem zentralen Tiefmeertrog der alpinen Geosynklinale und finden sich vorwiegend südlich der Zentralmassive. Gegliedert in tiefpenninisch (nordpenninisch; Valaisan und Subbriançonnais), mittelpenninisch (Schwellenfazies, Briançonnais) und hochpenninisch (südpenninisch; Piémontais)

Periadriatische Intrusiva: Entlang der periadriatischen Naht eingedrungene Granitmassen (Batholithe), z. B. Traversella, Biella, Bergell, Adamello/Presanella, Bachergebirge

Periadriatische Naht: Mächtige Vertikalverstellung längs der Internzone der Alpen, trennt den Hauptkörper der Alpen von den Südalpen. Unterteilt in Insubrische/Tonale/Judikarien/Pustertal-Linie

Periglazial: Unmittelbares Vorfeld eines Gletschers

Perm: Jüngste Formation des Paläozoikums

Persistent: Durchhaltend. Ältere Tiefenstrukturen, die wieder reaktiviert wurden

Phyllit: Glänzender, feinkörniger, kristalliner Schiefer aus Quarz, Silikaten und Serizit-Glimmer, durch Metamorphose aus sandigen Tonen und Kalken entstanden (z.B. Bündnerschiefer = Schistes lustrés)

Piémontais: (Piemontese) Hochpenninische Gesteinsserie in den italienisch-französischen Westalpen, charakterisiert durch bis 2000 m mächtige Bündnerschiefer (Schistes lustrés)

Platten-Tektonik: Neuere Hypothese zum Bewegungsbild der Erdkruste. Ozeanische Krustenplatten dehnen sich vom mittelozeanischen Rükken aus (sea floor spreading) und unterfahren die Ränder der kontinentalen Platten (subduction), hier Gebirge bildend. Basiert auf der Kontinentalverschiebungstheorie von ALFRED WEGENER

Pleistozän: (Diluvium, Eiszeit) Ältere Abteilung des Quartärs, vor ca. 2 Millionen Jahren bis ca. 10000 Jahren vor heute. Gliedert sich in die Eisvorstöße Günz, Mindel, Riß und Würm

Pliozän: Jüngste Abteilung des Tertiärs mit den Stufen Pont, Piacentin und Asti

Pluton: Magmatischer Gesteinskörper in der Tiefe, z.B. Bergeller Massiv, Adamello

Plutonit: –▷ Tiefengestein

Pneumatolytisch: Wirkung von heißen Gasen und Flüssigkeiten (ca. 350–500° C) auf das Nebengestein beim Abkühlen magmatischer Massen

Polfluchtkraft: Zentrifugalkraft der rotierenden Erde, die die Krustenplatten gegen den Äquator hin treiben soll (A. WEGENER)

Porphyr: Altes rötliches Ergußgestein, das in dichter Grundmasse größere kristallisierte Einsprenglinge (Orthoklas) enthält

Präkambrium: Erdurzeit, ältestes Erdzeitalter, beginnend mit der Bildung der ersten festen Kruste. Gliedert sich in Azoikum und Proterozoikum

Proterozoikum: Jüngere Formation des Präkambriums. Auch Algonkium genannt

Psammit: Mittelfeines Trümmergestein (z.B. Sandstein)

Psephit: Grobes Trümmergestein (z.B. Konglomerat, Nagelfluh, Brekzie)

Pustertal-Linie: –▷ Periadriatische Naht

Quartär: Jüngste, bis heute dauernde Formation der Erdgeschichte, jüngere Formation des Känozoikums. Begann mit dem Vorstoß der Gletscher vor ca. 2 Millionen Jahren. Gliedert sich in Pleistozän und Holozän

Radiolarit: Rotes, toniges Tiefmeergestein, enthält versteinerte Skelette von Radiolarien (Strahlentierchen, Einzeller). Stark kieselsäurehaltig. Leitgestein im penninischen Mesozoikum

Rauhwacke: (Zellendolomit) zellig-poröser Kalk oder Dolomit, entstanden durch selektive Herauslösung von leichtlöslichen Bestandteilen (z.B. von Gips, Salz)

Regionalmetamorphose: Eine sich über weite Regionen der Tiefe erstreckende Metamorphose, hervorgerufen durch Absinken größerer Gesteinsmassen

Regression: Rückzug des Meeres durch Hebung des Meeresbodens (Gegensatz: Transgression)

Rekurrenz: Wiederauftreten eines ähnlichen Gesteins oder einer ähnlichen Fazies in einer späteren Zeit

Rezent: Erscheinungen und Bildungen der geologischen Gegenwart (Gegensatz: fossil)

Riffkalk: Ungeschichtete Kalke, die von riffbildenden Korallen oder Algen gebildet wurden

Rippelmarken: Wellenfurchen (Wellenmarken) in unverfestigten feinsandigen Sedimenten, hervorgerufen durch Wind, strömendes Wasser und Dünung (Brandung). Können fossil auf Schichtflächen auftreten

Rumpfgebirge: Altes Gebirge, das durch Verwitterung und Erosion abgetragen und weitgehend eingeebnet wurde

Rundhöcker: Durch Gletscherwirkung abgerundete Felserhebungen

Saiger: Senkrecht stehend

Sander: Im Vorfeld eines Gletschers durch die Gletscherbäche abgelagerte Sand- und Schottermassen

Schelf: Flachmeer des Kontinentalsockels bis ca. 200 m Tiefe, innerhalb des Kontinentalabfalls zur Tiefsee

Schieferhülle: In den kristallinen Massiven die älteren, metamorphen Gesteine, in die Magma eindrang und zu Tiefengesteinen erstarrte

Schistes lustrés: –▷ Bündnerschiefer

Schratten: –▷ Karren

Schubschlitten: franz. „traîneau écraseur“. Mächtige Gesteinsmasse, die über fremder Unterlage vorgleitet und diese durch Bewegung und Gewicht beeinflußt

Schweregleitung: Abgleiten von Gesteinskomplexen auf gleitfähiger Unterlage (Gleithorizont) infolge der Schwerkraft

Sedimentation: Ablagerung der durch Abtragung gelieferten oder aus übersättigter Lösung ausgeschiedenen Stoffe (vgl. Akkumulation)

Sial: Äußerste Erdkrusten-Schale, vorwiegend die Elemente Silizium und Aluminium enthaltend (granitisch, hell, sauer). Fehlt auf den Ozeanböden (vgl. Sima)

Silur: Formation des Paläozoikums

Sima: Unter dem Sial liegende, auch die Ozeanböden bedeckende Erdkrusten-Schale, vorwiegend die Elemente Silizium und Magnesium enthaltend (basaltisch, dunkel, basisch) (vgl. Sial)

Sockel: (basement) Kristalline Basis einer sedimentären Gesteins-Serie, letztere häufig diskordant aufgelagert

Solifluktion: Abgleiten und langsames Abrutschen des Verwitterungsschuttes auf geneigten Hängen, Bodenkriechen, Bodenfließen

Sprunghöhe: Betrag der totalen Vertikalverstellung bei Gräben; allgemein Verwerfungsbetrag

Stockwerk-Tektonik: (disharmonische Faltung, Teildecken) Abschiebung jüngerer Schichtglieder einer Gesteins-Serie auf inkompetenten Gleithorizonten und tektonisch verschiedenes Verhalten der einzelnen Stockwerke

Stratigraphie: Lehre von den Gesteinsschichten und deren zeitlicher Abfolge

Streichen: Schnittlinie einer geneigten Gesteinsplatte (Schicht-, Kluftfläche) mit der Horizontalen und deren Azimut (vgl. Fallen)

Streichend: In der Längsachse einer Struktur (axial), z.B. einer Falte, Decke

Streß: Einseitig gerichteter Druck, führt bei Metamorphose zur Einregelung der Mineralien (Schieferung)

Stromquelle: (franz. Vaucluse) Kräftige Quelle am Fuß eines Gebirges, die die Wässer mehrerer Höhlensysteme sammelt (besonders in Karstgebieten)

Stromstrich: Linie der größten Oberflächen-Fließgeschwindigkeit eines Flusses, verläuft an der Außenseite von Flußbiegungen

Struktur: Gefüge eines Gesteins, gegeben durch die Bildung desselben. Form, Gestalt und gegenseitige Beziehung der Gemengteile (Mineralien)

Subalpin: –▷ Dauphinois

Subalpine Molasse: Südlicher, den Alpen unmittelbar vorgelagerter Teil des Molassebeckens an der Außenseite der Alpen, der durch das Anbranden der Alpenfront zerbrochen, verbogen, in Platten übereinandergeschoben und teils überfahren wurde

Subbriançonnais: entspricht in den französischen Westalpen dem Tief-, z. T. auch dem Mittelpenninikum

Südalpin: Südlichste Partie der alpinen Geosynklinale, südlich und südöstlich der periadriatischen Naht, die gegen Süden zurückgefaltet wurde

Syenit: helles, dem Granit ähnliches Tiefengestein, ohne Quarz

Syngenetisch: Zu gleicher Zeit entstanden

Synklinale: Mulde, tiefster Punkt einer Gesteinsfalte (Gegensatz: Antiklinale)

Synorogen: Ereignis, das gleichzeitig mit den Hauptphasen einer Gebirgsbildung (Orogenese) stattgefunden hat

Teildecke: –▷ Stockwerk-Tektonik

Tektonik: Lehre von Bau und Bewegungen der Erdkrusten-Platten

Tertiär: Ältere Formation des Känozoikums, vor 65 bis ca. 2 Millionen Jahren. Umfaßt die Abteilungen Paleozän, Eozän, Oligozän, Miozän und Pliozän

Tethys: Altes Meer zwischen Afrika und Nordeuropa, aus dem zu verschiedenen Zeiten die Gebirge Europas hervorgingen (Geosynklinale)

Textur: Räumliches Gefüge der Mineralien (Gemengteile) in einem Gestein

Tiefengestein: Erstarrungsgestein, das durch Eindringen von Magma in tiefere Erdschichten und langsame Abkühlung und Kristallisation entsteht (Plutonit)

Tonale-Linie: –▷ Periadriatische Naht

Transfluenz: Überfließen eines Gletschers über eine Senke im Gebirgskamm in ein Nachbartal

Transgression: Vordringen des Meeres, Überflutung (Gegensatz: Regression)

Trias: Älteste Formation des Mesozoikums, vor 225 bis 190 Millionen Jahren. Gegliedert in Buntsandstein, Muschelkalk und Keuper (germanische Trias) resp. Skyth, Anis, Ladin, Karn, Nor und Rhät (ostalpine Trias)

Trogtal (U-Tal) Glazial überformtes Tal mit U-förmigem Querschnitt, oben begrenzt durch die Trogschulter

Turbidit: Gestein, das aus untermeerischen Schlammströmen entstanden ist

Überschiebungsdecke: –▷ Decke

Ultra-Dauphinois: Südlichster Abschnitt des helvetischen Schelfs in den französischen Westalpen. Entspricht dem Ultrahelvetikum

Ultrahelvetikum: Südlichster Abschnitt des helvetischen Schelfs, im Übergang zum penninischen Tiefmeer. Mächtige Flysch-Ablagerungen

Umwandlungsgesteine: –▷ Metamorphe Gesteine

Valaisan: Nördlichste Region des penninischen Ablagerungsraumes. Tiefpenninikum

Variskisch: –▷ Herzynisch

Verrucano: Abtragungsschutt der Zentralmassive im Perm, konglomeratisch bis feinsandig, meist bunt gefärbt. Bildet die Basis der abgeschobenen helvetischen und ostalpinen Gesteinsserie

Versteinerung: –▷ Fossil

Verwerfung: (Bruch) Verschiebung benachbarter Gesteins-Schollen der Erdkruste

Verwitterung: Zerkleinerung und Zersetzung der Gesteinsoberfläche durch mechanische und chemische exogene Faktoren, ohne Transport der Trümmer

Vulkanit: –▷ Ergußgestein

Wechsellagerung: In einer Schichtreihe wechseln verschiedenartige Gesteine ab

Westalpen: Alpenabschnitt westlich der Linie Bodensee–Chur–Lenzerheide–Septimerpaß

Wurzel: Rückwärtigster Teil einer Überschiebungsdecke, meist steil in die Tiefe abtauchend. Zusammengestauchtes Ursprungsgebiet einer Decke

Wurzelzone: Zone, in der mehrere Deckenkomplexe wurzeln, z. B. die periadriatische Naht und ihre Umgebung als gemeinsame Wurzelzone der penninischen und ostalpinen Decken

Zentralmassive: Im Karbon/Perm entstandene Gebirge der Alpen, z. B. Belledonne–Pelvoux, Mont Blanc–Aiguilles Rouges, Aarmassiv–Gotthardmassiv

Zerrkluft: In der Spätphase der Alpenbildung aufgerissene Klüfte in den Massiven, oft mit charakteristischen Mineralgesellschaften (Zerrkluft-Paragenesen)

Zone houillère: Paläozoische Basis der mittelpenninischen Briançonnais-Schwelle in den französischen Westalpen

Zwischeneiszeit: –▷ Interglazial

Zyklische Schichtung: Schichtfolge mit mehrfachem, sich wiederholendem Wechsel verschiedener Sedimentgesteine

Weitere spezielle Ausdrücke

Aper: Schneefrei
Ausapern: Schneefrei werden
Balm: „Halbhöhle", nischenartige Höhlung unter einem herausgewitterten harten Felsüberhang
Bestoßung: Belegung der Alpen mit Vieh im Hochsommer
Bise: Kalter, trockener Nordwind
Couloir: Schluchtartige, steile Felsrinne, Sammelrinne des Steinschlags
Einwalmung: Weitgespannte Tiefenzone in einem Gebirgszug, breiter Paß
Klus: Enges Durchbruchstal durch eine Bergkette (Klamm, Schlucht)
Maiensäß: Im Frühjahr nach und im Herbst vor der Schneebedeckung mit Vieh belegte Weiden unterhalb der Waldgrenze, als Zwischenstation zwischen Talgut und Alpweiden (Transhumanz = jahreszeitliche, halbnomadische Wanderung des Viehs)
Murgang: (Mure) Gesteins- und Schlammstrom nach heftigen Regengüssen und bei intensiver Schneeschmelze in steilen Gebirgstälern
Nival: Über der Schneegrenze im Hochgebirge gelegen
Runse: Nur bei starkem Regen wasserführende Kerbe in einem steilen Schutthang
Schrofig: Mit Fels durchsetzter steiler Wiesenhang
Wildheuer: Bergbauer, der mit primitiven Methoden an steilen Alphängen Heu erntet

Literatur für den Alpenwanderer

Aus der Überfülle der alpinen Literatur sind nur Schriften ausgewählt, die der Naturfreund entweder im Rucksack mitführen kann, oder die ihm einen verständlichen Überblick über die Alpen oder ein ihn speziell interessierendes Fachgebiet (Geologie, Gesteine, Mineralien, Pflanzen, Tiere) vermitteln.

ABELE, G.: Bergstürze in den Alpen. München 1974

AICHELE/SCHWEGLER: Bunte Welt der Alpenblumen. Kosmos, Stuttgart 1979

AICHELE/SCHWEGLER: Lebensraum Alpen. Kosmos, Stuttgart 1975

AICHELE/SCHWEGLER: Welcher Baum ist das? Kosmos, Stuttgart 1981

AICHELE/SCHWEGLER: Blumen der Alpen und der nordischen Länder. Kosmos, Stuttgart 1977

BACHMANN, R.: Gletscher der Alpen. Hallwag, Bern 1978

BAUER, J.: Der Kosmos-Mineralienführer. Kosmos, Stuttgart 1981

BAUMGARTNER, u. M.: Die Welt der Gebirge. Bucher, Luzern 1977

BECHTLE, W.: Das Tessin. Kosmos, Stuttgart 1975

BECHTLE, W.: Provence und Camargue in Farbe. Kosmos, Stuttgart 1978

BECHTLE, W.: Die Hohen Tauern in Farbe. Kosmos, Stuttgart 1979

BEURLEN, K..: Welche Versteinerung ist das? Kosmos, Stuttgart 1978

BIANCHINI, F.: Alpenblumen. Delphin, München 1970

BILLE, R. P.: Wie Alpentiere leben. Union, Stuttgart 1976

BINZ/BECHERER: Schul- und Exkursionsflora der Schweiz. Schwabe, Basel 1973

BÖGEL, H./SCHMIDT, K.: Kleine Geologie der Ostalpen. Ott, Thun 1976

BORNTRAEGER: Sammlung geologischer Führer (Serie). Borntraeger, Stuttgart

BRUCKMANNS: Alpenblumenfibel. Bruckmann, München 1976

BURCKHARDT, H.: Berg- und Alpenblumen. Philler, Minden o.J.

DANESCH, E.: Alpenblumen. Rheingauer, Eltville a.Rh. 1978

DANESCH, E. u. O.: Naturwunder Österreich, Ringier/Zürich, München 1978

Das Goldene Buch der Alpenblumen. Bruckmann, München 1976

Die Alpen. Das Beste, Stuttgart 1972

Die Welt der Alpen. Umschau, Frankfurt a. M. 1970

DUMLER, H. Bergwandern. Busse, Herford 1977

ELLENBERG, H.: Vegetation Mitteleuropas. Ulmer, Stuttgart 1978

ENGEL, F. M.: Die Pflanzenwelt der Alpen. Süddeutscher Verlag, München 1977

EYNERN, P. v.: Das Wetter im Gebirge. Nymphenburger, München 1976

FELIX/TOMAN/HISEK: Der Große Naturführer. Kosmos, Stuttgart 1979

FELIX/HISEK: Vögel in Wald und Gebirge. Bertelsmann, Gütersloh 1974

Ferienparadies Europa: Das Beste, Stuttgart 1978

FLEISCHMANN, K.: Das neue Alpen-Wanderbuch. BLV, München 1978

FURTER, W.: Bergwelt. Orell Füssli, Zürich 1978

Gebirgsflora in Farben. Mayer, Ravensburg 1969

Geologischer Führer der Schweiz (9 Hefte in Schuber). Wepf, Basel 1967

Geologie – Geographie (Alpin-Lehrplan 11). BLV, München 1978

GRAF, J. A.: Der Alpenwanderer. Lehmann, München 1975

GRAMACCIOLI, C. M.: Die Mineralien der Alpen (2 Bände). Kosmos, Stuttgart 1978

GRASSLER, L.: Zu Fuß über die Alpen. Süddeutscher Verlag, München 1978
Guide du Naturaliste dans les Alpes. Delachaux et Niestlé, Neuchâtel 1972
GWINNER, M.: Geologie der Alpen. Schweizerbart, Stuttgart 1978

HANTKE, R.: Eiszeitalter (3 Bände). Ott, Thun ab 1978
HEGI/MERXMÜLLER: Alpenflora. Parey, Hamburg 1977
HEIERLI, H.: Der Geologische Wanderweg Hoher Kasten–Stauberen–Saxerlücke. Fehr, St. Gallen 1972
HEIERLI, H.: Geologische Wanderungen in der Schweiz. Ott, Thun 1974
HEIERLI, H.: Graubünden in Farbe. Kosmos, Stuttgart 1977
HIEBELER, T.: Lexikon der Alpen. Bertelsmann, Gütersloh 1977
HÖFLER, H.: Bergwandern heute. Bruckmann, München 1978
HÖHNE, E.: Pflanzen unserer Berge. Gerber, München 1975
HÖHNE, E.: Tiere im Gebirge. Rother, München 1977
HÖHNE, E.: Das große Alpenwanderbuch, Stuttgart 1980
HOOŘICK, E. VAN: Bergseen der Schweiz. Huber, Frauenfeld 1979
HOTTINGER, L.: Wenn Steine sprechen. Birkhäuser, Basel 1980

KARLSCHMIDT: Wandern und Bergsteigen mit Karte und Kompaß. Rother, München 1977
KNAURS Tierleben im Gebirge. Droemer, München 1978
KNAURS Alpenführer in Farbe: Ostalpen. Droemer, München 1979
KNAURS Alpenführer in Farbe: Westalpen. Droemer, München 1980
KOHLHAUPT, P.: Alpenblumen. Belser, Stuttgart 1973
KOENIG, M. A.: Kleine Geologie der Schweiz. Ott, Thun 1972
KÖRBER, K.-D.: Die Allgäuer Alpen in Farbe. Kosmos, Stuttgart 1975
KOSCH/SACHSSE: Was find ich in den Alpen? Kosmos, Stuttgart 1976
Kümmerly & Frey-Wanderatlas der Schweiz. Kümmerly & Frey, Bern 1978

Lexikon für Bergfreunde. Bucher, Luzern 1978
LIPPERT, W.: Lipperts Alpenblumen Kompaß I und II. Gräfe, München 1978/79
LÖBL, R.: Fotografieren im Gebirge. Rother, München 1976
LÖBL, R.: Die Alpen in Farbe. Süddeutscher Verlag, München 1976

MAEDER, H.: Die Berge der Schweiz. Walter, Freiburg 1976
MAEDER, H.: Das farbige Buch der Alpen. Rheingauer, 1978

Orientierung im Gebirge. Alpine Gefahren. BLV, München 1978
ORTNER, P.: Südtirol und die Dolomiten in Farbe. Kosmos, Stuttgart 1979

PAUSE, W.: Wandern bergab. BLV, München 1977
PAUSE, W.: Von Hütte zu Hütte. BLV, München 1978
PITSCHMANN/REISIGL: Flora der Südalpen. Fischer, Stuttgart 1965
PSENNER, H.: Alpentiere. Hallwag, Bern 1978

REISIGL, H.: Blumenwelt der Alpen. Umschau, Frankfurt a.M. 1978
RICHTER, A. E.: Südfrankreich und seine Fossilien. Kosmos, Stuttgart 1979
RYTZ, W.: Alpenblumen. Hallwag, Bern 1977

SAUER, F.: Das bayerische Alpenvorland in Farbe. Kosmos, Stuttgart 1974
SCHAUER/CASPARI: Pflanzen- und Tierwelt der Alpen. BLV, München 1975
Schlag nach für Wanderer und Bergsteiger. Bibliographisches Institut, Mannheim 1976
SCHNEIDER, A.: Wetter und Bergsteigen. Rother, München 1974

SEIBERT, D.: Faszinierende Bergwelt. Müller, Rüschlikon 1979
SLAVIK/KAPLICKA: Alpenpflanzen. Bertelsmann, Gütersloh 1977
STURM/ZINTL: Bergwandern (Alpin-Lehrplan 1). BLV, München 1978

TRENKER/DUMLER: Die schönsten Höhenwege der Ostalpen. Bruckmann, München 1977
TRENKER/DUMLER: Die schönsten Höhenwege der Westalpen. Bruckmann, München 1977

Umweltschutz, Flora, Fauna (Alpin-Lehrplan 2). BLV, München 1978

WEIBEL, M.: Die Mineralien der Schweiz. Birkhäuser, Basel 1975
WENDELBERGER, E.: Alpenblumen. BLV, München 1976
WOOLLEY/BISHOP/HAMILTON: Der Kosmos-Steinführer. Kosmos, Stuttgart 1980

Zauberwelt der Alpenblumen. Umschau, Frankfurt a. M. 1968
ZELLER, W.: Naturwunder Schweiz. Ringier, Zürich/München 1974

Wertvolle Hinweise über die Natur der Alpen, ihre Mineralien, Gesteine, Pflanzen und Tiere sowie Angaben über Fundstellen findet der Naturfreund aber auch stets in den Monatsschriften des KOSMOS-Verlages:
- Kosmos-Bild unserer Welt
- Mineralien-Magazin

Karten und Wanderführer

Topographische Karten
Die staatlichen Vermessungsämter und topographischen Anstalten geben Karten in verschiedenen Maßstäben (1:25 000, 1:50 000, 1:100 000 usw.) heraus, die im Buchhandel zu beziehen sind.

Spezielle Wanderkarten publizieren die Verlage Fleischmann & Mair (Kompaß-Wanderkarten), Freytag & Berndt, Kümmerly & Frey u. a.

Wanderführer
Gute Wanderführer mit exakter Routenbeschreibung aus dem ganzen Alpenbereich geben heraus:
- Bergverlag Rudolf Rother, München
- Kümmerly & Frey AG, Bern

Über das verzweigte Netz der gut ausgebauten und markierten „Europäischen Fernwanderwege“ besteht eine große Auswahl von Führern (z. B. Kümmerly & Frey, Bern).
Detaillierte Beschreibungen von Routen in den französischen Alpen bietet die Reihe der „Sentiers de Grande Randonnée“, Paris.
Kurzführer sind in etlichen Wanderkarten von Freytag & Berndt enthalten.
Die Alpenvereine (Deutscher Alpenverein DAV, Österreichischer Alpenverein OeAV, Schweizer Alpenclub SAC, Club Alpin Français CAF, Club Alpino Italiano CAI, Planinarski Savez Jugoslavije PSJ, Touristenverein „Die Naturfreunde“), die auch eine große Zahl von Hütten unterhalten, publizieren regionale Routenführer, die auch dem Bergwanderer Anregungen bieten.

Geologische Karten
Geologische Karte von Österreich (1:500 000, 2 Blätter) der Geologischen Bundesanstalt, Wien: Umfaßt den gesamten Ostalpenraum.
Geologische Karte und Tektonische Karte der Schweiz (beide 1:500 000) der Schweizerischen Geologischen Kommission.
Geologische Karte von Bayern (1:500 000). Bayerisches Geologisches Landesamt, München.
Carte géologique simplifiée des Alpes occidentales (1:250 000, 2 Blätter) des Bureau de recherches géologiques et minières, Paris.
Die geologischen Landesanstalten der einzelnen Staaten geben auch großmaßstäbige Detailkarten heraus.

Sachregister

* Begriff erläutert auf Seiten 398–406

Übersichten

Sehenswürdigkeiten

Stichworte

Sachregister

Sachregister

Sachregister

Ortsregister

Ortsregister

Ortsregister

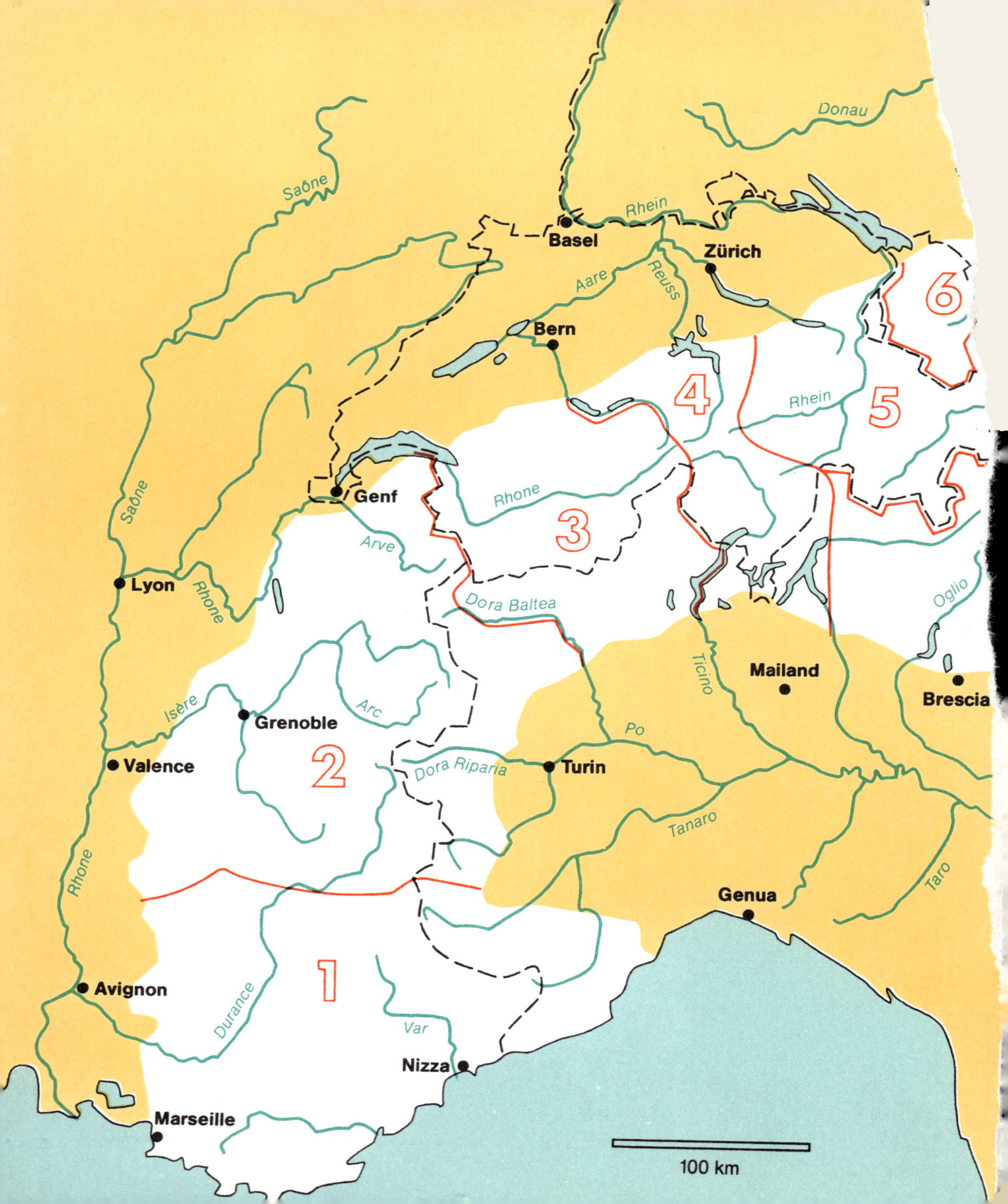
Donau
Saône
Rhein
Basel
Zürich
Aare
Reuss
Bern
6
4
Rhein
5
Genf
Rhone
3
Arve
Lyon
Rhone
Dora Baltea
Oglio
Ticino
Mailand
Brescia
Isère
Grenoble
Arc
Po
2
Valence
Dora Riparia
Turin
Tanaro
Rhone
Taro
Genua
1
Avignon
Durance
Var
Nizza
Marseille
100 km